# なぜ人類は戦争で文化破壊を繰り返すのか

The Destruction of Memory: Architecture at War

ロバート・ベヴァン
Robert Bevan
駒木 令［訳］

原書房

# なぜ人類は戦争で文化破壊を繰り返すのか

世界貿易センタービル
アステカ王国
インカ帝国

セント・ポール大聖堂
フォー・コーツ
救世主ハリストス大聖堂
ワルシャワ・ゲットー
ベルリンの壁
バスティーユ牢獄
ルーマニアの歴史的建造物
北京の伝統建築
ゲルニカ
アルメニア
バーミヤンの仏像
モスタルの橋
チベットの僧院
パレスチナ人住宅
プノンペンの都市
バーブリー・モスク
エルサレム
サダム・フセイン像

# 序

現在おこなわれている文化浄化から安全なものはなにひとつありません……
それは人々の命や少数民族を標的とし、
人類の古代遺産を組織的に破壊することを特徴とします。
――ユネスコ事務局長イリナ・ボコヴァ、二〇一五年三月

本書構想のきっかけとなったのはボスニア紛争（一九九二～九五年）だった。当時は二〇〇一年三月にバーミヤンの辺境にある六世紀の仏像二体がダイナマイトで破壊されるとは、さらに同じ年の九月にニューヨークのツインタワーが崩壊するとは誰ひとり夢想だにしていなかった。

二〇〇六年に本書第一版のハードカバーが出版された頃、イラクでのアメリカ空軍の爆撃によりアブー・ムサブ・アッ＝ザルカウィが死亡した。「イラクのアル＝カーイダ」の創設者だったザルカウィは、死にいたるまでの数年間、シーア派とスンニ派の対立を激化させることを常套手段としており、たとえばサーマッラーのアスカリ廟（びょう）――イスラーム教シーア派の四大聖廟のひと

つ——などイラク各地のモスクを計画的に爆破して、宗派間の怒りをうまく煽っていた。ザルカウィの死後、その組織は「イラクとレバントのイスラーム国 *Islamic State of Iraq and the Levant*」（ＩＳＩＬまたはダーイシュ）に姿を変える（レバントとは地中海東部沿岸地方をさす。この組織はＩＳＩＳとも呼ばれる）。

組織としてのダーイシュは、遺産に対するタリバンやザルカウィの残忍な路線を継承しており、建築物の利用と悪用にじつにたけている。文化遺跡の破壊は、テロ、プロパガンダ、征服、集団殺害（ジェノサイド）と、さまざまな目的に応用できるからだ。

本書に取りあげた地域のなかには、その後平穏になったところもある。たとえばボスニアでは、内戦終結後の二〇年間には建築物の破壊行為はあまり起きていない。とはいえ一九九五年にむすばれたデイトン和平協定に遺産保護条項が盛りこまれたにもかかわらず、古都モスタルのシンボルだった橋くらいしか、再建による共同体の和解は進んでいないのが現状だ。そのほかの地域でも、紛争によって建築遺産が標的になったときの惨事は激化する一方である。とくにイスラーム世界では、ザルカウィが好んだ戦術はシリアとイラクで制御不能におちいっており、さらに遠く離れた地域ではほとんど抑制されていない。

こうした破壊は、表面上は初期イスラームを理想とするサウジアラビアの厳格なワッハーブ派が掲げる偶像崇拝禁止の教義にもとづくものとされるが、その本質は政治的なものだ。つまり、植民地から解放されたあとの秩序——不合理な、西欧列強が勝手に決めた国境線や、欧米やロシアに支援されてきた、腐敗した抑圧的な政権——に異議を唱えるイデオロギーなのである。それらの政権は西洋の資本主義モデルを国民に押しつけてきたが自由はなく、残虐で腐敗し、社会に絶望的な貧困をもたらした。

偶像を破壊する行為には数千年の歴史があるが、ここ最近のイスラーム主義的解釈では、西洋の覇権を拒絶してイスラームの新しいアイデンティティを構築する手段とされている。このような姿勢を象徴するのが、ナイジェリアの過激派組織ボコ・ハラムの名称だ。ボコ・ハラムは「西洋の教育は禁止事項」「西洋化は冒涜行為」という意味である。二〇一一年初頭から中東や北アフリカで民主化運動「アラブの春」が起きたとき、ある種の真空状態が生まれ、こうした思想がなだれこむ余地となった。サウジアラビアのオイルマネーは、強烈な反発をまねく可能性があるにもかかわらず、原理主義の拡大をめざす勢力を支援してきた。

マグレブ——アフリカ北西部のモロッコ、アルジェリア、チュニジアの総称（リビアを含むこともある）——からパキスタン、そして世界各地で、キリスト教の教会、シーア派の聖廟、スーフィーの墓、墓地、世俗的な考古学、美術館、世界遺産を徹底的に敵視するアイデンティティが主張されている。学者はスナイパーに射殺され、遺跡の管理者は過激派組織に斬首された。ダーイシュはイラク北部にある古代アッシリアの都市ニムルドや、二〇〇〇年前に栄えた古代都市ハトラの遺跡をブルドーザーで破壊したり、シリアのパルミラ遺跡を爆破したりする映像を誇らしげに公開し、世界はそれを信じられない思いで見つめた。

しかし反西洋のイデオロギー信奉者にとって、普遍的な遺産という概念自体、外部から押しつけられたものにすぎない。二〇〇一年にタリバンの指導者オマル師は、欧米はバーミヤンの仏像を崇拝し、貧困にあえぐアフガニスタン人の窮状より仏像の運命を気にかけていると揶揄した。

た。また西アフリカのマリ共和国では、二〇一二年七月に、世界遺産のトンブクトゥの聖廟がイスラーム主義組織アンサール・アッ＝ディーンによってまたも破壊されたが、それはサンクトペテルブルクで開催されたユネスコ（国連教育科学文化機関）の世界遺産委員会が、同年五月に別組織がおこなった破壊を受けて、トンブクトゥを危機遺産に登録したことへの報復と考えられている。西洋の啓蒙主義的プロジェクトが勝手に自分たちの地域を遺産登録しただけなのに、なぜそんな普遍性を信じなければならないのか？　というわけだ。

ボスニア紛争以降、文化財の破壊が起こるたびに慨嘆の声が世界に満ちる。国際連合では官僚的な決議がおこなわれ、ほかにも自己満足的な学術会議が開かれたり、史跡を守るために武力介入せよという扇動的な主張や、貴重な芸術品を空輸してニューヨークやロンドン、パリの大美術館の倉庫に保管すればいいといった妄想に類した提案がなされたりした。その一方で、地中海に浮かぶ舟に乗った難民が苦しもうと溺れようと、手はさしのべられない。つまりある意味では、オマル師の批判は正しかったといえる。民族とその文化は切り離せない関係にある、と欧米が真に理解したことを示さないかぎり、いまも続く両者への攻撃は解決できないだろう。

ただ、古代アッシリアの人面有翼雄牛像（ラマッス像）を打ち砕き、無残な姿に変え、ハンマーで粉々にする映像で世界をねらいどおり震撼させたものの、長い目で見れば、ダーイシュは皮肉にも遺産の保護や人権を擁護する人々の利益になる行動をとったといえる。というのも、本書の第一版が刊行された当時はまだ新しい概念だった（より正確にいえば、国際社会から見過ごされていた）遺産と人権の関連性が、あきらかになったからである。

こうした攻撃の激化を受けて、ユネスコはついに、文化遺産への攻撃は固有の歴史的価値や美的価値をそこなうだけにとどまらず、民族浄化やジェノサイドの一部であることが多いという理由からも非難した。国連安全保障理事会と国連の人権部門は現在、文化遺産への攻撃は、ヤジディ教徒、シーア派、キリスト教徒、その他の少数民族に対する殺戮と文化の抹殺のかなめであるという理解のもと、イラクでの出来事を注視している。ヒューマン・ライツ・ウォッチなどの非政府組織（ＮＧＯ）も全面的にではないにしろ、文化遺産と人権のかかわりを指摘している。

理論上は、こうした破壊を訴追することは一定の抑止力になるはずである。しかし残念ながら、現行の国際法は目的にあっていない。いまの法律は、国家ではない勢力に対処するには不十分というだけでなく、文化に対する罪を人道に対する罪と切り離して考えているからだ。このことは、旧ユーゴスラヴィアでおこなわれた犯罪を裁くためにハーグに設置された法廷（旧ユーゴスラヴィア国際刑事裁判所：ＩＣＴＹ）で何度も証明されている。ここでは、遺産の破壊はジェノサイドの証拠になりうるものとして（一応）認められているが、たとえそれが民族全体の歴史とアイデンティティを消し去るための試みであることが歴然としていても、ジェノサイドを達成する本質的な要素——つまりジェノサイドのかなめ——とは認められていない。ハーグでは文化犯罪の加害者に対する訴追はほとんどおこなわれておらず、破壊の罪はたいてい、死亡や人権侵害にかかわる主要犯罪に付加される形になっている。

国連の国際司法裁判所（これも本部はハーグ）の姿勢も同様だが、同裁判所の判事のひとりはそれに異議を唱えた。アントニオ・アウグスト・カンサード・トリンダージ判事は、二〇一五年二月、クロアチアとセルビアが旧ユーゴスラヴィア紛争中にジェノサイドをおこなったと互いを告発していた訴訟の判決で、「認めたいと思うかどうかにかかわらず、肉体と精神は一体化しており、一方を他方と切り離そうとする試みは……まったくもって無意味である」と激越な反対意見を述べた。トリンダージ判事は、国際司法裁判所はジェノサイドをおこなう意図――犯罪のなかの犯罪をあえておかそうとする意図の立証に対して、あまりにきびしい基準の証拠を要求しており、正義に背を向けていると主張した。判事の意見書には、見落とされている証拠として、セルビア勢力が占領したクロアチア地域で認められる共通パターン――つまり東部ヴコヴァルなどの町でクロアチアの文化財が組織的に標的にされたのと、クロアチア市民の殺害や追放が同時に進行していたことをあげている。これはある民族とその自己表現方法の一部を根絶したいという願望の証拠だ、と判事はいう。この意見からは、なおざりにされていた「戦時下における文化の運命」の問題に光をあて、人権問題の中心にすえようとする決意が見てとれる。ある集団の文化的アイデンティティが根絶されれば、その集団を物理的に抹殺するのと同じような結果が生じるからだ。

トリンダージ判事は、ナチスの迫害を逃れて一九四八年のジェノサイド条約の草案を作成したポーランド系ユダヤ人ラファエル・レムキンの言葉を引用した。本書の最後でも述べるとおり、レムキンはジェノサイドが「残虐」(民族への攻撃)と「破壊」(民族の特質をあらわす文化への攻撃)の両方からなると考えていた。しかし最終的に国連で採択された条約では、レムキンがジェノサイドの要素とした「文化破壊」の概念は削除された。冷戦時代の外交上の敵対関係にくわえ、自国の先住民族（および元奴隷）がこの国際法を根拠に政府を訴える可能性があるのではないか、というアメリカ大陸諸国の危惧が優先されたのである。のちにレムキンは自伝のなかで、「わたしはふたつの草案をうまく弁護した」と述べた。「［破壊とは］ある集団の文化パターンの破壊を意味した。言語、伝統、記念建造物、文書館、図書館、教会など、簡潔にいえば、それは国家の魂が宿る社（やしろ）である」。とはいえ、現実の政治の世界では文化破壊の条項は却下されるにちがいないと悟り、レムキンは「重い気持ちで」この問題を取りあげるのをやめた。そして、あとから追加議定書の形で条約に明記されることに望みを託した。しかしそうはならず、今日のような結果になってしまったのである。トリンダージ判事は自分の意見が国際法の判決例や、「説得力のある機関」の力になるようにと願っている。

　国連は、文化の運命が文化的ジェノサイドと表裏一体であるとするかわりに、武力紛争時における文化財の保護を目的とした「一九五四年ハーグ条約（武力紛争の際の文化財の保護に関する条約）」を採択した。一九九九年、この条約を補足するために作成された第二議定書では、条約締約国は自国の領土内の非国家主体――たとえばテロ組織――に刑事罰を科せることになっているが、イラクでそれが実現するとは考えられない（いずれにしろイラクは肝心の第二議定書の締約国ではない）（一九五四年ハーグ条約は締約している）。旧ユーゴスラヴィアから生まれた、政治がそれなりに機能する国々では、宗教施設や博物館を組織的に完全破壊しても有罪判決を得るのは非常にむずかしい。

　ダーイシュの文化破壊は戦争犯罪と呼ばれている。たしかに、それはまったく正しい。しかし、その行為を正式に戦争犯罪とするための拘束力のある法律が存在するのかどうか、という疑問が残る。文化破壊は、公式にはジェノサイドではない。また国際刑事裁判所の設置を決めた二〇〇二年のローマ規程では、文化破壊は戦争犯罪とされているものの、イラクはこの規程にも加盟していない。実際のところ、イラクはローマ規程を批准していないアメリカと同じく、国際刑事裁判所という枠組みや、自国の将軍や政治家がその刑事法廷で責任を問われるという考えに真っ向から反対している。欧米の「文明的」価値観はここでも変幻自在なのである。

ボスニアやダルフール、ルワンダでの事例を受けて、ジェノサイドの早期警戒や防止のあり方が国際的な議題になっているにもかかわらず、ジェノサイドの一側面である文化破壊の防止は加害者の起訴と同様、遅々として進んでいない。二〇〇四年、当時のアナン国連事務総長はジェノサイド防止に関するストックホルム国際フォーラムの基調講演で、「致命的な紛争の防止と解決ほど国連にとって基本的な任務はない」と述べた。このフォーラムでは、「人命や社会に対するジェノサイドの脅威を可能なかぎり早期に発見し、監視かつ報告するための実用的なツールやメカニズムを使用ならびに開発する」ことを表明した。ストックホルム以降、統計学にもとづいて、さまざまなジェノサイド早期警告システムが開発されている。しかし、ジェノサイドの状況が発生しているかどうかを判断する指標に物質文化を含めているものは、ひとつもない。

二〇〇九年、こういった新システムに対する批判を展開したアルメニア政府は文化を考慮に入れるよう求め、次のように述べた。「文化財や宗教施設の破壊、文化的アイデンティティの抑圧は、文化レベルでの警告サインに位置づけられるべきである。ただし、ジェノサイドの危険を知らせる警告サインとするには、どの違反も組織的な性質を有していること、頻繁に発生していることとが条件となる」。しかし二〇一六年にイスタンブルで開催されたユネスコの世界遺産委員会では、これをテーマにした研究論文の提出は予定されず、トルコや中国の代表団を怒らせるような文章を削除しないかぎり書面審査にもまわせなかった（両国とも過去に文化的ジェノサイドの罪をおかしており、少なくとも中国は現在もそうである）。

もちろん、確信犯的勢力や残忍な反社会的人物を止める手立てはどこにもない。ただ、レムキンが提唱した破壊条項をジェノサイド条約の追加議定書に明記するか、もしくは文化遺産と人権を明確にむすびつけた新条約を制定しないかぎり、この問題に対する理解が深まったとしても、効果的な救済策は得られないだろう。

この第二版では、文化破壊の具体例は改訂していない——そのためには完全に別の巻が必要となるだろうから。しかし本書と、本書に基づいて製作された近日公開予定（二〇一七年公開）のドキュメンタリー映像がこの現象の理解促進に役立つならば、目的は果たされたことになる。「本を燃やすことと死体を燃やすことは同じではない」と、レムキンは一九四八年に述べた。「しかし教会や本の大量破壊に介入すると、死体焼却の防止になんとかまにあう」

——二〇一五年八月、ロンドンにて　　ロバート・ベヴァン

# 第一章　はじめに　建築と記憶の敵

この種の考えがこっそりねらっているのは、総統だの支配層だのが
　未来ばかりか過去までも支配する悪夢のような世界だ。
もし総統がこれこれの出来事は「起こらなかった」といえば
　――そう、それは起こらなかったのである……
わたしにはこうした見通しが爆弾以上におそろしい
――そしてここ数年の経験からすると、それはけっしてただの空想ではないのだ。
　――ジョージ・オーウェル(1)

ズヴォルニクにはいかなるモスクもなかった。
――ズヴォルニクのセルビア人町長ブランコ・グルイッチ
(イスラーム教徒住民を追放してモスクを破壊したあとの宣言)(2)

建物のように一見永久にあるようなものが、人間の寿命よりずっと長く存在するのがあたりまえと思っていたものが、あっけない最期を迎えるのはおそろしくもあり、瞠目もさせられる。建築好きの少年だったわたしは、第二次世界大戦中にヨーロッパの建築遺産が破壊された映像を食い入るようにながめたものだ。また、地元の図書館の分館で、失われた貴重な建造物について書かれた本を自分の身長の半分ほども積みあげ、子供フロアの床を引きずっていたりした。その一方、ホロコーストで人々に負わされた倒錯した苦しみを描いた同時代の映像を前にすると、無生物である美術品や建築物の運命を考えることさえまちがっているような気がした。ホロコーストのほうがはるかに大きな悪であり、衝撃は比べものにならない。美術館や教会の残骸に一瞬でも思いをはせることは、よくいえば身勝手であり、悪くいえば優先順位が狂っていると感じた。とりわけ、ホロコーストが一家の友人たちの人生に深くかかわっている場合は。

戦争行為には建物や都市の破壊がつきものであり、遠い昔の投石器や弓矢から今日のデイジーカッター（ヒナギクを刈るように地表を広範囲に吹き飛ばす強力な爆弾）へと、兵器の重さと威力が増すにつれて破壊の規模はますます大きくなっている。都市ばかりか大陸さえ壊滅的な被害をこうむりうる。こうした被害は、支配地域の拡大や敵勢力の一掃をねらう軍事作戦の直接的結果の場合もあれば、敵の戦闘能力の壊滅を目的とする場合もある。戦利品の分配も見逃せない。

しかし建築に対しては、もうひとつの戦争がつねにおこなわれてきた。それは敵の民族や国家を支配し、脅かし、分裂させ、完全に根絶させる手段として、彼らの文化遺産を破壊することだ。この場合、敵の軍隊を壊滅させるのが目的ではないため、戦術としては前線から遠く離れた地域でおこなわれることが多い。ねらいは表現形式を変えた民族浄化やジェノサイドであったり、勝者の征服をいっそう強固なものにするために歴史を書きかえる試みだったりする。文化では、建築物はトーテムの役割を果たす。たとえば、モスクはたんなる祈りの場ではない。敵にとっては、抹殺すべき共同体の存在を象徴するものである。図書館や美術館は歴史的な記憶の貯蔵庫であり、くだんの共同体が過去から存在していることを証(あかし)だて、現在も、そして未来も存続する権利があることを示す。こうした状況下では、特定の意味を持つ構造物や場所が、意図的に忘却の対象にされる。これは戦闘中の「巻き添え被害」ではない。ある種の建築や建築伝統を積極的に、しばしば組織的に破壊する行為は、建物や場所にこめられた意味や歴史、アイデンティティの抹消――つまり忘却の強制――そのものを目的とする紛争で生じる。こうした建物が攻撃されるのは、それが軍事目標の進路にあるからではない。破壊者にとっては、それ自体が目標物なのである。

一九三八年の「水晶の夜(クリスタルナハト)」でナチスがドイツ全域のシナゴーグを破壊したのも、同じような目的からだった。ある民族の未来だけでなく過去も否定すること。いや、「水晶の夜」はそれだけにとどまらず、本書で述べるようにジェノサイドへの第一歩と考えることができるだろう。人間性を否定して人種を隔離し、残虐という底知れぬ暗闇が支配する地下室に向かってさらに歩みを進めたのだ。建物の抹殺は、破壊者の手にかかる人々の運命をくるおしく、ほこりっぽく反映している。一九九〇年代の旧ユーゴスラヴィア紛争中、ボスニアでは拷問、大量殺戮、強制収容所の設置がされるかたわらで、モスクの破壊、図書館の焼却、橋の粉砕がおこなわれていた。

わたしは子供の頃に抱いていた、建物の運命を考えることへの罪悪感が見当違いだったのに気

ドイツ東部エッセンの大シナゴーグ（1911〜13年建設／エドムント・ケルナー設計）も「水晶の夜」に襲撃された。内部の大半は火災によって焼失したが、建物自体は残り、戦後にデザイン博物館（内装は一変された）として使用されたあと、1979年にホロコースト記念館になった。近年ここでふたたびユダヤ教の礼拝をしようとの試みがあるが、記念館の「中立性」がそこなわれるという理由から、市議側が反対をしている。

づいた。ある民族とその集合的記憶を伝える「物質」を消滅させることと、民族そのものを殺害することは、いわば一本道のような関係なのだ。文明社会と良識にひそむ本質的なもろさは、その記念建造物のもろさに反映されている。建築を介した文化浄化という現象は、これまでほとんど理解されてこなかった。本書を執筆した理由はそこにある。調査のために、インドからボスニア、ヨルダン川西岸地区からアイルランドまで、さまざまな場所に足を運んだ。本書の内容はわたし自身の取材や他のジャーナリストの記事のほか、世界中の専門家、歴史家、活動団体、人権団体の仕事をもとに構成されている。

少数民族(マイノリティ)の文化——言語、文学、芸術、習慣など——の意図的な抑圧については多くが書かれてきたが、建築の抑圧についてはほとんど語られていない。本書は、前世紀に銃火にさらされた人々と建築がいかに運命をともにしてきたか、また今日もなお続いている——イデオロギーや民族、ナショナリストによる——さまざまな戦いのなかで建築がいかに身代わりにされているかを見ていく。

数秘術者はそこになんらかの符合を見るかもしれない。第二次世界大戦前夜のドイツの「水晶の夜」は、一九三八年一一月九日にはじまった。一九八九年の同じ日、ベルリンの壁が崩壊した。四年後のその日、ボスニアの古都モスタルで、オスマン帝国時代からの石橋スタリ・モストが、クロアチア兵の砲撃によってネレトヴァ川に崩れ落ちた。そして、そう、次はニューヨークの九月一一日が来る——もちろん月と日は逆さまだが——この数字の組み合わせは破壊の日を指し示しているように思える。こうした偶然の一致が起こるのは、建築や記念建造物を意図的に、かつ

ボスニア紛争前の古都モスタルにかかっていた「古い橋（スタリ・モスト）」。かつての国際都市モスタルの象徴、社会の中心だった橋（1566年）を設計したのは、オスマン帝国の大建築家スィナンの弟子ミマール・ハイルッディン。橋の両側には、17世紀に建てられた要塞塔がある。

クロアチア人勢力の砲撃を受け、スタリ・モストは1993年11月9日、ネレトヴァ川に崩落した。この壊滅的瞬間は、アマチュア・カメラマンが撮影した貴重なフィルム映像の一コマ。現在、石造の橋はできるかぎり忠実に再建されている。橋の破壊を命じたクロアチアのスロボダン・プラリャク将軍は、ハーグの旧ユーゴスラヴィア国際刑事裁判所で起訴されている。

意味を持たせて破壊するのが通例になっているからである。

本書はまず、ジェノサイドや民族浄化の一環にされた建物の運命を検証し、続いてテロや征服のキャンペーンの標的にされた建物、民族の分断や強制的な同化のために建てられたり壊されたりした建物、そしてユートピア実現のためには過去は不要とする革命的新秩序が破壊した建物を検証していく。二〇世紀の破壊行為には、ぞっとするような循環性がある。つまり、民族浄化は征服の手段になりうる——その征服はイデオロギー的なものもあれば領土的なものもある——領土的な欲望はジェノサイドにつながったり、壁による分断に終わったりする。さまざまな関連性をわかりやすくするために、本書は地域や年代ではなく、テーマ別の構成にした。このようなテーマにはどうしても重なりあう部分が出てくる。たとえば、イスラエル建国後のエルサレムの建物の運命は、民族浄化、分離、征服と、いずれの例としても見ることができるだろう（本書にあげたものの場合）。本書をとおして、一見するとばらばらな糸をいくつか撚りあわせていけたらと思う（すべてを包括するにはあまりに範囲が広すぎるから）。そして、純粋な軍事目的以外に「この建物を破壊する」という力学が発生する場をあきらかにしていきたい。また、政治的な力の作用にも注目する。中国によるチベットの僧院破壊、あるいは過去に国家社会主義やスターリン主義に席巻されたドイツに、どんな政治性があったのかをあきらかにするためだ。アル＝カーイダはなぜ世界貿易センタービルを標的にふさわしいとしたのか、タリバンはなぜ国際世論を無視してバーミヤンの仏像を爆破したのか。一九世紀ドイツの軍人クラウゼヴィッツの「戦争とは独立した現象ではなく、それまでの政治が別の手段に訴えただけである」という有名な言葉が、今回検証した建築物破壊の背後にある考えである。

もちろん、実用的な理由以外で建物が暴力的に壊されることは、平時にもある。近代化や工業化にはかならずイデオロギー的な要素がひそんでいるため、「進歩」による破壊は社会階級や集団間の対立と完全に切り離すことはできない。住環境の改造には、こうした争いがなんらかの形で反映される。都市が発達して変化するにつれ、不要な構造物が出てきたり、利用法を変えるほうが適当になったりするからである[3]。建物の取り壊しは、民衆のなかにいる抵抗勢力を排除するためにおこなわれることも多い。その好例が、一九世紀のナポレオン三世時代にオスマン男爵が手がけたパリ改造だろう（これもまた、暴力的な革命の動乱後のことだった）。もっとも、建物を放棄するのが当然だったり、強制されたりするケースのほうが一般的だ。たとえば、その建物を利用する人が地域にもういなくなったり、所有者に経済力や政治力がなくて「再開発」とか「改造計画」の圧力に抵抗しきれなくなったりする場合である。

地域内のコミュニティ、民族、宗教グループ、階級の力や存在感が低下すると、建物への攻撃が起きてくる。また、それとは反対に、あるグループの台頭に対する敵意の反映だったりする（ロンドンのイーストエンドに住むバングラデシュ人家族の郵便受けには、しょっちゅうガソリンに浸したぼろ布が突っこまれるが、これも小規模な民族浄化行動といえる）。社会の支配的な階級や文化が評価するものは保存され、大切にあつかわれるが、それ以外のものは気にもとめずに――ときには意図的に――破壊されたり、放置されたりする。こうした事例は、紛争中の痕跡や軋轢が依然として国家の解体や再建に深くかかわっている場合や、戦争が近づいて国内が分裂している場合に問題になってくる。しかし、その過程をもっとも鮮明かつ野蛮に映しだすのが二〇世紀と二一世紀の戦争や革命であり、紛争の激化にともなって歯止めがきかない状況になっていることから、本書はそれを焦点のひとつとした。世界中で起きている建物の崩壊は、社会の崩壊や混乱と密接にむすびついている。

しかし都市の建物のスタイルには本来、特別な政治性はないということを忘れてはならない。たとえば芸術としての古典主義は、ベルリン、モスクワ、ワシントンDCにおいて、それぞれファシズム、スターリン主義、民主主義の都市モデルとしておおいに機能した。一方、モダニズムはヒトラーに激しく嫌われ、長く左翼に関連づけられたが、ムッソリーニのイタリアでは役目を果たした。これはなにも、建築物のデザインや制作にイデオロギー的要素はないと主張しているわけではない。むしろ反対に、建築物にはイデオロギー的要素がつまっている。ただ、それは「建築形式」にもとからそなわっているのではなく、その建築が設置された社会的、歴史的文脈のなかから発生する。その時々の情勢によってレンガや石に加えられる千変万化の意味が問題なのであって、建築の素材や様式に内在するのではないことは、しっかりわきまえておきたい。根本的な問題は、その建物が存在する理由、また、その建物を消し去りたいという願望の背後にひそむ理由である。建物自体は政治的ではない。なぜ、そしてどのように建てられたか、評価されたか、破壊されたかによって政治的になるのである。

ボスニアとコソヴォの文化遺産破壊に対してきびしい批判を展開しているアンドラーシュ・

リードルマイアーは、破壊のイデオロギー性に関して歴史学者エリック・ホブズボームの言葉を引用した。

ケシがヘロイン中毒の原料であるように、歴史は国家主義者、民族主義者、原理主義者のイデオロギーの新たな素材となる……適切な過去がなければ、それはいつでも簡単につくりだせる。過去は正当化する。過去は、あまりぱっとしない現在にずっと輝かしい背景を与えてくれる。(4)

建築への攻撃からもあきらかなように、過去を再構築もしくは再表現するために歴史的記録を利用したり悪用したりする例はひじょうに多い。ホブズボームはまた、手を加えた過去と現在とのつながりを示すには新たな伝統の創出が不可欠であり、それは往々にしてナショナリストの忠誠心を醸成する目的でおこなわれるという。ホブズボームによれば、国歌を斉唱したり、固有の工芸品を復活させたり、埋もれていた歴史的シンボルや旗を振ったりする行為は、繰り返すことで「作為的な連続性」を強化する。(5)このような形でイデオロギーを生成していく場合、新たな建築物の価値は、レンガや石に永続性がそなわっているように感じられるところにあるといえよう。建物や公共の空間は、さまざまなグループがつどって経験を共有する場となる。そこで集団としてのアイデンティティが築かれ、伝統が作りだされる。こうした操作に強い説得力を持たせるのが、建築に内在する「揺るぎなさ」という印象だ。選択的に保存と破壊をしていけば、歴史的記録を再構成しうる。そして建築に託されていた意味を変化させることができる。

自分たちの建築遺産が瓦礫となってしまった人々がいだく喪失感は、莫大な価値が無に帰したことへの落胆とか、その美的価値がそこなわれた悲しみだけにとどまらない。むしろ、ドイツ系ユダヤ人の政治哲学者ハンナ・アーレントはこう主張する。「人間世界のリアリティや信頼性はおもに、わたしたちの周囲に物があるという事実に支えられている。なぜなら物というものは、それを生産する活動よりも永続性があるからだ」[6]。慣れ親しんだものすべてを失うこと――つまり自分の環境を破壊されること――は、そこに存在していた記憶から切り離され、迷子になることを意味する。自分の集団的アイデンティティを失う恐怖、まちがいなく続いていくはずだった集団的アイデンティティがなくなる恐怖にさらされる（たとえ現実には、時間の経過とともにアイデンティティはつねに変わっていくものだとしても）。フランスの哲学者アンリ・ルフェーヴルは、この過程を次のように述べた。「記念碑的空間は社会の各構成員に、その構成員のイメージ、自分の社会的顔のイメージを提供した……すなわち、個人の鏡より信頼のおける集団の鏡を構成したのである」[7]。これはフランスの精神分析学者ラカンの鏡像段階論（生後六～一八か月の幼児は鏡に映った像で自分のイメージを認識するという説）を一歩進めたものだ。幼い子供が自己の存在を認識する手段ではなく、個人をより大きなコミュニティにむすびつけるもの。それは所属するということだ。

外部からの脅威があると、たとえ異なる集団であっても国家の大義と建築を守るために結集させることができる。それとは反対に民族や宗教の戦争では、内戦であれ、外国勢力との戦いであれ、集団の純化が進み、国旗ではなく所属するコミュニティのもとに結集する。このとき、個人のアイデンティティ――集団的自己をよりどころとする個人的自己――が危険にさらされる。この状況下では自分たちの生き残りをかけて、集団への忠誠心が強まる。たとえば、民族や宗教への帰属意識は、地域や都市、国家への帰属よりも重要になる場合がある。この種の戦争を残酷にし、集団のアイデンティティを示す建築表現を徹底的に敵視する理由のひとつは、消滅へのおそれと自衛反応だといえるだろう。ニーチェは、記念建造物には「権力への意志が刻印」されていると述べたが、その破壊についてもまったく同じ言葉を使えたに違いない。

こうした集団間の戦争では、表面下には巧妙に覆い隠された政治的野心、あるいは経済的、領土的野心がうごめいているにしても、特有な蛮行が助長されてしまう。なぜなら、コミュニティへの帰属意識が高まる結果、その反作用として集団外の人々を「他者」と定義することになり、その「他者性」は帰属意識の高まりに比例して強まっていく。あらゆる紛争は、それが純粋に民族主義的なものであれ、経済にもとづく拡大主義的なものであれ、他者の国籍、民族、階級、宗教、イデオロギー、価値観など、「われらと異なる他者」の概念を呼び起こす。仲間とそうではない存在の相違が強調されると、他者と彼らが築いてきた歴史的遺産の価値が下落する。[8] こうした非人間化は、敵の遺産を破壊してもいいのだと、彼らを虐待し、最終的には殺してもいいのだとする思考に不可欠なステップだ。ときには、礼拝所にいる信徒たちを生きたまま焼き殺すなど、ひとつの出来事にこれらすべての行為が重なる場合もある。紛争では建築の重要性が増し、とくに敵側の記念建造物や神聖な建物がねらわれる。敵の存在を象徴しているばかりか、敵にくみしているレンガや石そのものにも罪がある、といわんばかりの場合さえある。モスク、オニオンドーム、星形、尖塔などは、その形だけで異質な考えと存在を、異文化が起源であることをあらわにするのだから。

標的にされるのは、きわだって壮麗だったり古かったり、めだったりする記念建造物だけではない。住宅、とくにその土地特有の住宅も記念建造物になりうる。なぜなら、記憶を刺激して集団のアイデンティティを呼びさます作用があるからだ。ここでは、記念建造物という言葉をもっとも広い意味で使っている。本書では、「意図のある」記念建造物と「意図のない」記念建造物の両方を見ていく。つまり、なにかを直接的に記念するためにつくられたものと、それ以外の多くの建物――その歴史のなかで建設者と利用者が一体感をはぐくんできたことにより、意味を与えられてきたものである。[9] 彫像などの形象作品も敵視されるが、直接的な偶像破壊については昔からさまざまな分野で取りあげられている。[10] また略奪など、戦争が芸術作品に及ぼす影響もくわしく調べられている（しかし民族紛争では、財産の押収よりも破壊や焼却のほうがずっと一般的である点は興味深い――根絶の欲求は資産価値を上まわるのだ[11]）。

それよりもここからは、建築物の複雑性に目を向けてみよう。建物は日常的な役割、町並みのなかでの存在、その形態などによって意味を持つようになる。構造物として意味を加えられることもあれば、ただたんに意味や歴史を入れておく容器として機能することもある。どの役割も記憶を喚起する。プルーストが語る微妙な香りや味わい、食感とは異なるが、たしかに建築には記憶を呼びさます力がひそんでいる。ある建物――たとえば以前に住んでいた家、恋人とひそかに逢瀬を重ねた場所、大嫌いだった職場――を見るだけで、たちどころに思い出がよみがえってく

1896 年にサラエヴォ市庁舎として建設されたネオムーア様式の国立図書館は、市を包囲したセルビア人勢力によって 1992 年 8 月 25 日の夜、砲撃を受けて焼失した。建物は廃墟となって残ったが、蔵書は失われた。その数か月前に砲撃された近隣の東洋学研究所の蔵書を含め、その文化的損失ははかりしれない。この国の歴史的記録は灰燼に帰した。現在、建物の壁に取り付けられた銘板には「記憶して警告せよ！」と書かれている。

るのはまちがいない。同様に、慣れ親しんだ通り、包まれているという肌感覚、日当たり具合、なじみのある曲がり角などは、自分がそこに根づいているという感覚を生みだし、その場所とコミュニティへの帰属意識をはぐくむ。[12]

はたらくのは、個人的な記憶と集合的な記憶の両方だ。ここでいう集合的な記憶とは、それぞれの記憶が人々の交流によってひとつの大きな束にまとまり、その建築記録についての「コミュニティの物語」ができあがることをさす。これは、記憶を最初につくり、そしてつむいでいった何世代もの人々の物語から独立しているのではなく、その集団のいかなる個人からも独立した物語となっている。ある意味では、わたしたちは建築環境とやり取りを重ね、その経験を記憶し、ほかの人々の経験を知ることによって世界における自分の居場所を確認しているといえるだろう。社会的アイデンティティの誕生は場所と時間に根ざす。

忘却についてすぐれた著作を発表してきたイギリスの建築史家エイドリアン・フォーティーは、建築は記憶を具現化しうるという考えを否定する。フォーティーによれば、「心のなかの記憶が固体の物質に移る」ことはない[13]。そして、イタリアの建築家で建築理論家だったアルド・ロッシの「都市そのものが人々の集合的記憶であり、都市は記憶と同じように物と人々にむすびついている[14]」という説に疑問を投げかけている。しかし本書は、たとえば幽霊が織物に浮かびあがるといった感じで、建物や場所になぜか魔法のように記憶が現れるという説を支持しているのではない。またロッシが述べているように、土地には遠い昔から宿る精霊といってもいいような、普遍の「土地柄（ゲニウス・ロキ）」がある——景観にはその歴史的変遷に対する都市自体の記憶が息づいている——と示唆したいわけでもない。この点に関するロッシの考えは、ユングの集合的無意識——つまり人間の精神には先祖から受け継いできた無意識の概念（元型（アーキタイプ））が存在する——という説に近い。これだと、話は時間を超越した神秘主義におちいってしまう。わたしは本書で「集合的記憶」という概念を用いているが、そこにこうした抽象性は含まれていない。

記憶とは、あきらかに人々の頭のなかに存在するものだ。あるいは、歴史として論じられ、書きとめられてきたものだ。建築環境は、たんにその建設や使用、破壊にかかわる出来事を思いださせるようすが、物質的な証拠でしかない。わたしたちが石にもたらす意味や記憶は人間のいとなみによって生みだされ、そこにとどまる。もちろん、記憶は衝突を繰り返し、時間とともに変化していく。本書で述べる集合的記憶は、人類学者ジョエル・カンドー[15]や哲学者ポール・リクール[16]の説にもとづいており、社会学者モーリス・アルヴァックス[17]の「個人的記憶は包括的な集団的記憶の断片である」とする立場ではない。カンドー（およびわたし）は、「集合的記憶あるいは共有記憶とは、社会的記憶の枠組みのなかで個人の記憶が相互に作用しあうことから生まれる」と考える。それはある程度の均質化につながる。つまり、記憶が共有された結果、建築を含めた過去の表現に対して共通の考えを持つようになるのである。

しかし継続的に一連の経験をしていくと、意味の層がしだいに重ねられていって、ある場所にとくに強い磁場が形成されたりするのではなかろうか。心理地理学的にいえば、過去に対する「気づき」（建築物はもはや干からびた過去の亡霊ではなくなる）はダイナミックに作動し、石に記録を刻むというよりは人々から人々へと手渡され、特別な歴史となり、政治的な意味合いをおびる。こうした場所の価値は、建築物が破壊され、コミュニティがその貴重さを思いだしたときに高まる。アイデンティティの礎となるものが雲散霧消してしまった場合、記憶は断片化し、ばらばらになっていく——敵対的な破壊は集団全体にも、その構成員にも記憶喪失を強いる。視界から消えれば、それは遺産を破壊された人々の心からも、破壊した側の心からも、文字どおり消えていくことになる。そうした記憶喪失メカニズムが実際には「どのように」働いているのか——ほんとうに忘れてしまったのか、あるいは記憶は存在しているものの、抑圧されていて意識に浮かびあがってこないのか――については、生理学者や心理学者などの専門家にまかせるのがベストだろう。

フランスの歴史家ピエール・ノラは、社会には場所、儀式、シンボル、文章など、「記憶の場」となるものがますます重要になっていると述べる。なぜなら、農民文化（過去が日常生活の一部である世界）では人から人へ伝えられる「本物の生きた」記憶が、近代産業社会の大衆文化では消えてしまったからだ。都市部では反対に、記憶は個人からも物からも遠いものとなり、官僚化かつ制度化されている。歴史の歩みはどんどん加速し、おぼえておく「必要」のあることは個人の領域外へ流れ去っていく。ノラによれば、今日、記憶研究への関心が大きく高まっているのは民主化の結果である。つまり、少数派の集団が自分たちのアイデンティティを再確認するために、過去に向きあうようになったからだ。

「つまるところ、現代の記憶とは保存されているものなのである」とノラはいう。「記憶は、記憶の痕跡の物質性、記録の直接性、イメージの可視性に完全に依存している[18]」。記憶は過去に「歴史」と呼ばれたものにすぎず、そのふたつは一体となってきた[19]。これは興味をそそられる分析だ。現代生活において「記憶の痕跡の物質性」が歴史と記憶に必須なものであるとするなら、建築――備忘録に欠かせない項目――を標的にした攻撃がますますさかんになっている理由を解明する一助になるかもしれない。この文脈で考えると、目に見える記憶を抑圧しようと、あるいは消し去ろうとする攻撃を受けた場合、記憶はことのほかもろくなる。ノラの言葉を借りれば、保存された記憶は「生きている」ものではないかもしれない。だが、そうであってもその記憶が本物であ

ボスニア紛争前のモスタル市内の写真。右奥はセルビア正教の大聖堂で、バロック様式の塔が見える。オスマン帝国後期、スルタンのアブデュルアズィズの贈り物として建てられた。その左下の2本の光塔は（ひとつは教会の塔に似る）、17世紀のモスクのもの。

り、価値があることに変わりはない。

しかし記憶は完全ではなく、かならず曖昧さが残る。歴史学者のデイヴィッド・ローウェンサールは次のように述べる。「絶対的な歴史的真実はどこにも存在しない。どれほど細心で公正な歴史家であっても、われわれの記憶と同じく、過去を『寸分のくるいもなく』伝えることはできない[20]」。もちろん、人生にも歴史にも「絶対」はほとんど存在しないが、本書は、できるかぎり絶対的な真実を追い求めるのが義務という前提で進む。この課題を放棄すれば、相対主義に押し流されてしまうだろう。建築を破壊しようとする力は、かならずしも合理的なものばかりではない。建物にもたらされる意味や敵対行為には、矛盾があったり一貫性に欠けたりするほか、その地域ならではの機微が無数に存在する。プロセスや目的は統一がとれているわけではなく、さまざまなベクトルが集合したものだといっていい。しかも紛争においては動機にしろ責任にしろ、錯綜するのがつねだ。それでも追いかけるべき事実はある。

そんな事実を集めることが重要になってくる。建物の破壊はしばしば民族浄化やジェノサイドなど、人道に対する罪の証拠になるからで、この認識は徐々に浸透しつつある。ハーグの旧ユーゴスラヴィア国際刑事裁判所でおこなわれている裁判は、この点できわめて重要だ。建物が均質化されると、とりわけ旧ユーゴで起きたような抑圧に苦しむコミュニティにとって、将来の幸福に現実的な影響を与える。チェコスロヴァキア生まれの作家ミラン・クンデラはいう。「権力に対する人間の闘いとは、忘却に対する記憶の闘いにほかならない[21]」

有史の初期においても、記憶を守るか忘却を強いるかの争いでは、しょっちゅう破壊が生じた。

こうした行為には、それが征服戦争の一環だったとしても、たいてい宗教がからんでいた。ファラオ時代のエジプトでアメンホテプ四世（別名イクナートン）が造営した建物の破壊が起きたり、古代インドで敵方の王の寺院を奪ったりしたことは、王権と神が密接な関係にあり、神殿の略奪や崩壊が争いの要だった例である。ヘロドトスも聖所の破壊について多くを書き残している。アケメネス朝ペルシアのカンビュセスは、聖所や神殿を辱めるのをつねとする王で、シワという町にあるアメン神の託宣所を焼きはらうためにエジプト遠征軍を送ったところ、軍隊は途中で砂漠の砂嵐にのみこまれて消えてしまったという。ヘロドトスはそれとなく、暴挙に対する神罰が下ったのだと述べる（同時に、非ギリシアの野蛮人という「他者」の概念をすかさず呼び起こしている）。

同じ宗教の信仰のあり方や宗派をめぐる争いでは、八世紀から九世紀にかけてビザンティン帝国で起きた聖画像崇拝禁止や、一六世紀の宗教改革をはじめ、しばしば聖像破壊（イコノクラズム）の運動が繰り広げられてきた。こうした聖像破壊は、信仰において聖像をどのように位置づけるかという複雑な解釈の問題をはらんでおり（異なる民族や宗教の戦争で敵方の神聖なものをやっつけるのとはかなり異なる）、この問題だけでひとつのテーマになるだろうし、本書の範囲外となる。

しかしこの種の破壊にも、過去には世俗的な面があった。都市国家の時代から国民国家の時代まで、大部隊の両軍が激突する会戦だけでなく、包囲戦もよくある戦い方だった。目標は都市そのもの――つまり権力、経済、宗教の中心地である。都市の攻略とは、すなわち略奪であり、民間人であれ兵士であれ敵を虐殺することであり、砦を破壊して敵の軍事能力を削ぐことだった。それはまた、文化と政治のライバルに痛打をあびせるチャンスでもあった。ローマ軍がカルタゴを消滅させたのは、都市環境破壊(アービサイド)――都市殺しの行為にほかならない。カルタゴは第二次ポエニ戦争に敗れたあと、紀元前二〇一年にむすんだ条約によってすでに非武装化されていたが、ローマ人はなおもカルタゴの完全破壊を欲したのである。ローマの元老院議員マルクス・ポルキウス・カトー（大）は、戦後のカルタゴ復興に脅威を感じ、つねに「カルタゴは滅ぼさなければならない」という言葉で演説をしめくくった。第三次ポエニ戦争（前一四九～前一四六年）でローマ軍がカルタゴを包囲したとき、カルタゴ市民には海辺の都を放棄して約一六キロ内陸の地へ移る選択肢も与えられていたが、最後まで戦い続けた結果、神殿や広大な円形ドック施設、石造りの高層建築、城壁は瓦礫と化した。ローマ軍は組織的に残骸を平らにならし、その地は呪われ、伝説によれば永遠の不毛を願って塩をまかれた。当時の経済大国カルタゴは、歴史から消えた。言葉も文化も宗教も、わずかな断片しか残っていない。

エルサレムも一時はローマの支配下におかれ、そのローマも四一〇年には西ゴート人の、四五五年にはヴァンダル人の略奪にあい、存亡の危機にさらされた。都市は衰退し、急速に人口が減り、がらんどうになった。ヴァンダル人は「文明の破壊」「蛮行」を意味する「ヴァンダリズム」の語源になったが、略奪はしても都市自体を破壊しつくさなかったことを考えると、なにやら不公平に思える。古代ローマの柱やアーチは牧草地に埋もれたが、ばらばらだったにせよそのまま残った。やがて崩れた寺院からは大理石が切り出され、粉末にされて石灰モルタルとなり、新生ローマの教会建築に用いられた。

キリスト教は、それが実利にかなう面があるにしろ、つねに敵の宗教建築遺産を破壊するほうを好む。対照的にイスラーム教は普通、かならずそうとはいえないものの、異教徒の教会の処置に関してずっと柔軟な姿勢をみせる。壊すよりもモスクに転用するのである。預言者ムハンマドの言葉に、「奴隷を売る者、果実のなっている木を傷つける者、切り出した大理石から石灰をこしらえる者は、神に見捨てられた存在になる」というものがある。またイスラーム法の主流は、軍事的破壊から市民の財産を守るとの立場を昔からとっており、ひじょうに不確実ながらも一応は実践してきた。とはいえ、イベリア半島（スペイン）におけるキリスト教徒とムーア人（アフリカ北西部のイスラーム教徒で先住民のベルベル人とアラブ人の混成民族）との戦いでは、どちらもそのときの情勢次第で相手方の建物を壊したり改築したりした。コルドバ大聖堂（正式にはコルドバの聖マリア大聖堂）があった場所には、もともとローマ帝国の神殿が建っていた（キリスト教の西ゴート人に破壊された）。その地に建設された教会は、八世紀前半にイスラーム勢力がイベリア半島を征服した際、モスクに転用された。約七〇年後、それが壊されて壮大なモスクの建設がはじまる。数次にわたる拡張工事がおこなわれたが、一二三六年にキリスト教徒がコルドバを奪回すると、今度はカトリックの教会として聖別された。何度か手を加えられたあと、一六世紀に、建物内部に大聖堂が（建物自体は現在も「メスキータ（スペイン語でモスクの意）」として知られる）、光塔（ミナレット）があった場所に鐘楼が建てられた。モスク内のランプは溶かされて、コルドバの八〇〇キロ北にあるサンティアゴ・デ・コンポステーラ大聖堂の鐘を新しくするのに使われたといわれる。もっとも、当のランプ自体がその大聖堂の鐘からつくられたというから、公正といえば公正だろう。ムーア人が九九七年にサンティアゴ・デ・コンポステーラを攻略した際、鐘をコルドバへ運び、溶かしてランプにしたらしい。

2001年6月に同じ場所を撮影した写真（33ページ参照）。モスクの光塔は、1992年のユーゴスラヴィア人民軍（JNA）、1993～94年のクロアチア人勢力の砲撃によって破壊された。セルビア正教の大聖堂は1992年6月、クロアチア人過激派によって爆破された。

だが、「新世界」に征服者（コンキスタドール）たちが襲いかかったとき、破壊はつねに一方通行だった――黄金と領土という植民地獲得の欲望、そして先住アメリカ人の魂の征服をはかる異端審問官の欲望は、手をたずさえて進んだ。一四九二年にコロンブスがアメリカ大陸に到達してからの年月、世界はかつてないほどの規模で文化と人間のジェノサイドを目撃することになる。その後の数十年間で、南北および中央アメリカに住んでいた推定一〇〇〇万もの人々が、征服の混乱のうちに病気で、あるいは虐殺や飢えによって命を落とした。彼らの文明も一緒に滅んだ。その文化的、人的損失については、ロナルド・ライトの名著『奪われた大陸』にくわしい。[22]

湖に浮かぶ双子都市、アステカ王国の首都だったテノチティトランとトラテロルコは、ふたつあわせると当時の地球上で最大級の都市圏を構成していたが壊滅した。石造りのジッグラト（階層状の聖塔で頂上に神殿をいただく）、神殿、宮殿、家屋は入植者によって跡形もなくなり、運河は埋められた。アステカ文化の痕跡はすべて焼きはらわれるか略奪され、人々は殺されるか、強制的にキリスト教へ改宗させられた。母語は禁じられ、テノチティトランの跡地には新しい植民地都市――メキシコシティ――が築かれた。かつてトラテロルコの大ピラミッドがあった場所には、聖ヤコブに捧げる教会が建てられた。後戻りは許されず、過去を思いだす手がかりもなかった。一七九〇年、スペインの化身であるメキシコシティの中央広場から、アステカ王国の神像と暦石（太陽の石とも呼ばれる）が偶然出土したが、征服者は過去の偉大さを物語る品を目にした「インディアン」（つまりアステカ人）のあいだに動揺が広がることをおそれ、すぐに埋めもどした。

マヤ人とインカ人と彼らの諸都市も同じ運命をたどった。先コロンブス期――つまりコロンブス以前のアメリカ大陸に存在した大都市はすべて、自然災害や征服に抗しきれずに消えていった。マヤ人が九世紀に建てた最大のピラミッドと同じ高さの建物がアメリカ大陸にできたのは、じつに一八六三年、ワシントンDCの国会議事堂のドームが完成したときである。かつては地球の一翼で栄華を誇っていたこれらの文明の姿は、もうほとんど残っていない（たとえば、ヨーロッパ人が到着する三〇〇年ほど前にミシシッピ川流域のセントルイス郊外で栄えた都市カホキアは、当時のパリやロンドンに匹敵する面積があった）。現在でも歴史の教科書は、これらの文明の規模と破壊については、ごく簡単にしか述べていない。一九七九年という時期になってさえ、先住

フランス革命では、往々にして教会や富裕層の邸宅が革命派の標的になった。これはリヨンのベルクール広場の邸宅が、共和政の倫理への侮辱であるとして死刑を宣告されたときの様子。鐘楼も「ほかの建物よりも高いのは平等の原則に反するのでは」と破壊が検討されたりした。

民のチェロキー族が森林地帯に築いた、歴史的に重要な建築群がテネシー峡谷開発公社のダムの水底に沈んでしまった。コロンブス以前のアメリカ大陸にあった文明は、わずかに残っている神殿を除き、ほとんど忘れ去られている[23]。

文化遺産を適切に保護するという概念がヨーロッパに生まれたのは、一七〜一八世紀の啓蒙主義の時代になってからである。それまでの建物や記念建造物は、耐用年数がすぎればとり壊されたり、とりかえられたり、改築されたりしていた。文化遺産、とくに自分たちの伝統と異なる文化遺産を尊重するという概念は、かなりの部分が啓蒙思想に由来する。しかし啓蒙主義は大規模な破壊をともなう新時代――フランス革命――の幕を開け、意図的な抹消にイデオロギーの味つけをほどこして、記念建造物の破壊に新しい理由を与えた。この聖像破壊は聖職者の対立によるものではなく、「反」聖職者によるものだった。急速に都市化する人口と新興の労働者・中産階級は、建築物に旧体制の姿をありありと見た。革命では、迷信にかわって合理性が、神権にかわって平等が求められた。多くの教会や大聖堂が汚されて閉鎖されたり、「理性の神殿」に変えられたりした。荘園や城、修道院は燃やされた。バスティーユ牢獄襲撃と破壊は、一七八〇年にロンドンで発生したゴードン暴動で嫌われ者のニューゲート監獄が襲われたのと同じく、王権を具現するものへの攻撃だった。当時収監されていた囚人はわずか七人で、しかも政治犯はひとりもいなかったにもかかわらず、バスティーユは標的になった。それは国家権力を行使する重要機関というよりも、国家による抑圧の象徴だったのである。

思想家のジョルジュ・バタイユはさらに、記念建造物は敵の象徴のみならず、それ自体が敵なのだと示唆する。

実際のところ、記念建造物はあきらかに社会的に容認される行動を惹起する。それは往々にして、現実のすさまじい恐怖の形をとる。バスティーユ牢獄の襲撃は、そうした状況の最たるものである。暴徒をかりたてた衝動は、彼らの真の支配者たる記念建造物に抱いていた反感としか考えようがない。[24]

バスティーユの石は砕かれ、記念品として——世俗的な聖遺物とでもいおうか——売られた。

こうした商品化は、二〇〇〇年後のベルリンの壁の破片でも繰り返されることになる。

具象的な聖像破壊について論じた著作『芸術の破壊 *The Destruction of Art*』のなかで、スイスの美術史家ダリオ・ガンボーニは、建物の破壊には「擬人化」がおこなわれている場合があると指摘する。フランス革命の際、リヨンのベルクール広場にある富裕層の邸宅は死刑を宣告された。ベルクール広場の「壮麗さ」は、「人民の貧しさと質素を旨とする共和政の倫理への侮辱」だからというのが理由である。人民の代表者は銀製の儀式用ハンマーを手に、次のように叫びながら壮麗な建物の正面に第一撃を振りおろした。「法の名において、汝の破壊を宣告する」[25]。鐘楼もまた、「ほかの建物より高い位置にあるのは平等の原則に反するのではないか」という理由から取り壊しの危機にさらされた[26]。ある文化を代表する人物像も、東欧圏やサダム・フセイン政権の崩壊にいたるまで、乱暴な扱いや投打、斬首の対象になってきた。スペイン内戦中のマドリード郊外では、共和派が銃殺隊を組織してキリスト像を処刑した。建築は人物像ほどの具体性は持たないが、標的の抽象的なスケープゴートとして同じように利用される。

その一方、フランス革命を契機に文化財の保護が叫ばれるようになった。まれとはいえ、宗教建築の保護を求める声は過去にもあったが、そうした概念が世俗の文化財におよびはじめたのは一八世紀からである。スイスの法学者エメリヒ・ド・ヴァッテルは、一七五八年の著作『国際法 *Le droit des gens*』でこう述べた。「いかなる原因で国土が荒廃したにせよ、その国の建物は人類の栄誉として共有されるべきであり、寺院、墓所、公共建築物、および類まれな美しさを誇る大建造物などは、敵の力を加えられてはならない。それらを破壊したからといって、どのような益があるのか？[27]」フランス革命期の革命派僧侶、ブロワの司祭アベ・アンリ・グレゴワールは芸術の破壊に反対をとなえ、芸術や建築という「文明の価値」に対する攻撃を「破壊行為（ヴァンダリズム）」と呼ぼうと提案した。「遺産（パトリモワン）」の概念もまた、この争乱のなかから生まれた。

　紛争による被害は、重砲、砲艦、戦車、ツェッペリン飛行船など、一九世紀後半から二〇世紀前半にかけての軍事発明にともない拡大した。歴史的記念建造物を「故意の損傷」から保護するための国際的な試みは、戦争の法規慣例に関する一八七四年のブリュッセル宣言が最初である。この宣言は批准されなかったが、一八九九年と一九〇七年にハーグで開催された万国平和会議では、この宣言の概念を用いて、戦時における文化財保護のための初の国際条約が制定された。一九〇七年のハーグ条約では、保護すべき建物につけるエンブレムについても合意されている。しかし二度にわたる世界大戦の空爆と惨禍は一九〇七年の条約の弱点をあきらかにし、一九五四年の「武力紛争の際の文化財の保護に関するハーグ条約」で保護の強化がはかられた。これは、検討が継続中の重大な国際法である。その前文には次のように記されている。

> 文化財は近年の武力紛争において甚大な被害をこうむっており、また戦闘技術の発達によって、破壊の危険度はますます増大している……いかなる民族に属するものであれ、文化財の損傷は全人類の文化遺産の損傷を意味する。あらゆる民族がそれぞれ世界の文化に寄与しているからである。[28]

一九五四年ハーグ条約に盛りこまれた措置は複雑だが、要するに文化財の損壊を避け、むしろ積極的に保護することを紛争当事者に求めている。その義務は「軍事上の必要性からどうしても放棄しなければならない場合にかぎり」免除される。これが格好の抜け道となった。一九七七年、国際人道法のジュネーヴ条約にハーグ条約の条項が組みこまれて、抜け道はせばまった。それでもジェノサイドと文化的ジェノサイドという、宿命的にからみあった現象は、依然として国際法上に適正な居場所を見つけられていない。

保護の世紀は、じつに蛮行と文化破壊の世紀でもあった。現代インドにおける民族暴動とモスクの破壊、スターリンによる教会破壊、ヒトラーによるシナゴーグとスラヴ民族建築遺産の破壊、ゲルニカ、ドレスデン、カンボジア、ボスニアでの都市破壊。四方八方で、文化の地殻は破滅的な変動にみまわれている。保護の合意がなされ、集合的世界遺産の概念が浸透してきたにもかかわらず、こうした破壊がなぜ起きたのか、なぜいまだに続いているのか。本書はその理由を検証していく。

主題は建築の運命であり、建物が所属する人々やそれに意味を与えてきた人々の運命ではないが、だからといって人々の存在を忘れているわけではない。これは彼らの物語なのである。わたしが旅先で直接取材した、あるいはほかのジャーナリストやライターが記録した人々の物語は、紛争中であってもなお――いや、おそらく紛争中だからこそ、彼らが建築に価値をおいていることを強く感じさせた。あるムスリムの女性は、ボスニアの古都モスタルでまだ一〇代の少女だった頃、爆撃を避けるために一〇か月間暮らしていた地下室を出た人々が、崩れ落ちた「古い橋（スタリ・モスト）」

を見てどのように涙を流したかを思いだす。またクロアチアのドゥブロヴニクの女性は、自分の街への猛攻直後が人生でいちばん悲しい日だったという。タリバンがバーミヤンの仏像を破壊したときも、アフガニスタンの住民は悲しみにくれた。そう、ヨルダン川西岸地区のナブルスで、わたしの手を引いて爆撃された記念建造物のところまで連れていってくれた子供たちも、ホロコーストの生存者が自分の家族とシナゴーグが滅んだのを目にしたときも。

「今日、いったい誰がアルメニア人虐殺を話題にするというのか？」ヒトラーがそういってのけたアルメニア人ジェノサイドは、アルメニアの建築遺産の組織的破壊をともなっていた[29]。ある民族の歴史を語る建築物、そして民族に対しておこなわれた犯罪は、ほとんどが跡をとどめずに消え失せた。だからこそ、支配や抹消の標的にされた民族の建築遺産を保護すれば、支配者や破壊者がどれほど努力しようと、その民族を完全に歴史から葬り去ることはできないという証のひとつになるだろう。

# 第二章 文化浄化

## 誰がアルメニア人をおぼえている?

ある民族を解体するための第一段階は、その記憶を消すことだ。
その書物、文化、歴史を破壊する。
それから別の者が新しい本を書き、新しい文化を製作し、新しい歴史をこしらえる。
やがてその民族は自分が何者であるか、何者であったかを忘れはじめる。
——ミラン・クンデラ『笑いと忘却の書』

モスタル市街を見おろすフム丘に陣取ったクロアチア人勢力はおよそ六〇発の砲弾を要したものの、一六世紀に建造されたオスマン帝国時代の石橋をついにしとめた。一九九三年一一月九日、ゆるやかな弧を描くアーチはネレトヴァ川に崩れ落ちた。橋をシンボルにするのはとてもたやすい。しかしこの橋の場合、象徴としての地位は押しつけられたものではない。「モスタル」という都市名自体、「橋の守り手(モスト)」という意味であり、東岸のオスマン帝国時代からの旧市街と西岸の異教徒が多い居住地をむすびつけていた。大勢の人々にとって橋の崩落は、戦前はサラエヴォに勝るとも劣らないほどコスモポリタンだった都市の最後の「砦」が失われたことを意味した。戦前のモスタル市民は、多民族（クロアチア人、セルビア人、ムスリム人［イスラーム教徒］〔旧ユーゴではイスラーム教徒は「ムスリム人」として民族のひとつに数えられていた〕）間の結婚率が国内でもっとも高い街であることを誇りにしていた――が、西モスタルからはそんな夫婦が追いだされたり、無理に離婚させられたりするようになった。

オスマン帝国の大建築家スィナンの弟子ミマール・ハイルッディンが建造したスタリ・モスト（古い橋）は、街のシンボルであると同時に、人々がつどう場所だった。そこで出会いが生まれ、何世代もの人々が愛を語りあい、夏には飛びこみ競技の会場になった。この橋への攻撃は、多民族主義の概念とそれを体現してきた共同体への攻撃だった。旧市街でクロアチア人勢力の砲撃や狙撃から逃れるために何か月もひそんでいた地下室を出たとき、ムスリムは目の前に広がる光景に涙を流した。「あの橋の上で初めてのキスをしたの」と、七〇歳のボルヤンカ・シャンティチはいった。「あのときに輝いていた星や月は、いまもはっきりと思い浮かぶわ。澄んだ水に石がどんなふうに落ちていったかも。それがもう、あとかたもなくなってしまった[1]」

クロアチアの古都ドゥブロヴニクへの砲撃、サラエヴォのパン行列への攻撃、ボスニア北西部のオマルスカやケラテルム強制収容所の発見などとならんで、モスタルの橋の崩壊はボスニア紛争を象徴するイメージとなっている。「なぜわたしたちは虐殺された人々の姿よりも、破壊された橋の姿を見るほうに痛みを感じるのだろうか」と、クロアチアの作家スラヴェンカ・ドラクリッチは問いかけた。

おそらくそれは、橋の崩壊に自分自身の死すべき運命を見るからだろう。わたしたちは、人は死ぬものだとわかっている。だから自分の人生も終わると知っている。一方、文明の記念建造物の破壊はそれとは別の話だ。美と洗練をかねそなえた橋は、人間よりもずっと長く存続するために造られた。それは永遠をつかもうとする試みだった。わたしたち個人の運命を超越した存在といえる。死んだ女性はわたしたちのうちのひとり――だが橋は永遠にわたしたちの分身なのである。[2]

サラエヴォのメイン・モスクとモスタルの橋のふたつだけでなく、ボスニア紛争中は何千ものオスマン帝国時代の遺産が破壊されたり、激しく損壊されたりした。ボスニアとクロアチアの各地にあるクロアチア・カトリック教会とセルビア正教会も、戦線の移動や和平条約の改定、住民の追放や殺害がおこなわれるなかで、数多くが同じように破壊された。しかし最大の被害を受けたのは、クロアチア人勢力やセルビア人勢力と対峙したオスマン帝国の遺産だった。地域が誇る建築遺産のうち、少しも傷つけられずにすんだものはほとんどなかった。宗教施設や文化施設の被害がもっともひどかった。図書館、博物館、イスラーム教の学校、墓所、泉は敵だった。

モスタルの橋が崩落した日のちょうど五五年前、第二次世界大戦前夜のドイツ全土で七五〇〇のユダヤ人商店の窓ガラスが砕かれた。「水晶の夜」の襲撃は一一月九日の夜にはじまり、それから二四時間にわたって本格的に続いた。一九三八年一一月一〇日の早い時間帯に、商店のほか、二六七のシナゴーグ、そのほかの一〇以上の建物、無数のユダヤ人住宅、多くの商業施設が破壊された。少なくとも二〇〇人が殺害され、数万人が強制収容所に送られた[3]。「水晶の夜」からゲットーの創設、そして最終的な根絶にいたるまで、「ユダヤ人問題の最終的解決」の物語は人々だけでなく、建物にもその痕をとどめている。学者のなかには、ヨーロッパのユダヤ人を絶滅させるという決定はこの事件のずっとあとだった、あるいは完全には明確にされていなかったと主張する人々がいるにせよ、「水晶の夜」の割れたガラスは、まちがいなくホロコーストの幕開けを告げていた。その後の数年のあいだに破壊行為は、北はデンマークまで、南はボスニアを経てギリシアまで広がった。サラエヴォを占領したナチスがスペイン系ユダヤ人の古いシナゴーグをガレージに変えたのは、冒涜と抹消の一例である。「水晶の夜」の襲撃は、たんなる激しい差別のあらわれではなく、民族の破壊の前兆だった。ほんの一段階進めば、対象はすぐに物から人になる。

サラエヴォのシナゴーグは第二次世界大戦後に修復されたが、一九九二年春から一年間続いたセルビア人による包囲攻撃で被弾した。ローマ・カトリック大聖堂や中央のガーズィー・フスレヴ＝ベグ・モスクも、この多文化都市にセルビア人がしかけた包囲戦中に爆撃された。ボスニア戦争が終わる頃には、この地域のオスマン帝国の遺産は粉々になっていた。包括的な破壊という点では、トルコ系アルメニア人やヨーロッパ系ユダヤ人の建築遺産の根絶と同列にあつかわれている。

ホロコーストをきっかけに、一九四八年に国連で「集団殺害罪の防止及び処罰に関する条約」

が締結され、ジェノサイド（集団殺害）を「人道に対する罪」として国際法上に成文化した。この条約の第二条では、ジェノサイドを「国民的、民族的、人種的または宗教的集団を全体的または部分的に破壊する意図でおこなわれる行為」と定義している。具体的な判断基準としてあげられたのは、殺害すること、身体または精神に重大な危害をくわえること、わざと身体的破壊につながる生活条件を課すこと、出生を妨げる措置をおこなうこと、対象集団の子供をほかの集団に移すこと、の五項目だ。これらの定義は集団の肉体――つまり生身の人間を破壊することに関連している。その集団がどのように自分たちを定義し、識別し、理解しているか、つまりその集団の文化は、物質的なものであるかどうかにかかわらず、集団殺害行為を判断する尺度には含まれない。

一方、民族浄化という言葉は、大量殺戮の婉曲表現と揶揄されてきた。これは一九九〇年代、セルビアの過激勢力がクロアチア人やボスニアのムスリムと三つ巴の戦いをしているなかで生まれたとされるが、言葉の由来は反ユダヤ主義の歴史と深くかかわっている。民族浄化とは、ひとことでいえば、（ボスニア紛争下の）ある民族集団をジェノサイドや強制退去によってその居住地から排除することである。これは広義の用語で、国際法には成文化されていないが、公式に定義されたジェノサイドの基準に満たない大量殺戮も含まれうる。しかし美術史家や建築史家のあいだ以外では、「浄化」プロセスの一環としておこなわれた物質文化の破壊、図書館の焼却、礼拝所の爆破、記念建造物の抹消などはほとんど無視されてきた。こうした文化財への攻撃を見過ごして、これが民族の文化的生存に直接影響をおよぼすことを理解しそこねると、集団のアイデンティティを構築する属性を切り捨てるおそれがある。さらにいえば、ある集団が物理的な攻撃を受けている場合、その集団を代表する建築物の運命は、大量殺戮の意図が存在するかどうか、あるいは初期段階にあるかどうかを示すすぐれた指標となる。

ユダヤの建築遺産は、紀元前五八六年にエルサレムの神殿が破壊されて以降、世界各地にユダヤ人が離散(ディアスポラ)していった歴史のなかで、さまざまに傷つけられてきた。ヨーロッパでは寛容な時代のあとに、攻撃や追放の時代があった。最近イギリスのサリー州ギルフォードで発掘された、シナゴーグと思われるものがいい例になるかもしれない。おそらく、イングランドのヘンリー三世の未亡人エリナー・オブ・プロヴァンスが、一二七五年にギルフォードを含む自身のイングランド領地から全ユダヤ人の追放を命じたあと、一二七〇年代に意図的に壊され、瓦礫で埋められたものらしい。[4] ヨーロッパには同様の話を伝える場所が無数にある。一五四三年にマルティン・ルターが発表した『ユダヤ人と彼らの嘘について』は、遠い将来のナチ政権下の事態を予想させる冷ややかなトーンに満ちている。

まず、彼らのシナゴーグや教会に火をつけ、燃え残りは土で覆うかばらまくかして、灰も石も二度と誰の目にもふれないようにしなければならない……彼らの家も同様に壊して粉砕しなければならない……われわれは狂犬を駆逐するように彼らを追いださなければならない。[5]

敵の文化財をどうするかは、破壊するのであれ、盗むのであれ、あるいは接収するのであれ、ナチスの作戦に欠かせない要素だった。無数の絵画や祭壇画、さらには部屋全体（ソ連のツァールスコエ・セローの宮殿内にあった「琥珀の間」）まで略奪するかたわら、ナチスが価値があるとして認めたもの以外は徹底的に破壊した。「退廃」芸術はもちろん、医師で性科学者のマグヌス・ヒルシュフェルトがベルリンに設立した性科学研究所を焼きはらい、総統の帝都改造計画のために全ユダヤ人居住区を消滅させた。ナチスのイデオロギーは「つねに存在する」「害虫のような」ユダヤ人にとりつかれていた。ユダヤ人はいたるところで、ボリシェヴィキでシオニストという相矛盾した顔をそなえながら陰謀をたくらんでいるとされた。ほかの宗教や民族集団とは異なり、ユダヤ人がコミュニティや国家に存在しているという現実や事実は、つねに意識されていた。一九四二年一月二〇日のヴァンゼー会議で正式に決定された「ユダヤ人問題」に対する「最終的解決」の目的は、民族とその文化を跡形もなく消すことだった——ただし、プラハの博物館に収蔵されるユダヤ関連の資料と美術品を除いては。つまり、それは考古学的な征服となる。歴史学者エリザベス・ドマンスキーは次のように述べた。「ユダヤ人は滅ぼされたのちに忘れ去られるのではなく、滅ぼされたのちに未来永劫記憶されることになっていた……永遠の死は忘却の淵に沈むかわりに、迫害者によって永遠に記憶されるという拷問だったのだ[6]」

一九三八年には、ほんの数年前までドイツにおよそ五〇万人いたユダヤ人は三〇万人ほどになっていた。残りは国外へ逃亡したのである。その年の一一月の「水晶の夜」の前から、ユダヤ人商店や宗教施設は被害を受けていた。ミュンヘンの大シナゴーグ（アルベルト・シュミット設計）は一八八七年に建造されたもので、一八〇〇人の信徒を収容できる規模だったが、一九三八年六月七日に「交通上の問題」を理由に非難され、翌日から取り壊しがはじまった。[7] その二か月後にはニュルンベルクのシナゴーグが破壊された。ここは強制的に売却され、まず屋根にそびえる石造りのダビデの星が撤去された。クレーンを操作したのは、ナチ党員で、ニュルンベルクを中心とする地域の大管区指導者（ガウライター）ユリウス・シュトライヒャーである。九月には、ドイツ中部のヘッセンや北東部のマクデブルク＝アンハルト（現ザクセン＝アンハルト）のシナゴーグが焼きはらわれた。[8]

しかし公的には、「水晶の夜」の暴力行為のきっかけとなったのは、ユダヤ人青年ヘルシェル・グリンシュパンがパリのドイツ大使館の外交官エルンスト・フォム・ラートを殺害した事件だったとされる。暴動は綿密な計画のもとに実行された。ゲシュタポの命令書には、シナゴーグを燃やしてもよいこと（ドイツ人の生命や財産を危険にさらす場合を除く）、ユダヤ人の家屋や会社を破壊してもよいこと（略奪はしない）が明記されていた。[9] ユダヤ人は経済的にも物理的にも排除されることになっていたが、ユダヤ人の貴重な財産は祖国と小市民階級——ヒトラーの岩盤支持層にしてもっとも利益を得る層——のために守らなければならなかった。暴徒を扇動すると同時に、コントロールする必要があった。

一九世紀ドイツのシナゴーグは、建築的にはほかのヨーロッパ諸国と同様、中世からもうけられていたユダヤ人ゲットー（強制居住区）が廃止されたあとに獲得した、新たな自信を反映していた。西ヨーロッパに最後まで残っていたローマ・ゲットーは一八七〇年に廃止され、円屋根を冠した記念碑的な神殿が建てられた[10]。それまでのシナゴーグはひかえめなもので、装飾も内部にしかなかった。ドイツでは、建設場所は都市のはずれにかぎられているか、中庭にこっそり建てられたりしていた。新たなシナゴーグは当時流行の異国情緒ゆたかな東方風の様式をそなえたものも多く（ライプツィヒ、ニュルンベルク、カイゼルスラウテルンなど）、またドイツ建築への親和性を前面に押しだしたネオロマネスク様式の設計もあった[11]。そのスタイルがなんであれ、シナゴーグがドイツの都市のランドマークになっていることは、反ユダヤ主義者にとっては空間の侮辱だった。ナチスにしてみれば、このユダヤ人解放を示す地勢図は象徴的に抑圧しなければならず、もう一度ゲットーを復活させなければならなかった。家屋、商店、少なくともひとつのユダヤ人学校と病院が襲撃されたが、放火の標的にされたのは代表的なシナゴーグだった。

「水晶の夜」は一般市民の自然発生的な行動というのが建前だったが（参加した突撃隊や親衛隊の隊員は制服を着ていなかっただろう）、計画は綿密に立てられていた。ベルリンで襲撃が遅れたのは、警察の配備や道路障害物の設置、標的となる建物への水道や電話などのサービス遮断に時間を要したからである。市内の一二のシナゴーグのうち、九つがすぐに燃えあがり、管理人とその家族が焼け死んだケースもあったという[12]。当局はユダヤ人の資産リストを持っており、ドイツとオーストリア、ズデーテン地方（ナチス・ドイツが併合したチェコスロヴァキア北部から北西部地域）の全域で、場合によってはどの順番で襲撃するかという優先順位をつけていた。ケルンでは、午前四時からシナゴーグが、午前六時までに市内中心部の商店と家屋が、午前八時以降に郊外が燃えはじめ、午後一時には自然発生的な暴動が終わる予定だった[13]。ウィーンでは、二一のシナゴーグのうち、中央のシナゴーグだけが被害をまぬがれた——ここにはユダヤ人コミュニティの住民登録簿が保管されており、のちにナチスはそれを一斉検挙に使うことになる。[14]第三帝国内のシナゴーグの聖なる品々はその場で破壊されるか、冒涜されたあとに路上に投げだされ、破壊された。屈辱と恐怖は、この出来事のかなめの部分だった。バーデン゠バーデンで逮捕されたユダヤ人男性たちはシナゴーグで殴られ、祈祷用ショールの上を歩かされ、総統が書いた『我が闘争』の一節を唱えさせられ、壁に放尿を強いられたあと、シナゴーグは燃やされ、彼らはダッハウ強制収容所に送られた。[15]たまたま建物の外から襲撃の模様を目にしたアルフォンス・ヘックは、次のように述べている。

近所のヘルムートとぼくが学校から帰る途中、シナゴーグの前にさしかかったとき、地元の大工で熱狂的な親衛隊員のパウル・ヴォルフに率いられた男たちが歌いながら前を行進していた。突然、彼らは走りだして建物の入り口に突入した。数秒後、扉の上の複雑な形をした鉛ガラスの水晶窓が道路に崩れ落ち、ドアや窓から家具の破片が飛びだしてきた。突撃隊の男がわめきながら屋根に登り、トーラーの巻物を振った。そして「ユダヤ人ども、これでケツをふけ」と叫びながらカーニバルの紙吹雪の束のように投げつけた。[16]

「水晶の夜」では、一九一一のシナゴーグが——多くは完全に——焼け落ち、ほかに七六が壊された。その後の数年間で何百ものシナゴーグが消えた。なかでもとくに重要だったのは、ドレスデンのシナゴーグ（一八四〇年／ゴットフリート・ゼンパー設計）、ハノーファーの壮大な円屋根

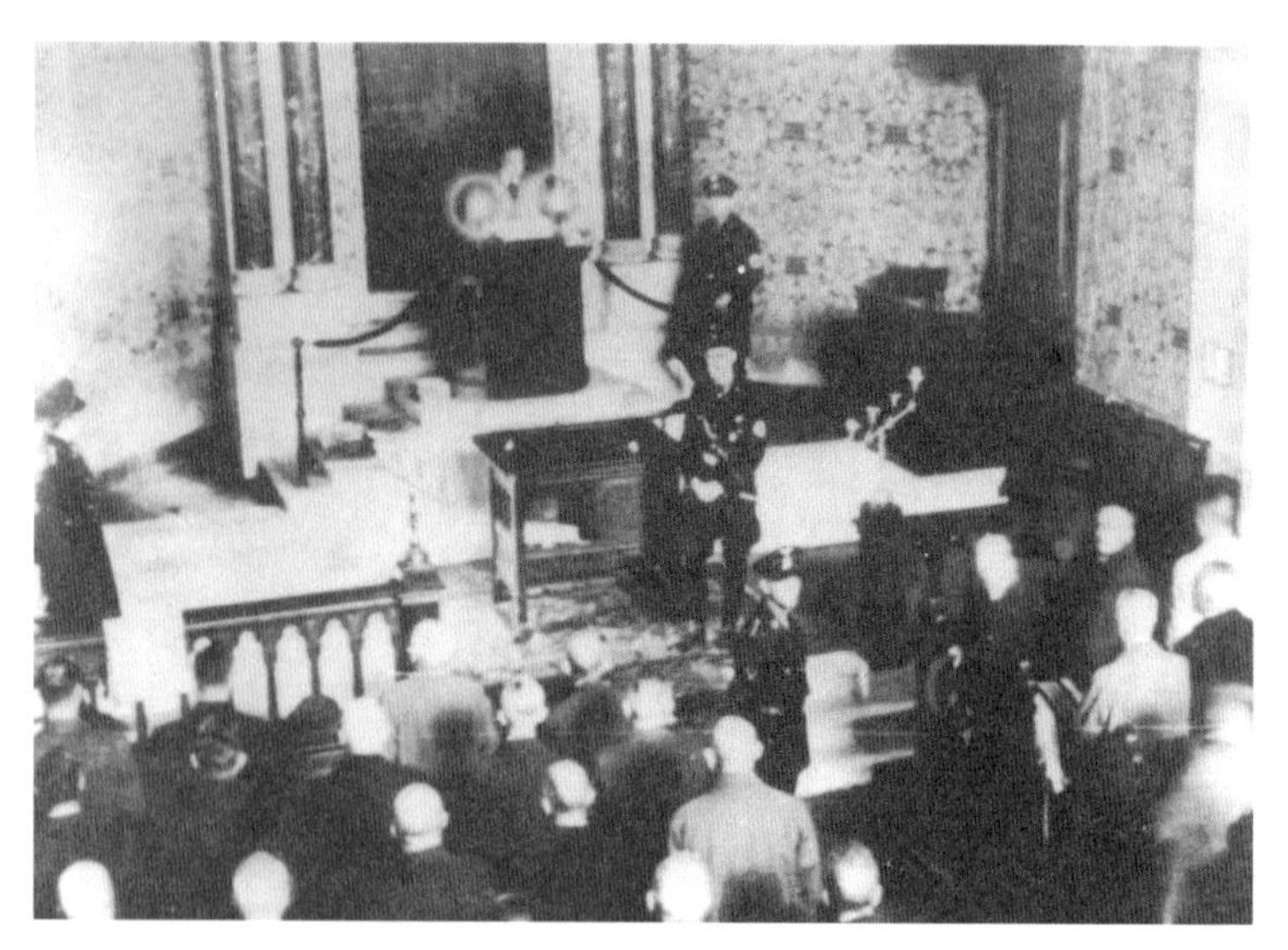

ドイツ南部バーデン＝バーデンにあるロマネスク様式のシナゴーグは、この保養地でのユダヤ人の居住が正式に認められてから約40年後の1898年に建てられた。「水晶の夜」に親衛隊に破壊された数百のシナゴーグのひとつ。約80人のユダヤ人男性が集められて会堂内へ行進させられたあと、『我が闘争』の朗読と祈祷用ショールの上を歩くことを強制された。

のシナゴーグ（一八七〇年／エドウィン・オップラー設計）、ベルリンの記念碑的な一二のシナゴーグのうちの九つである。ミュンヘンに残っていたシナゴーグは突撃隊がガソリンをかけて燃やしたうえ、隣のユダヤ人学校への延焼を防ごうとする消火活動を妨害した[17]。「水晶の夜」のあと、ゲッベルスはユダヤ人団体に損害賠償金を科したほか、シナゴーグ跡地の整地費用の支払いを命じた。ユダヤ人資産のアーリア化が本格化したのである。

破壊の規模はすさまじかったものの、「水晶の夜」の第一破壊目標は民族を構成する人々ではなく、経済の面からも象徴的な意味合いにおいても、民族の存在を示す建造物だった。しかし建物への攻撃は、段階的に人間性を奪いつつ辱めてきた人々に対する攻撃のリハーサルであり、きたるべき殺害への抵抗感を薄れさせる役割を果たした。また、この暴力行為自体が文化的ジェノサイドであり、帝国を「ユダヤ人なき地（ユーデンライン）」にする試みの一環だった。これによって、建築文化の記録を持たない人々が生まれた。残ったのは記録の断片だが、やがてそれをつくって大切にしてきた世代は消滅し——のちの世代はかつての代表的建築物を自分たちの歴史の証拠と考え、自分たちのアイデンティティのよりどころとしながら、民族の記憶を保存するよすがとした。

セルビアの極右ナショナリストは「水晶の夜」以前から、ユダヤ人を経済や文化、そして最終的には物理的に疎外する意義を理解していた。一九三七年、セルビア文化クラブでおこなった講演で歴史家のヴァソ・チュブリロヴィチは次のように述べた。

> ドイツが何万人ものユダヤ人を追放できるなら、ロシアが何百万人もの人々を大陸の端から端へ再定住させられるなら、数十万人のアルナウト（コソヴォのアルバニア人の呼称）のために世界大戦が起こることはないだろう……アルナウトの集団を屋根の下から立ち退かせる以外にすべはない。集団退去の第一条件は、そうしたくなるようにしむけることだ……経済的措置としては、土地登録証明書を発行しない……カフェや商店、手工業のライセンスを認可しない……などがあげられる。聖職者を虐待したり、墓地を破壊したり、一夫多妻制を禁

止するのも有効な手段だろう……チェトニク（セルビアの民族主義団体）の退役軍人をアルナウト居住区に送りこまなければならない……丘からモンテネグロ人の波を襲いかからせなければならない。
ひとつの武器がある。一八七八年からセルビアで「ムスリムに対して」効果的に使われたものだ。村や、町のアルナウトの生活圏にこっそり火をつけるのである。追放されたアルナウトは土地だけでなく、家屋や備品も残していくことになる……情け容赦なくおこなわなければ土地の争奪はけっして成功しない[18]。

この言葉は、半世紀以上あとのセルビア人政治家ラドヴァン・カラジッチやスロボダン・ミロシェヴィチがいったとしてもおかしくはない。

しかしナチス・ドイツが国内のユダヤ人にとった態度とは異なり、一九九〇年代のボスニアで起きたセルビア人やクロアチア人による民族浄化は、その時点であれ歴史であれ、ムスリムの存在の否定に走ったようだ。実際の歴史は、彼らに修正されたようなものではなかった。ジェノサイドがおこなわれる一方、ボスニア紛争の当事者たちの目的は、なによりもユーゴスラヴィア連邦の崩壊にともなう領土問題と政治的動機にあった。勢力伸長をねらうセルビア人やクロアチア人にとって、ボシュニャク人（ボスニアのムスリムが自分たちの民族をさして使う呼称）に対するジェノサイドや追放、レイプ、殺害は、民族の純粋性を確保し、歴史や神話の観点から正当とされる土地を手に入れる手段だった。ムスリムという人種を滅ぼすこと自体は大規模なプロジェクトではなく、手段として選択された。ナチスがけっしてユダヤ人の存在を忘れなかったのとは

その後バーデン＝バーデンのシナゴーグは焼きはらわれ、信徒たちはダッハウ強制収容所へ送られた。建物の残骸は道路の埋め立てに使われ、跡地は公園になった。小規模なユダヤ人社会の商店や住宅も襲われた。

異なり、ボスニアのムスリムは現在ばかりか過去も否定された。セルビア人にとって、これは民族主義的野心の実現に向けて必要なことだった。それはまた、セルビアの歴史の転換点となった一三八九年のコソヴォの戦いでオスマン帝国に喫した敗北や、第二次世界大戦下のナチスとその同盟者となったクロアチア人勢力に受けた迫害など、長きにわたってセルビア民族を苦しめてきた傷を癒やす機会でもあった。

バルカン半島の歴史は複雑だ。ここは東ローマ帝国と西ローマ帝国、オスマン帝国とオーストリア＝ハンガリー帝国、そして北大西洋条約機構（NATO）と東欧圏が接する地域であり、文化の衝突と融合をもたらしてきた。二〇世紀の終わりに旧ユーゴスラヴィアで起きた内戦は、旧ユーゴ連邦に入念なチェック・アンド・バランス・システムを構築したチトー大統領の死後、何世紀にもわたって続いてきた紛争が再燃したものだと（大雑把に）考えられている。たしかに、この文化の境界線に沿って昔から紛争が続いてきたのは事実である。しかしこの地域に存在する多種多様な建築遺産という物的証拠は、そのまま多文化が共生してきた歴史の証言でもあった。この坩堝をかきまわして沸騰させたのがミロシェヴィチ（一九九〇〜九七年セルビア共和国大統領、一九九七〜二〇〇〇年新ユーゴスラヴィア連邦大統領）である。ミロシェヴィチは大セルビア主義を掲げ、そこにチュブリロヴィチが提唱したような激しいナショナリズム、セルビア人に脅威が迫っているという根拠なき論説、そしてオスマン帝国に征服された時代にまでさかのぼるセルビアの歴史的神話を混ぜあわせた。たとえば、セルビア人はコソヴォの戦いで敗北を喫し、貴族を虐殺されるという屈辱を受けた。セルビア正教の中心地は敵の手に落ちた。一四六三年末にはボスニアも征服された。それからイスラーム化が進んだ……

オスマン帝国の支配はけっして完全に善良だったわけではないが、ほかの信仰や民族に対してはある程度の寛容さがあった。スルタンは正教会に土地を提供した。だが教会の建設には許可が必要であり、またつねに許可がおりるとはかぎらず、とりわけ敵対する西欧勢力のカトリック教会にはきびしかった。オスマン帝国による征服後、フランシスコ会の修道院の一部は破壊され、教会のなかにはモスクに転用されたものもあった（ボスニアのフォチャ、スレブレニツァ、ズヴォルニクなどで）[19]。一八七二年の時点でも、サラエヴォで建設するセルビア正教の大聖堂をめぐって論争が起きた。オスマン当局は、近くにある中央モスクの光塔（ミナレット）よりも高い建物を建ててはならないとしていたからである（イスラーム教は昔から異教徒の鐘も問題にしていた）。言い伝えによると、スルタンは「新しい大聖堂は牛の皮よりも大きくてはならない」といった。そこである老人が一計を案じ、牛の皮を細く切って何メートルもの長さにつなげ、それを使って建物の寸法を決めたという。こうした小さな争いはあったものの、だいたいにおいて寛容な社会を構成していたが、イスラーム教徒はセルビア人やクロアチア人の農民を支配する都市エリートだったという一般認識と相まって、オスマン帝国時代の歴史はきたるべき恐怖を正当化するために利用された。

皮肉なことに、セルビア勢力は大セルビアを正当化するため、ボスニアに先住していた人々はオスマン帝国征服後の一五〇〇年のあいだにイスラーム化したという事実を逆手にとり、ボスニアのムスリムはもともとセルビア人（またはクロアチア人）なのだから固有の歴史など持っていないという主張の根拠にした。その一方、まったく矛盾しているのだが、セルビア人はボシュニャク人を「トルコ人」と呼び、異質な文化を持つアウトサイダーだと侮辱した。どちらの主張も、ボスニアの過去五〇〇年の歴史やオスマン帝国以前の独特なアイデンティティを無視して、ボスニア文化の独自性や国家の立ち位置を弱めるために使われた。こういった歴史の歪曲は、一九世紀にセルビアの民族主義が復活してから人気を博した。それは第二次世界大戦後の社会主義ユーゴスラヴィアのチトー政権下でも、さまざまな形で続いていった。第二次世界大戦では、すべての宗教団体とその建物が被害を受けた。ナチス・ドイツとその同盟国となったクロアチアは、とくにユダヤ人とセルビア人の遺産の破壊に熱中した。ボスニアのムスリムはあらゆる立場で戦い、それにともなう攻撃や報復で建築物が損傷した。

第二次世界大戦中とその後のスターリン主義時代（チトーが一九四八年にモスクワと決別する前）には、多くのカトリック教会や修道院が閉鎖され、一部は破壊された。イスラーム教の法律、小学校、ベールの着用なども弾圧された。戦時中に破壊されたり深刻な被害を受けたりしたモスクは数百におよび、一九五〇年にはおよそ二〇〇のモスクが使われなくなった。博物館に転用されたもの、倉庫や馬小屋に改造されたものもある。イスラーム教の墓地は整地されて公園や建設地になった。共産主義下では、ムスリムはそのうちにセルビア人かクロアチア人を名乗るようになると考えられていた。当局がムスリムを国内の構成民族のひとつとして正式に位置づけたのは一九六一年の国勢調査からだが、歴史的なモスクは近代化と進歩の名のもとに、一九九〇年代後半までに少数ながら取り壊され続けた。その一方セルビア正教会は、一九五〇年代なかばまでに多くの聖なる建物が修復されている。

一九八〇年にカリスマ的な指導者だったチトーが亡くなったあと、一九八六年にセルビア共産主義者同盟幹部会議長に就任したミロシェヴィチは、大セルビア構築キャンペーンを開始した。そして、ナチスとその同盟勢力（このなかには第二次世界大戦後半に組織されたボスニア・ムスリムの武装親衛隊師団「ハンジャール」も含まれる）がセルビア人にくわえた戦争犯罪に対する報復がなされていないことを筆頭に、セルビア人がかかえてきた歴史的不満や偏見を煽った。一九八六年にセルビア科学芸術アカデミーが作成した覚書には、旧ユーゴスラヴィアの崩壊とセルビア人の支配力低下に対するセルビア人の不安と偏見が凝縮されていた。[20] 一九八九年、「コソヴォの戦い」六〇〇周年記念の六月を前に、この戦いで命を落とした英雄セルビア公ラザルの遺骸が国内を巡回した（セルビア王国をはじめとするバルカン連合軍がオスマン帝国軍に敗北したコソヴォの戦いとセルビア公ラザルの死は英雄叙事詩となって伝承され、セルビア人にとっては特別なものとなり、近代セルビア民族主義の基盤になったともされる）。この巡回は、コソヴォの首都プリシュティナ郊外の激戦地跡でおこなわれたセルビア人大規模集会で「武力行使」をほのめかしたミロシェヴィチ演説のウォーミングアップであり、またイデオロギー的な強い目的があった。「セルビア人の血が流されるところ、セルビア人の骨が埋まっているところ、そこはすべてセルビア人の領土でなければならない」という、過激な民族主義を高揚させることである。[21] ボスニアとコソヴォには、不都合にも過去五〇〇年にわたるイスラーム文化の歴史が目に見える建造物として残っている。大セルビアの夢を実現するためには、それを抵抗勢力もろとも取り除かなければならない。やがてボスニアのムスリムの建築遺産も、クロアチアとボスニアにあるクロアチア人の建築遺産も激しくそこなわれることになる。きっかけは一九九一年にスロヴェニアとクロアチアが相次いで出した独立宣言だった。すでにセルビアが主体となっていたユーゴスラヴィア人民軍（ＪＮＡ）は侵攻を開始した。クロアチアの三分の一はすぐにセルビア人の手に落ちた。欧米メディアが報道したように、クロアチア紛争ではふたつの戦いがとくに大きかった。セルビア系住民の多い東スロヴェニアのバロック都市ヴコヴァルの包囲戦と、「アドリア海の真珠」と呼ばれるドゥブロヴニクへの砲撃である。

ヴコヴァルは、一六世紀からの支配者オスマン帝国が一六九二年に退却する際に破壊されたあと、バロック様式の町として再建された。一九九一年の三か月間の包囲では、最終的にこの町を占領したセルビア人によって五〇万発のミサイルが打ちこまれた。一七〇〇〇人以上が死亡し、さらに数千人が市内外で負傷したり行方不明になったりした。クロアチアでのセルビア人の戦い、とくにヴコヴァルの包囲戦は、旧ユーゴスラヴィアにおける紛争の行方を予見させるものだった。民族浄化が広くおこなわれ、セルビア人がクロアチア人を村から一掃すると、すぐにクロアチア人が報復のための浄化をおこなう――その残虐性は衝撃的で、約一万人が死んだ。そしてまた、ユーゴを揺るがした民族紛争のもうひとつの特徴、敵の文化遺産の意図的な破壊も起きていた。

戦争の場合、戦闘行為そのものの過程で破壊されたのか、偶然あるいは犯罪的な過失で破壊されたのか、破壊すべき文化として標的にされたのか、判断するのはきわめてむずかしいといわれる。ヴコヴァル包囲戦でもほとんどわかっていない。フランシスコ会修道院、市立博物館、歴史博物館、新市庁舎など、市中心部のモニュメントのほとんどが破壊された。バロック様式のエルツ邸はクロアチアの貴重な美術品や工芸品を所蔵していたほか、地下には病院があって、両陣営からの攻撃の対象にならない重要文化財であることを示すハーグ条約の旗も掲げていたが、大きな被害を受けた。これに対してセルビア側は、大邸宅の上に機関銃巣が設置されている証拠映像を示して反論した。セルビア勢力が美術品を略奪し、民族を浄化して通りの名前を変えたこと、セルビアの首都ベオグラードの政治指導者が市街を正統なビザンティン様式で再建しようと考えていたことはまちがいない。しかし民族の象徴的な建築物破壊の実相は、戦争が終わるまでわからなかった。[22] とはいえ、そう長くかかったわけではない――一年近くのあいだに破壊されたクロアチアのカトリック教会、修道院、そのほかの歴史的モニュメントは数百におよんだ。燃やされ、爆撃され、壊された建物は、前線から何キロも離れた場所にあることが多かった。クロアチア政府は、一九九四年六月までに六三のカトリック教会が破壊され、さらに五〇〇の修道院や教会が深刻な被害を受けたと発表した。セルビア人は、二四三の正教会の建物が破壊されたと主張した[23]。

こうした統計にはプロパガンダの側面もあったりするから、真実を見極めるのがむずかしい場合もある。ジャーナリストのロバート・フィスクは、クロアチアの古都カルロヴァッツを訪れたときのことを次のように語っている。地元住民は、一八世紀に建てられた正教の聖ニコラス教会はセルビア人勢力の誤爆によって粉砕されたと主張した。しかし下草のなかには、「尖塔とぺちゃんこになったドームがあり、十字架の根元には太さ三センチほどのがんじょうな鋼鉄製のロープが巻かれている」のがわかった。セルビア人は近くのカトリック教会ではなく、この教会を誤って爆撃し、鐘楼を残したのである。しかし、フィスクによれば、この教会の全面的な破壊は、広場の反対側にあった正教会の大司教座の建物をダイナマイトで破壊したのと同様に、クロアチア人があとから意図的におこなったものだという。クロアチア人はセルビア人と同じくらい民族浄化に熱心だったのかもしれない[24]。照準の精度は、ときには聖ニコラス教会の運命が示すように不安定になったりしたが、おそろしく正確な場合もあった。カルロヴァッツの都市計画家ドゥルダ・リポフスチャークによると、前線の向こう側のセルビア人勢力から電話がかかり、要塞都市の歴史文書館を明朝九時に砲撃するとの知らせがあった。その通告は一分たがわず守られた[25]。

港湾都市ドゥブロヴニクには、その種の警告は発せられなかった。ここは非常に保存状態のよい城壁にかこまれたルネサンス都市で、世界遺産にも登録されており、軍事的な重要性はまったくない。また、セルビア人が自分の領土と主張するような歴史も持たなかった。イタリア語でラグーザ（またはラグーサ）と呼ばれたこの都市は、何世紀にもわたって独立した共和国として存在し、オーストリア＝ハンガリー帝国の一部になった時代を経て、第一次世界大戦後にユーゴスラヴィアに組み入れられた。この民族浄化と大セルビアへの編入は、戦いの目的ではなかったらしい。では、なぜ陸と海から爆撃されたのか？　純粋な破壊行為、テロリズム、それとも嫉妬？　この都市の運命については第三章でくわしく考察する。

セルビア人勢力によるクロアチアへの攻撃は、大セルビアの建設をめざした領土的なものであることはまちがいないが（地域の少数派セルビア人の保護が口実だった）、クロアチアの文化財の浄化がどの程度まで事前に計画され、組織化されていたかについては、議論の余地がある。しかし一九九二年三月に独立を宣言したボスニアで内戦が勃発したとき、それは戦争の一部となり、組織的におこなわれた。ボスニアでは、単純な領土獲得と地元住民の殺害をともなう追放から、実際のジェノサイドと組織的な文化浄化へとあきらかにエスカレートしていった。文化財に内在する集合的記憶と歴史にねらいを定めた抹消は、民族としての人々の分解と抹消をともなっていた。

現在、サラエヴォの旧国立大学図書館は外壁しか残っていない（国立図書館は修復工事を経て二〇一四年五月に二二年ぶりに開館した）。これは一九世紀のロマン主義をふんだんに取り入れたネオムーア様式の建物で、図書館になる以前は市庁舎（ヴィエチンツァ）として使われていた。大きなドームはオーストリア政府の好意で修復されたが、そのほかの部分では彫刻をほどこしたレンガが水ぶくれのようになっており、内部は崩れ落ちた上階の床の残骸で埋めつくされている。しかし時を経て、板に覆われた外壁に銘板が取り付けられた。

一九九二年八月二五日から二六日の夜、この場所でセルビア人の犯罪者たちがボスニア・ヘルツェゴビナの国立大学図書館に火をつけた。二〇〇万冊以上の書籍、定期刊行物、文書が炎のなかに消えた。

忘れるな。
記憶して警告せよ！

サラエヴォの国立博物館で司書をしていたケマル・バカルシッチ博士は、国立図書館が破壊されたときの様子をこう述べている。

町のいたるところで、火がついて灰になりかけた、よれよれのページの束が汚れた黒い雪のように降っていた。舞っていたページを一枚手に取ると、まだ熱く、黒と灰色の奇妙なネガに映ったような文字の断片を一瞬だけ読むことができたが、熱が消えたとたんページは手のなかで溶け、塵になった。[26]

サラエヴォはミリャツカ川沿いの谷間に築かれた直線的な都市で、丘が周囲を取り囲んでいる。オスマン帝国時代の旧市街には、木造平屋建ての商店、石造りのモスク、屋根付きの市場、隊商宿などが碁盤の目状にならぶ。以前は川の渡し場にできた小さな集落だったが、トルコ人はここを都市につくりかえ、ボスポラス海峡と西欧をむすぶバルカン半島の交易拠点とした。その後の再開発を経ながら、都市は西のほうへ拡張していった。オーストリア＝ハンガリー帝国が統治していた時代の香りも加わり、第二次世界大戦後に社会主義となったチトー時代は空港建設のために谷がひらかれ、近代化が進んだ。ボスニア紛争から何年もたったが、いまも空港から大部分が修復された都市中心部へ行く途中の郊外では、どの階もめちゃめちゃに壊されたビルが残るオフィス街の道ばたに、点々と仮設のカフェがある光景がゆきすぎる。そして、いたるところにある墓地。二車線道路わきのガードレールのすぐそばまでならんでいて、手を伸ばせば届きそうなくらいだ。この町はスペインから追放されたユダヤ人（セファルディム）を保護し、セルビア正教の大聖堂を建てるなど、古くから国際都市として発展してきた。その都市建築はさまざまな信仰と移り変わる支配帝国の遺産であり、市民は多民族性と近代性の融合を誇りにしていた。セルビア人勢力による一〇〇〇日におよぶ包囲戦のあいだ、テレビ報道でサラエヴォの混乱を目のあたりにした欧米の視聴者は、ほかならぬ近代都市が、自分たちの「身内」のサラエヴォが戦場になっているという事実に衝撃を受けた。そこにいる人々と都市は、まぎれもなくヨーロッパの一員であり、そこで蛮行が繰り広げられていた。アドリア海そばのドゥブロヴニクも、やはり過去二〇年のあいだ、ヨーロッパのツアー旅行先として人気の都市だった。

サラエヴォ包囲の目立つ特徴は、世俗の建造物がたどった運命である。損壊されたのは宗教建築だけではなかった。周辺の山の陣地からセルビア人勢力がくわえた砲撃で国立図書館は火災を起こし、ボスニアの膨大な遺産が消失した。少なくとも四〇発の焼夷弾が建物に打ちこまれ、三〇〇万冊以上の蔵書のうち、残ったのはわずか一〇パーセントほどだった。ムーア様式の大閲覧室の柱が崩れて失われた本のなかには、一五世紀の古書数千冊も含まれていた。市民はスナイパーの狙撃をかわしながら人間の鎖をつくり、蔵書を救いだした。司書のひとりは撃たれて死んだ。その日にセルビア人勢力が市内への水道を遮断していたうえ、機銃掃射で消火用ホースが裂けてしまい、消防隊員の消火活動は困難をきわめた。[27]

サラエヴォの歴史的建造物のうち、戦争中に一三八六以上が破壊されたり、深刻な被害を受けたりした。[28]無傷で残ったものはほとんどない。「歴史的」と公式に認定された建造物が少ないため、これはかなりひかえめな数字である。公的リストに載っていない建物の被害も多かった。オスマン帝国時代の旧市街も砲撃で激しくそこなわれた。一五三〇年に創建された中央モスク、ガーズィー・フスレヴ＝ベグ・モスクには八五発の砲弾が直撃した。そのほか、カトリックの大聖堂、シナゴーグ、マドラサ（イスラーム世界で神学等を教える高等教育施設）、オスマン時代の浴場、歴史的な屋根付き市場などが被害を受けた。近くにあるセルビア正教の大聖堂も被弾し、わずかながら損傷した（おそらく偶発的だったのだろう）。市内のほとんどの歴史的モスクが壊された。光塔は格好の標的で、倒れるか根元だけになるかまで繰り返し爆撃された。由緒あるシナゴーグも損傷を受け、丘の上のユダヤ人墓地はセルビア人が銃座をつくるために掘りかえされた。サラエヴォ市民は、セルビア人の宗教施設が報復のために壊されたことはないと誇らしげに主張するが、それは大体において正しい。

国立図書館が破壊される数か月前の一九九二年五月、東洋学研究所はセルビア人の攻撃で真っ先に犠牲になった重要文化財のひとつだ。とくにオスマン時代のボスニアの歴史に関しては、多くの点で国立図書館の損失よりも大きい。この図書館のオスマン文書のコレクションは、まちがいなくバルカン半島で随一だったからである。ここには科学、神学、スーフィー（イスラーム教神秘主義）関係、自然史、神秘学、占星術、詩などの装飾写本が収蔵されていた。一〇二三年に制作されたイスラーム法写本をはじめ、何世紀にもわたるオスマン宮廷の裁決、法令、税務記録が失われた。蔵書のなかには「アザミイスキー」（アルハミヤドとも呼ばれる）という、ボスニア語（南スラヴ語群）をアラビア文字で表記した貴重な作品群も含まれていた。こうした文書は、ボスニア独自の歴史的アイデンティティと文化、またサラエヴォのオスマン時代の基盤を如実に証明するものだった。セルビア人は自分たちのイデオロギーに基づいた神話をつくりあげ、ほんとうの歴史を消し去ろうとした。現在このユニークなコレクションは、金属製キャビネット一台の棚を埋めるほどにも残っていない。紙が茶色く焦げてしまった華麗な書の束がいくつか、大切に保存されているだけである。焼失をまぬがれたのは〇・〇五パーセントほどだった。

東洋学研究所の所長ベヒヤ・ズラタールは、研究所への攻撃の意図を次のようにみている。

人々の集合的な記憶を破壊する。これは計画的におこなわれました。わたしは研究所近くに住んでいたので、消防隊と話をしました。打ちこまれたのは金属ケースさえ破壊できる誘導ロケット弾でした。建物の向こうから複数の砲弾がいっせいにまっすぐ飛んできました。その後は消防隊を足止めするために周囲を砲撃したのです。国立図書館でも同じことが起こりました……コレクションは重要なものでした。なぜなら、サラエヴォはカラジッチが主張するようなセルビア人の都市ではない、と明確に示していたからです。ベオグラードの史学は、つねにセルビア人の土地としてボスニアの歴史を表現しようとしました。ボスニアの歴史を捏造する試みはいまも続いています。[29]

イギリスBBC放送のボスニア紛争特派員ケイト・エイディも、この民族浄化に巻きこまれたという。各国のジャーナリストがサラエヴォの取材拠点にしたホリデイ・インに滞在していたエイディは、ホテルをねらっているとしか思えない砲撃に憤慨し、山の上のセルビア人陣地へ登っていって、いったいなにを考えているのかと詰問した。セルビア側は謝罪して、ほんとうの標的はホテルの向かい側にある国立博物館だと釈明したらしい。[30]

その新古典様式の四角い建物には、ローマ時代の考古学的資料、オスマン帝国の民芸品、自然史、ボスニア独特の彫刻がほどこされた墓石の遺産など、多彩なコレクションが収められている。ボスニアの多民族性を反映する収蔵品だった。博物館は繰り返し砲撃されたがサラエヴォ市民によれば、サラエヴォ南東のパレにかまえたセルビア人勢力司令部の将軍が、博物館にはセルビア人の遺産もあるから砲撃を中止せよと命令をくだしたので終わったのだという。[31] エイディの抗議や将軍の命令が多少はきいたのか、博物館は徹底的には破壊されずにすんだ。わたしが訪れたとき、エントランス棟の大理石のホールには空の展示ケースや瓦礫が残っていたが、ほかの場所では、ボスニアの昔の家庭用品や、朽ちかけた哺乳類の剝製、スプートニク時代（一九五〇年代後半〜六〇年代前半に旧ソ連が人工衛星スプートニクを打ちあげていた時代）の背景が楽しい地質学のセクションなどが展示されていた。しかしボスニアのもっとも貴重な宝のひとつ、一四世紀の装飾写本サラエヴォ・ハガダー（ユダヤ人が過越の祭に用いる典礼書）は、一説によれば（真実かどうかはわからないが）、砲撃によって水道管が破裂して地下室が水浸しになる寸前、真っ暗闇の地下室から救出されたのだという。このユダヤ教の写本は一四九二年にスペインを追放されたユダヤ人が持ちだし、一九世紀にサラエヴォの国立博物館の蔵書になった。第二次世界大戦中のナチス・ドイツ占領下では厳重に秘匿され、サラエヴォの寛容性の護符となっている。

歴史や文化の記念建造物に対する軍事行動の計画性を確実に検証するのはむずかしい。セルビア政府は、結局のところ戦争犯罪の調査のために保存記録を公開することはないだろうが、ボスニア側はその事実を確信している。ボスニア各地の荒廃した文化的記念建造物自体が、その証拠といえるだろう。サラエヴォの遺産専門家によれば、公然と敵対行為がはじまる前から、美術館や教会からイコンや絵画などのセルビア人の遺産をセルビアに持ちだす計画が立てられていたという。[32] 破壊の徹底性もまた、入念な意図をうかがわせる。サラエヴォやモスタルの有名な歴史遺産だけでなく、より小規模な文書類も標的になった。サラエヴォ郊外のボスニア・ヘルツェゴビナ文化・歴史・自然遺産保護研究所も、破壊された多くの文化施設のひとつである。残っていた歴史的環境の記録（一部は一二日前に研究所が安全のために持ちだしていた）がどうなったのか、いまだにわかっていない。しかし戦争中にもかかわらず、セルビア人の拠点バニャ・ルカ（現在はボスニア・ヘルツェゴビナを構成する一政体スルプスカ共和国〔セルビア人共和国〕の中心地）の大学では新しい学部が設立されており、それにはサラエヴォの機関から略奪した資料が使われたという説もある。[33]

戦後、燃やされた研究所の所長になったフェルハド・ムラベゴヴィチは、情報が集約化されていたことで標的文化財の選択が容易になったのだという。

ベオグラードの地政学研究所は地図を作成していました――だからすべてお見通しでした。それに旧ユーゴスラヴィアでは各機関がベオグラードに情報を送っていましたから、民族や文化、遺産に関する情報もすべて握っていました。［ボスニアの］どの建物にどんなものがあるかを正確に把握しており、正教の教会や修道院から美術品をベオグラードへ確実に移したのです。[34]

ボスニア・ヘルツェゴビナ連邦の文化相サブリナ・フセジノヴィチ博士も同意見である。

彼らはありとあらゆる建物の座標を知っていました――偶然だったはずがありません。［砲撃の］目標を観測する必要さえなく、ただ計算して発射ボタンを押せばよかったのです。

いかなる紛争であれ、軍事行動のピンポイント攻撃の正確さを訴えるこうした主張は疑わしい面があるが、現場の状況を見ると、あながちまちがいでもないらしい[35]。紛争中にバニャ・ルカで破壊された一六のモスクのうち、いくつかの組織的破壊を目撃したフセジノヴィチ博士は、ほかの多くの人々と同じように、歴史的建造物に比べると周辺の被害が比較的軽いという特異性や、焼夷弾による火災の消火活動を防ぐために一帯を機銃掃射した点を指摘する。後者は、ヒトラーがイギリスの歴史的都市を爆撃した「ベデカー爆撃」の特徴だった（イギリスとドイツは一九四二年三月から相手国の都市を目標とする無差別爆撃をおこない、ドイツは『ベデカー旅行ガイド』に掲載されていたイギリスの観光名所を選んだことからこの名がついた）。現在サラエヴォを拠点にしている博士は、長年バニャ・ルカで歴史的なモスクの修復にたずさわってきた。追放されたのち、彼女は被害の写真を撮るために市内へ潜入した。「あの［破壊の］あとをたどるのは自分の人生を攻撃されたかのような時間でした」と、彼女は涙ながらに語った。「人生の二四年間をモスクのためについやしていれば、細部まで知り尽くし、自分の家族さながらに愛するようになるのですから」

とはいえ砲撃の精度はけっして完全なものではなく、失敗によって完全な破壊から救われた建物もひとつやふたつではなかっただろう。セルビア人やクロアチア人に占領された地域の建造物の運命は、はるかに悲惨だった。遠くからの砲撃よりも、ダイナマイトによる爆破のほうがずっと効果的だったからである。ダイナマイトや砲火で破壊された建物の大半は、よくあるように瓦礫がブルドーザーで撤去されていなくても、修復することはできない。

サラエヴォのような大都市の場合、文化財破壊の計画を立てるのは複雑なため、攻撃の性質について「絶対にこれだ」と断言はできないが、ボスニア、クロアチア、そしてその後のコソヴォ

ボスニアの都市バニャ・ルカ（現在はスルプスカ共和国内）には、かつて15～16世紀に建てられたモスクが16あった。ボスニア紛争中にすべてがセルビア人勢力によって破壊され、ムスリム住民は追放された。写真はフェルハディヤ・モスク（1579年）。3つの古い霊廟、泉、墓地も付属していた。モスク複合体と近くの時計台は1993年5月に爆破された。ブルドーザーで撤去した瓦礫は埋め立てに使われた。

バニャ・ルカ中心部の更地になったフェルハディヤ・モスク跡。2001年5月、再建に向けて新しい礎石をおく式典をセルビア人ナショナリストの集団が投石で襲った。式典参加のボシュニャク人高齢者のひとりが、のちに頭部外傷で亡くなっている。跡地を汚すために豚が放たれたりもした。復元計画を準備したのはサラエヴォ大学建築学部。バニャ・ルカのほかのモスクの再建は順調に進んでいるが、フェルハディヤ・モスクは場所が一等地のため争いが絶えない（2016年に完成した）。

という広範な文脈のなかでの破壊を考えると、組織的な戦術が採用されていたことに疑いの余地はないだろう。民族浄化は、それを永続的かつ不可逆的なものにするための文化浄化政策をともなっていた。それは集団的記憶、共有された歴史、場所や建築環境への愛着を攻撃の対象とした。あるコミュニティにねらいをさだめ、その歴史と現代生活の根絶を目的とした。墓所や記念建造物の破壊は、民族浄化の昔からの常套手段である。

ボスニアのイスラーム教、カトリック、セルビア正教、そして一般建築遺産の運命を調査した一九九五年の報告書によると、国の歴史登録簿に公式に記載されているもののうち（繰り返すが、これは主要な記念建造物しかリスト化しておらず、歴史的環境のほんの一部にすぎない）、三三二六が破壊されたか、深刻な被害を受けている。内訳は一一一五がイスラーム教（のちに一四一五に増加）、三〇九がカトリック、三六以下が正教（セルビア側の報告では六五〜七〇）の建物だった。[36] 国内の二四の町は、それぞれ九〇以下の被害にとどまったが、たとえばモスタルでは四二九、バニャ・ルカでは二一九、ストラツでは一六七、トレビニェでは二二二など、はるかに多い数字が出ている場所もある。この報告書にはいくつかのまちがいもあり、またスルプスカ共和国の現場に直接アクセスできないという点があるにしても、かなり正確だと考えられている。[37]

ボスニア紛争での破壊の度合いは、第二次世界大戦でこの国が失った建築遺産をはるかに上まわるものだった。それは前線やその周辺での被害や、突発的な破壊行為だけではなかった。文化浄化は迅速かつ包括的におこなわれた。開戦初期の代表的な例が、古くからムスリムの町として栄えたフォチャである。この地域がセルビア人勢力の支配下におかれると、住民は大量殺人、集団レイプ、追放の対象となった。しかし民族浄化はそれだけで完了せず、町に残るオスマン帝国時代のゆたかな遺産も破壊された。由緒あるインペリアル・モスク（一五〇〇年）とイスラーム共同体資料館は、一九九二年四月にセルビア人民族主義者によって焼きはらわれた。同じ月に一五四六年建設のムスルク・モスクが迫撃砲で吹きとばされた。フォチャとその周辺で犠牲になった建造物のリストは延々と続き、そこには全部で二〇以上のモスクも含まれる。この地域のモスクを一掃しようとする強い意志を物語る規模といっていい。破壊されたモスクや礼拝堂（マスジド）は、デヴ・スレイマン＝ベイ（一六世紀後半）、カディ・オスマン＝エフェンディ（一五九三〜九四年）、ムウミン＝ベイ・マスジド（一六世紀）、シェイフ・ピリヤ・マスジド（一六世紀）、ムスタファ＝パシャ（一六世紀）、メフメド・パシャ・クカヴィツァ（一七五一年）、フォチャ近郊の村ウスティコリナのエミン・トゥルハン・ベイ（一四四八〜四九年／国内最古のモスク）、フォチャの村イェレッチの旧モスク（一五世紀）、ナクスベンディ・テッケ（イスラーム教の修道場）などである。[38]フォチャとその周辺地域は確実にセルビア占領地になったため、一九九二〜九五年の紛争中、敵対勢力との戦争行為は起こらなかった。破壊は抹殺政策だった。似たような事例がボスニア全土の町で発生した。たとえば東部のビイェリナでは一九九三年五月一三日の夜、セルビア人による民族浄化作戦の一環として六つのモスクが破壊された。[39]

セルビア人勢力（およびクロアチア人勢力）がボスニアのムスリムに、またセルビア人勢力（およびある程度のムスリム）がクロアチア人にくわえたレイプ、拷問、侮辱、殺害などの残虐行為は、ユダヤ人のホロコーストと同じように、たえず宗教建造物の破壊と連動しながらおこなわれた。二〇〇四年八月、フォチャで行方不明になっていた大勢のムスリムの遺体が、アラジャ・モスクの瓦礫の下、深さ七メートルのところに埋まっているのが発見された。「多彩なモスク」という名のこのモスクは町にとって――いやボスニア全体にとっても――栄えあるオスマン建築のひとつだったが、一九九二年にブルドーザーで破壊されたあと、残骸は市内の中心部からトラックで運びだされ、近くのチェホティナ川に捨てられた。[40]

以前はムスリム人口が多かったフォチャのアラジャ・モスク（多彩なモスク）。ボスニア・オスマン建築の傑作のひとつ。トルコ人建築家ラマダン・アーガーが設計し、ドゥブロヴニクのキリスト教徒の熟練石工たちが建てた。1992 年、セルビア人民兵がレイプ、殺人、ムスリム住民追放などの民族浄化をおこない、フォチャとその周辺で約 20 の歴史的モスクを破壊した。町名は「スルビニェ」（セルビア人の地の意）に改称された。

ムスリム共同体で破壊した石と遺体を一緒に埋める例は、ほかにもある。東部のブルチュコでも、サラエヴォ近郊の村ノヴォセオチでもそうだった。一九九二年九月二二日、セルビア民族主義勢力がこの村のムスリム四五人を連れ去った。近くの集団埋葬地には村のモスクの瓦礫を撒いてあったが、二〇〇〇年、そこから四一人の遺体が掘りおこされた。跡地にほかの建物が建ったり、ゴミ捨て場やバス停、駐車場になったりしたモスクもある。[41] こうした破壊は、ムスリム人口が多い中心地だけにとどまらない。モスタル近くのポチテリには、先祖代々住んでいる人は少なかった。この歴史的なムスリムの村は、ムスリムの大きなコミュニティがあるというより、昔から芸術家が好む場所として、また観光地として存在してきた。ここでもムスリムの殺害や追放はあったが、圧倒的にねらわれたのは建造物だった。一九九三年九月、クロアチア人武装勢力の指導者マテ・ボバンは、この集落の破壊を命じた。モスク、オスマン帝国時代の家屋、旧神学校、浴場などが破壊され、一部はダイナマイトで粉々にされた。その後、クロアチア人はモスクの下にカトリック教会の跡があると主張して、自分たちの行為を正当化しようとした。これは、ほかの場所（バニャ・ルカやフォチャなど）でも使用された論法である。[42]

戦争が終わって一〇年もたたないうちに再建されたサラエヴォは、ちょっと見ただけではたんにみすぼらしい、経済的に落ちこんだ町のように思えるかもしれない。ところが列車で南のモスタルに向かい、このうえなく美しい湖と森林に覆われた山々のあいだを縫っていくうちに、特殊な紛争の証拠がつぎつぎと現れてくる。郊外のありふれた住宅地や村で、ごく普通の家と、焼け焦げて屋根のない家が隣りあって建っている。人々は隣人に牙をむいたのだ。列車がモスタルに

2004年8月、ブルドーザーで潰したアラジャ・モスクの瓦礫が、紛争以降行方不明になっていたムスリム住民多数の遺体とともにチェホティナ川で見つかった。石柱の特徴から残骸がモスクのものだとわかった。民族浄化の犠牲者とその聖なる建物との共同埋葬は、ボスニア各地でおこなわれている。

はいり、市内東側のムスリム居住区にあるチトー時代の殺風景な駅に着くと、破壊の様相が強まってくる。無傷の建物よりも廃墟のほうが多いようだ。日の光をはじく鋼鉄製のサイロは砲撃を受け、中身をしぼった歯磨きチューブのように歪んで錆びたまま横たわっている。和平協定のデイトン合意から五年後の訪問だが、一軒一軒の家や通り全体が廃墟と化し、焼けた車がほこりをかぶって放置されている。西モスタルに住むクロアチア人によるムスリム居住区包囲は壊滅的な結果をもたらした。

モスタルのすぐ南にあるストラッツは、かつてユネスコ世界遺産への登録が検討された古都で、特徴的な張り出し窓や中庭、泉をそなえたオスマン様式の歴史的集合住宅や、重要施設、宗教施設などが占領中のクロアチア人武装勢力によって破壊された。町の中心部は大半が被害を受け、一五一九年に建てられた皇帝のモスクや、一階に屋根付き市場のあるめずらしい様式のポドグラドスカ・モスクなど、四つのモスクが破壊された。古くからのイスラーム市場のテパ広場は壊されて更地になり、バスターミナルとして利用された。人口の四〇パーセントほどを占める約八〇〇〇人のムスリムは追放され、なかには強制収容所に入れられた人もいた。ムスリムの墓地は残っていたが、デイトン合意がなされて各民族の住み分け地域が決定してしまうと、消滅してしまった。それ以来、クロアチア人は多文化のあとが消えることをほとんど考慮せずに都市を設計し、再建の方針を立ててきた[43]。かつて魅力的だったストラッツは、いまでは不機嫌でぼろぼろの、見栄えのしない場所になっている。クロアチア南端のアドリア海沿岸都市ドゥブロヴニクへ行くまでの道筋で、そのわけがわかる。周辺の田園地帯には家屋の残骸や洗濯機、レンガ、乳母車、

ボスニア・ヘルツェゴビナのオスマン帝国時代の古都ストラツは世界遺産登録をめざしていたが、ボスニア紛争でクロアチア人勢力の民族浄化にあい、歴史的建造物の多くが壊された。この町にはかつて16～18世紀に建てられた、チュプリヤ・モスクなどの4つのモスク、特徴的な住宅街、市場、浴場などがあった。

窓枠などが捨てられている――それは破壊された家庭の痕跡であり、誰かに襲われた住民の恐怖を物語る。

旧ユーゴスラヴィア紛争で何人死んだのか、誰が死んだのか、どれだけの建物が破壊されたのかは、いまだに議論が続いている。信頼性の高い国際資料によると、一四万人から二五万人のボスニア人が殺されたとされる。行方不明者は二万人から四万人。破壊などの被害を受けたイスラーム教の建物（モスク、聖廟、寄進された宗教施設［ワクフ］、スーフィー教団の修行道場、神学校など）は三〇〇〇以上。[44] カトリックのクロアチア人も正教のセルビア人も大勢が死亡し、相当数の文化財が損壊されたとはいえ、ボスニアの領土獲得をめざす両勢力にはさまれたムスリムが最大の被害を受けたのはまちがいない。

旧ユーゴスラヴィア国際刑事裁判所（ＩＣＴＹ）の証人として出廷したハーバード大学の学者アンドラーシュ・リードルマイアーは、[45] ボスニア全土の損傷したモスク、破壊されたモスク、無傷のモスクをプロットした地図を証拠として提出した。破壊されたモスクをあらわす赤い点のグループの外縁を線でむすぶと、スルプスカ共和国などのセルビア人支配地域の輪郭が見えてくる。この境界線内では、ほとんどすべてのモスクが破壊された――それは戦前のボスニアにあったモスクの四分の三にあたる。また破壊地域とセルビア人勢力が凄惨な民族浄化をおこなった地域は、連動している。[46] つまり、破壊は集団殺害的な民族浄化行為を裏付ける証拠でもあるのだ。セルビア人勢力が占領したプリエドル（ボスニア北西部の現スルプスカ共和国に属する地域）の悪名高い警察署長は、ＩＣＴＹでおこなう裁判のための逮捕時に抵抗して銃で撃たれた人物で、自分の仕事に満足しており、オマルスカ

チュプリヤ・モスクの跡。ストラツのモスクやオスマン時代の建物は、1993年の夏にクロアチア人武装勢力によって破壊され、収蔵品が略奪された。正教の聖母被昇天教会はその前年に破壊されている。周辺の村々のモスクも粉砕された。強硬な反対を受けながらも、少なくともひとつのモスクが再建されている。

強制収容所に送る人選も担当していたといわれる。彼はある記者にこう語った。「やつらのモスクに関しては、光塔（ミナレット）を壊すだけではだめだ。建てかえできないように土台ごとひっくり返さなければならない。そうすれば、やつらは出ていきたくなる。そして自発的に出ていくだろう[47]」

これはあきらかに民族浄化の一環だと解釈できる。ムスリム自体を排除し、ムスリムに属する宗教および一般建築を破壊する。ブルドーザーで遺体を撤去して墓地を整地する。身分証明書を押収して土地登記簿を焼く。「セルビア人」もしくは「クロアチア人」の子供を産ませるために女性をレイプする。そうした行為は追放されたコミュニティへ戻るべき理由をすべて取り除き、彼らはもとからそこにいたという証拠さえ消し去ることが目的だった。ボスニア東部のズヴォルニク（現スルプスカ共和国内）には、かつてたくさんのモスクがあり、人口の六〇パーセントがムスリムだったが、文化と民族の浄化がはかられたあとに——現在まで——セルビア人の町となり、市長のブランコ・グルイッチは「ズヴォルニクにモスクはなかった」と宣言した。[48]そして、あるモスクの跡地にセルビア正教の壮大な大聖堂を新設する計画が進められた。歴史は書きかえられ、大セルビアと大クロアチアのための新しい未来と新しい過去がつくられていった。

ボスニア紛争では、大勢のムスリムやクロアチア人が死亡したり強制収容所に入れられたりしたが、セルビア人支配のおよばない地域で生きのびた人も多い。もしセルビア人やクロアチア人の過激な民族主義者がボスニア全土を制圧することに成功していたら、彼らはどのような運命をたどったのだろうか。すべて追放されたのか、あるいは殺されたのか。のちのスルプスカ共和国地域で起きた数々の残虐事件はそう示唆している。

ヒトラー率いるドイツの拡張主義は、まさにこの二者択一のジレンマをナチスにもたらした。ナチスは経済的にも文化的にもユダヤ人を孤立させ、国内追放に追いこみ、共有の場から排除することに成功したのである。ドイツでは、一九世紀までにユダヤ人の隔離は大きく崩れはじめていた。大勢のユダヤ人が敬虔なユダヤ教徒として、あるいは世俗的なユダヤ人としてのアイデンティティを維持しながらドイツに同化し、より広い社会のなかで繁栄していた。しかし一九三三年四月一日のユダヤ系企業のボイコットを皮切りに（ヒトラーは同年一月に首相就任）、ナチスは異質な「他者」という存在をつくりだし、それをコントロールするために、徐々に隔離を再開していった。「水晶の夜」の襲撃の結果、ドイツとオーストリアのユダヤ人は、民族集団の独自性を示す建築記録という点では、ついに見えなくなった（そのかわり、黄色い星を衣服につける義務を課して個人を特定していた）。逆説的な言い方になるが、何千人ものドイツ系ユダヤ人が許されて国外へ去った。しかしポーランド占領と第三帝国の東方への拡大により、ヒトラーは当初よりも多くのユダヤ人をかかえることになったのである。

ポーランドの三一〇万人のユダヤ人は、ディアスポラ（離散ユダヤ人）のなかで最大のコミュニティであり、一〇〇〇年にわたるゆたかな文化的伝統を持っていた。都市部でも地方のシュテートル（東欧の小規模ユダヤ人コミュニティ）でも、生き生きとした目に見える共同生活をいとなんでいた。ユダヤ人のポーランドには、独自の機関、組合、議会、文学や建築の傑作があり、なかでもシナゴーグの表現形式はひじょうにゆたかだった。住宅と見分けがつかないような質素な宗教施設から、石造や木造の重厚で誇らかな新古典主義やバロック様式の石造建築まで多岐にわたっていた。ユダヤ人建築史家のダヴィド・ダヴィドヴィッチは、西ヨーロッパの大半の地域の場合、一九世紀の解放政策で強制的なゲットー居住が廃止されてからユダヤ人の宗教建築が花開いたが、ポーランドはそれとは異なり、昔から比較的自由なユダヤ人文化の伝統が存在し、だいたいにおいて大規模なポグロム（ユダヤ人に対する集団的暴力行為）や追放を回避してきたと指摘する。[49] ポーランドのユダヤ人建築遺産は、ポーランド自体の歴史とほぼ同じくらい古いものだった。ナチスは二段階に分けて殺人的な対応をした。まず異質性を際だたせるためにユダヤ人を公共の場から排除し、それから根こそぎの排除――最終的解決をはかったのである。ユダヤ人が生活していた空間の物理的破壊とゲットーの創設は、目的達成のために不可欠だった。

隔離によって異質なユダヤ人を管理する――反ユダヤ主義は昔からこれを常套手段にしてきた。ゲットーという用語は一五一六年にイタリアのヴェネツィアにつくられた、壁にかこまれたユダヤ人地区に由来する。リチャード・セネットは著書『肉体と石 *Flesh and Stone*』で、ヴェネツィア共和国がかかえていた「異質への不安」を指摘している[50]。鋳造所（ヴェネツィア語で「ゲットー」という）の跡地に壁でかこった飛び地をつくり、ユダヤ人の隔離と管理に関する法律を制定したのも、そのあらわれだった。鋳造の生産拠点が国立造船所（アルセナーレ）に移ったあと、工場跡地の島々はユダヤ人専用になった――一般のヴェネツィア市民を排除したわけではなく、異質な「他者」をそこに閉じこめたのである。ヴェネツィア・ゲットーは一〇〇年以上のあいだに段階的に拡張し、三つの区画が連結する形になった。外部との往来は数か所の橋と門に限定され、毎晩封鎖された。ほかの出入り口は閉鎖されており、外に面したバルコニーも取り除かれた。ユダヤ人は夜になると、実質上塀のなかに閉じこめられた。

ヴェネツィアでは、ユダヤ人との身体的接触によって病気になる、汚染されるという想像上の恐怖が大きく作用した。これは、ナチスがポーランドでのゲットー設立を正当化するときに使った論法である。ヴェネツィア人はユダヤ人との契約が成立すると、握手ではなくお辞儀をした。ゲットー内に疫病が発生してもユダヤ人は昼夜問わず閉じこめられており、壁は過密状態の住民を守ってはくれなかった。また、ポグロムからも守ってくれなかった——閉鎖空間のせいで大量虐殺がいっそう容易になったのである。「ゲットーの隔離空間は、ユダヤ人の経済的必要性と彼らへの嫌悪、現実的需要と身の危険とのあいだの妥協点をあらわしている」とセネットはいう。[51] ナチ政権下の「水晶の夜」と、ドイツ占領後のポーランドで起きたユダヤ人資産の大量破壊は、ゲットー復活への前哨戦だった。「水晶の夜」の数週間後、ナチス親衛隊の機関紙『ダス・シュヴァルツェ・コーア』には、次のような社説が載った。「ユダヤ人をわれわれの居住区から排除し、ドイツ人とはできるかぎり接触しないように、ユダヤ人だけの集団に隔離しておかなければならない……その結果、ドイツ国内のユダヤ人は実質上の終焉を迎え、完全に消滅するだろう」[52]

ユダヤ人の隔離は、一九三五年のニュルンベルク法（ユダヤ人に対する人種差別法で、ユダヤ人から公民権を奪い、ドイツ人との結婚を禁ずるなどした）をきっかけに本格化した。やがて物理的な排除は経済的地位の剝奪へと発展していった。一九三八年の「水晶の夜」のあとにゲーリングが出した布告により、公園、劇場、病院、商店、街全体がユダヤ人の立ち入り禁止区域となった。ユダヤ人は公的生活だけでなく、公共の場や共有の場からも閉めだされたのである。「水晶の夜」の始末とニュルンベルク法についての会議で、ゲーリングは「すべての都市で非常に大規模なゲットーを創設するしかないだろう」と述べた。国家保安本部長官のハイドリヒは難色を示したが（ハイドリヒはユダヤ人の国外移住を推進していた）、ポーランドがゲットーを既成事実化する機会を与えた。[53]

ゲットーの復活は「受容」プロセスの一環と見ることができる——本格的な絶滅の前にどこまでやれるか、ナチスは見極めようとしたのである。ゲットーの壁は内側にいる人々の異質性と非人間性を強めた。また、ドイツが占領したポーランドの二〇〇万人のユダヤ人と、ほかに当時の帝国内にいた一〇〇万人のユダヤ人をどこにおくかという問題に対して（ナチスはアーリア化する占領地域を決めていた）、格好の中間解決策を用意した。民間人の大量殺戮をともなうポーランド侵攻を成功させながら、ナチスは着々と占領政策を進め、ハイドリヒは農村部のユダヤ人を都市部へ集めるよう、アインザッツグルッペン（敵国の指導者層やユダヤ人などの銃殺を担当する特別行動隊）に極秘命令をだした（一九三九年九月二一日）。五〇〇〇人以下のユダヤ人コミュニティを「解散」させるのが目的である。その年の後半、「管理とその後の排除をより確実にするため」ユダヤ人をゲットーに収容することが規定された。飢えや病気で大勢が死亡することもまた、確実だった。[54]

一九四〇年四月、ポーランドにナチス初のゲットーが中央部のウッチに創設され、都市人口六〇万人強のうち、四分の一がゲットー内に収容された。ここは繊維工業の中心地であったため、ウッチ・ゲットーはナチスにとって経済価値が高く、一九四四年まで存続が許された。こうした集住地建設の当然の結果として、ポーランド各地で、また一九四一年にドイツがソ連に奇襲攻撃をかけたバルバロッサ作戦の際はバルト諸国やソ連西部で、ユダヤ人は残酷に浄化されていった。ナチスの容赦ない一斉検挙と破壊はエスカレートし、その場で地元住民を虐殺することもあった。たいていの場合、町や村のユダヤ人住民はシナゴーグの前に集められ、拷問や辱めを受けたあとに殺害され、会堂は燃やされた。[55]殺害と放火の合体もめずらしくなかった。ポーランド北東部のビャウィストクでは、市内の主要シナゴーグ（ポーランド最大）に数百人のユダヤ人を集めて押しこめたあと、建物に火を放った。炎から逃げようとした者は銃殺された。リプスクのシナゴー

ポーランドのヴォウパ村（現在はベラルーシに所属）にあった木造シナゴーグの傑作（1643年）。1941年破壊。こうした木造彫刻建築は1000年にわたる東欧ユダヤ文化の結晶だったが、ナチスによって消された。バロック様式の幾何学模様と繊細な彫刻が合体しているものも多かった。いまはもう、数えるほどしか残っていない。ヴォウパの人口の半分を占めるユダヤ人は、ただちに殺されるか追放された。900人が死亡。

グでは、さらに多くのユダヤ人が焼かれた。中世のイギリスやドイツのポグロムでは、ユダヤ人がシナゴーグのなかで生きたまま焼き殺されたものだが、それを彷彿させる行為だ。

同じような残虐行為が東ヨーロッパ中でおこなわれた。多くの町や村で、占領後にナチスが最初にやったことは、ユダヤ人の宗教施設や企業の建物、あるいはユダヤ人居住区全体の破壊だった。東ヨーロッパでは「水晶の夜」の破壊はなかったが、物理的な結果は同じだった。たとえば一九三九年九月には、ポーランドのビェルスコ、ビドゴシュチ、ピョートルクフ、ヴウォツワヴェク、ズギェシのシナゴーグすべてが火やダイナマイトで破壊された。いくつかのコ

ポーランドのゴンビンにも美しい木造シナゴーグがあり、ヴォウパと同じく歴史的建造物に指定されていた。内装の彫刻はところどころ真鍮の彫刻板で縁取られ、ポーランドの鷲を載せたシャンデリアがあった。トーラーの巻物を入れた櫃を覆うカーテンは、かつてタタール人の武将の鞍だったもので、金の刺繍がほどこされていた。1939年9月、町を占領したドイツ軍は広場に集めたユダヤ人の目の前で建物に火を放った。記録によれば、何人かのユダヤ人が炎のなかに押しこまれたが、なんとか逃げだしたという。

ミュニティでは、ユダヤ人自身が自分の建物を燃やした罪に問われ、罰金を科せられた。のちに、ボスニアのイスラーム教徒も同じ目にあうことになる。その後もポーランドでは、グニエボシュフ、プシュムィシル、ウッチ、ソスノビエツ、ベンジンなどで建物の破壊行為が続いた。ユダヤ教の祭日やナチスの祝賀記念日が、往々にして攻撃日に選ばれた。第一次世界大戦の激動を経たあとも、国内にはユダヤ人のシナゴーグ、小礼拝堂、図書館、学校、学習所が数多く残っていた。だが第二次世界大戦後、ポーランドには約二〇〇のシナゴーグしか残っておらず（しかも大なり小なり損壊していた）、ウクライナやベラルーシにいたってはもっと少なかった。[56] なかでも一六世紀から一七世紀にかけての木造シナゴーグ建築が失われたのは、まぎれもない文化的損失だった。これはポーランドとその周辺で生まれたユダヤ・スラヴ系バロック様式の一種で、段々やドームになった複雑な多層屋根を特徴とする、すばらしい建築遺産である。バルコニーやアーチで装飾され、さまざまな彫刻がほどこされていた。木材を組み合わせて外装や内装に凹凸をつけたものも多い。第二次世界大戦まで残っていた約一〇〇の木造シナゴーグのうち、小規模で質素な三つしか残っていない（シュモボ、ビシニョバ、プンスク）。[57] これらはすべて、ポーランド建築研究所が一九二三年に歴史的シナゴーグの調査をおこなった際に記録されており、実測図も多数あった。[58] こうした資料の大半は、一九四四年にナチスが研究所を破壊したときに失われた。すぐに「殺され」なかったシナゴーグは「辱められた」。現存するユダヤ遺産の保護活動家サミュエル・グルーバーによれば、

見逃された場合でも、シナゴーグはわざと公然に汚された。シナゴーグは公衆便所（チェハヌフ市）、刑務所（カリシュ市）、厩舎（グニエボシュフ村、マクフ村）、工場、そして売春宿にまで使われた。たとえばチェンストホヴァでは、シナゴーグが警察本部として使われ、少女たちを性的にもてあそんで拷問した。ユダヤ人はシナゴーグの冒涜や調度品の破壊、トーラーの巻物を燃やすことなどを強制され、そのまわりで「おれたちはこのクソが燃えているのを喜ぶ」と歌いながら踊らされた。[59]

ドイツ占領初期に見られた「電撃的なポグロム」は、その後、ゲットー内外での大量殺戮と、ヨーロッパのユダヤ人を直接またはゲットー経由で絶滅収容所に移送する形式に変わっていく。ワルシャワ中央北部には、ポーランド最大規模の約四平方キロメートルのゲットーがつくられた。「ペスト菌保有者――すなわちユダヤ人」からドイツ軍と一般市民を守るためというのが理由である。[60]そこに四七万人から五九万人のユダヤ人（一部屋あたり六、七人）が詰めこまれ、六万二〇〇〇人のポーランド人が退去させられた。既存の建物のあいだには隔離壁が建設された。出入り口は閉鎖され、周囲の道路は一六キロにわたって、高さ三メートルの壁の上に一メートルの有刺鉄線を張ったもので封鎖された。当初は産業やビジネスへの影響を懸念してゲットーと外部のつながりを保つことも考えられていたが、しだいに締め付けがきびしくなり、二二あった出入り口は一五に減った。寒さや飢え、病気で毎日何百人ものユダヤ人が死んだ。この段階では、ナチスはユダヤ人を空間的に分離することに成功していたので、彼らの「人間以下」の異質さは観光の対象となった。ドイツ兵の監督隊が足を運んだ。「野生動物」を挑発するように鞭を振りまわした。[61]視察に訪れたアルフレート・ローゼンベルク（一九四一年より東部占領地域相）は帝国報道部にこう報告している。「まだユダヤ人になんらかの共感を持っている人が存在するなら、こういったゲットーを見るように勧めるべきだ。そろいもそろってみじめに朽ちかけ、芯まで腐りきった民族を目のあたりにすれば、どれほど感傷的な人道主義も捨て去ってしまえるだろう[62]」。ゲットーは徐々に整理され、住民はそこで殺されるか、死の収容所へ運ばれていった。抵抗運動が起きた場合、ゲットーは物理的に破壊された。一九四三年のワルシャワ・ゲットー蜂起では、建物は一区画ごとに計画的に爆破されたり燃やされたりし、ゲットー全体が瓦礫と化した。およそ五万から六万人の抵抗者が殺害され、数千人が火災で焼け死んだ。鎮圧部隊の指揮をとった親衛隊少将ユルゲン・シュトロープは、鎮圧記念にトウォマツキエ通りの大シナゴーグを爆破した。ここに一〇〇〇年の歴史を持つ文明、その民族、書物、演劇、芸術、建物がほとんど完全に消滅したのである。この偉大な伝統を思いださせるものはほとんど残っておらず、当時を記憶するユダヤ人もほとんど残っていない。

ホロコーストは二〇世紀初のジェノサイドではない。オスマン帝国時代の現トルコ領内で一九一五年から本格化した、トルコ人とクルド人によるアルメニア人男女と子供一五〇万人の虐殺がそれにあたる。ナチスや一九九〇年代のセルビア人過激派と同じく、この虐殺は徹底した文化浄化をともなっていた。これは民族を滅ぼそうとする試みだったが、トルコ政府は今日まで認めておらず、歴史に蓋をしておきたい考えだ。現在でもトルコでアルメニア人の記念建造物が放置され、破壊され続けているのは、こうした姿勢のあらわれといえる。トルコはこの時期に約三〇万のアルメニア人が死亡したことは認めるものの、それは第一次世界大戦下の飢餓や爆撃によるものだとしている。しかし実際には、拷問、ポグロム、身体切断、レイプ、性奴隷など、アルメニア人の経験はより過酷なものだった。このときオスマン帝国の実権を握っていたのは、「青年トルコ人」（革命に成功して憲政を復活させた人々の総称）のメンバーである。帝国軍は各地でアルメニア人男性を殺害し、伝統的なアルメニア人の町や村に残った人々を強制移住させるために「死の行進」に駆りたてた。洞窟の入り口で火を焚くという、原始的なガス室も報告されている。生きのびた人々はシリアの砂漠にある強制収容所か、ロシア領アルメニア内のロシア戦線の背後に追いやられた[63]。トルコが残虐行為をかたくなに認めないのは、ひとつにはNATO加盟国かつEU加盟候補国のトルコを味方につけておきたい欧米諸国の思惑があること、もうひとつにはトルコがアルメニア人の建築記録を消し続けていることがあげられる。

アルメニアは世界で初めてキリスト教を国教とした国であり、四世紀初頭に新しい教義を受け入れた。独立していた時期もあったが、最終的には文化的にも言語的にも異なるものの、アルメニア人はオスマン帝国に吸収された。しかしオスマン体制下にはいったとはいえ、アルメニア人の文化的財産は何百年ものあいだ、ほとんどそこなわれることはなかった。非イスラーム教徒のため二級市民だったものの、貿易や商業などの重要な経済活動をになう階層を形成しており、とくにユダヤ人と同様、銀行業などイスラーム教徒には禁じられた分野で活躍した。しかし一九世紀になって帝国が衰退すると、帝国内の少数民族に対する抑圧が強まり、帝国を構成する各地域で民族意識が高まっていった。スルタン・アブデュルハミト二世治世下の一八九四年から一八九六年にかけて、アルメニア人の中心地であるトルコ東部で二〇万人ものアルメニア人が虐殺され、さらに数千人が追放されたり強制改宗させられたりした。不正規軍が殺害を主導し、クルド人民兵らが略奪をおこない、最後には町や村を破壊した。

一九〇九年、すなわち「青年トルコ人」が軍事クーデターで権力を握った翌年、ふたたび虐殺が起こった。憲法を復活させてアブデュルハミト二世を廃位に追いこんだこの政権は、古いオスマン世界を脱却して新しいトルコ国家をつくるというヴィジョンを描き、世俗的で近代的な進歩を遂げたと評価されている面もある。しかし、問題はあったとしても多民族性を特徴としたオスマン帝国とは異なり、新政権の排外主義的な「トルコ主義」はしだいに熱をおびて、すぐに小アジアにトルコ人だけの国民国家を樹立したいという願望へ発展していった。また、バルカン戦争やロシア南下の脅威を背景に、国内のアルメニア人も脅威とみなされるようになり、第一次世界大戦の勃発とともにその傾向は強まった。こうして、民族国家を形成するための国境線の引きなおしや大規模な再定住が、全土で展開されることになる。

小規模な抑圧と殺害があったあと、一九一五年四月二四日、アルメニア人知識人らの大量検挙と殺害を機にジェノサイドがはじまった。トルコ全土での組織的な大量殺人がそれに続いた。男性と女性は別々に扱われた。男性はすぐに殺されるか、シリアのラース・アル＝アインやデリゾールなどの強制収容所へ送られた。この残酷な国外退去を生きのびた人々は、永久追放となった。アルメニア人の教会、記念建造物、地区、町は破壊された。祈りの場で焼き殺されたアルメニア人もいた。トルコ南部の町マラシュの生存者が、のちにアメリカの口承保存記録に語っている。

二〇〇〇人ほどのアルメニア人が集まっていたところをトルコ人が取りかこんで、建物の周囲全体にガソリンを撒き、火をつけたのです。わたしがいたのは別の教会でしたが、トルコ人はそこにも火をつけようとしていました。父は「これで一家は終わりだ」と思ったようです。父はすぐにわたしたちを集め、家族を守ろうとするかのように移動式の信者席でまわりをかこみ、忘れられない言葉をいいました。「おそれるな、わたしの子供たちよ、もうすぐみんな一緒に天国へ行くのだから」と。幸運なことに、昔フランス人がその教会から別の見晴らしのきく場所まで掘った秘密のトンネルを発見した人がいて、わたしたちはそれを使って脱出しました。[64]

このジェノサイドでは全都市でアルメニア人の人口が失われた。トルコ東部にあるアルメニア人の歴史的都市ヴァンもそのひとつだった。五万人以上のアルメニア人が殺害され、市街はふたつのモスクを除いてほぼ壊滅状態となり、近くにクルド人の新都市が築かれた。大量殺戮中に破壊をまぬがれたアルメニア人資産は、一九一五年九月にオスマン帝国に没収された。

一九世紀末から第一次世界大戦後にかけて、とくにギリシア・トルコ戦争後の強制的な住民交換により、何千人ものギリシア人とトルコ人が命を落とした（ギリシア・トルコ戦争〔一九一九～二二年〕はギリシアがオスマン帝国の都市スミルナ〔現イズミル〕に侵攻したことにより勃発）。記念建造物や町は壊された。戦争末期の一九二二年九月、エーゲ海に面する美しい古都スミルナの北部地域は、ギリシア人とアルメニア人の居住区を含めて全焼した。アテネでは、反イスラーム攻撃で破壊されなかったモスクはのちにすべて取り壊された。アルメニア人虐殺と強制的住民交換にともなう破壊は、人的損失だけでなく、文化的にも壊滅的なものだった。アルメニアの初期キリスト教の伝統は、加工石灰岩を使ったドームや尖塔を特徴とする、ユニークな建造物を生んだ。尖ったアーチ、リブ・ヴォールト（骨組材〔リブ〕のついたアーチ型天井）、多数の円柱をたばねたよ

セーヴル条約調印（1920年）後に本格化したギリシア・トルコ戦争（1919～22年）で敗色が濃厚となったギリシア軍がアナトリアから退却するなか、トルコ軍は1922年9月に古都スミルナ（現イズミル）を再占領した。ギリシア人とアルメニア人の市街区は炎につつまれた。火災とトルコ人の迫害から逃れようとした数千人ものギリシア人とアルメニア人の難民が市内で、あるいは海で溺れて死んだ（人数には異論がある）。外国の海軍は見ていたが介入を拒んだ。

うなピア（簇柱）など、垂直性を重視した構造は、ヨーロッパのゴシック様式の教会建築に通じるものがある。中世のアルメニア王国は、この伝統を受け継ぎ、壮大な教会や修道院を建設した。またアルメニアの職人たちは、その石工技術を地域の他宗教民族へ輸出した。

一九一四年にアルメニア・コンスタンティノープル総主教庁がおこなった調査では、完全な記録とはいえないものの、オスマン帝国内には二〇〇以上の修道院と一六〇〇以上の教会を含め、総主教庁が管轄する宗教施設が二五四九存在した。[65]その多くがジェノサイドの過程で破壊されたが、その後も現在にいたるまで、もっと多くの軒数が取り壊されたり、モスクや納屋に転用されたりしている。ナチス・ドイツの「水晶の夜」がきたるべき災厄への警告だったのとは対照的に、トルコはアルメニア人の大量殺戮と追放が終わったあとも、いまだに歴史あるアルメニア建築遺産を丹念に取り除き続けている。一九六〇年代にはいってから、アルメニア人らの建築学者たちが――政治的にも身体的にも危険がおよびかねない作業だったが――一八〇〇年にわたるアルメニア教会遺産の記録と救出をはじめた。一九七四年の調査では、トルコ国内に九一三の教会や修道院の遺跡がさまざまな状態で残っていることが確認された。そのうちの半数では、建物は完全に消失していた。廃墟となっていたのは二五二、使用可能な状態のものは一九七だった。[66]

一九八〇年代後半から九〇年代前半にかけて、紀行作家のウィリアム・ダルリンプルはアルメニアの史跡が継続的に破壊されている証拠を見つけた。遺跡の多くは長年の放置、地震、あるいは教会の下に隠されているかもしれない黄金を探す農民にあらされて朽ちたものだったが、あきらかに意図的な破壊とわかる例がある。[67]ダルリンプルによれば、トルコ要人をねらう過激派組織

「アルメニア秘密解放軍」の出現を受け、一九七〇年代から八〇年代にかけて破壊が加速したのだという。検閲も増えた。一九八六年には、ブリタニカ百科事典トルコ語版の編集者が、脚注でトルコ南東部の地中海沿岸地帯キリキアにかつて存在したアルメニア王国に言及したために、逮捕・起訴されるという事件があった。その事典は発禁になった。[68] その一〇年前にはフランスの歴史家J・M・ティエリーが、ヴァン近郊のアルメニア教会の設計図を描いたかどで逮捕され、本人不在のまま三か月の重労働を宣告された。彼は判決を受ける前に逃亡したのである。ティエリーはまた、一九八五年に政府がトルコ北東部オシュキ（オシュク）にある中世のジョージア教会（聖堂）を取り壊そうとしたところ、廃墟の教会は穀物倉庫や馬小屋などのさまざまな用途に使っているとして村人たちが反対したと報告している。[69]

ダルリンプルは、あとから調べても意図的に破壊されたという明確な証拠を見つけるのはむずかしいとしながらも、いくつかの好例をつきとめた。トルコ最北東端カルス近郊のフッコンク（現ベシュキリセ）にある五つの重要な教会群は、アルメニア人虐殺以降、一九六〇年代まで公式には立ち入り禁止とされていた。ダルリンプルが訪れたときには、一一世紀に建てられた聖セルギウス礼拝堂のドームだけが残っており、周囲の壁の四か所が吹き飛ばされていたり、穴が開いたりしていた（地震ではこのような被害はあり得ない）。そのほかの教会は跡形もなかった。地元民によると、建物は軍に爆破されたのだという。[70] そのほか、一九一五年のアルメニア人虐殺時に一部が破壊されたあと、一九六〇年代に軍の射撃訓練で瓦礫と化したスルブ・カラペト修道院などの宗教施設がある。

さまざまな場所にいくつかの遺跡が残っている。一〇世紀のフレスコ画のあるヴァラガ修道院（トルコ語でイェディ・キリセ）は、現在は納屋になっている。東部エルジンジャン近郊のデイルメン村にある九世紀のバシリカ式教会は倉庫になっており、側面に開いた穴は車が通れるほど大きい。南部エデッサ（現ウルファ〔正式にはシャンルウルファ〕）のアルメニア大聖堂は、一九一五年に消防署に改造されたあと、一九九四年にふたたびモスクに改造されたが、その際に教会の付属品の残りが破壊された。エデッサとキリスト教のつながりは古く、聖地エルサレムについでキリスト教を受け入れた町である。現在使用されている教会はない。一方、イランやジョージア（旧グルジア）では、古代のアルメニア教会が国家予算で修復されている。ジョージアでは、かつてスターリンが国内の八〇以上の教会を破壊したが、ソ連崩壊後に独立するとその修復に着手した。しかし、やはりソ連崩壊後に独立したアルメニアと敵対する国や地域では、記念建造物の運命はそれほど幸運ではない。アゼルバイジャン西部のナゴルノ・カラバフ自治州（人口の大多数がアルメニア人のためソ連中央政府から自治権が与えられていた）の帰属をめぐって、ソ連崩壊前の一九八八年からアゼルバイジャンとアルメニアのあいだで紛争がはじまった。アルメニア人居住区に対するアゼルバイジャン軍の攻撃は文化浄化をともなっており、エゲアザール修道院のほか二一の教会が破壊された。また、アゼルバイジャンに属するものの本国の飛び地となっているナヒチェヴァンでは、アルメニア人の町の遺跡が半世紀前と同じ道をたどった。イラン国境の町ジュルファ（旧称ジュガ）は一六〇五年に破壊され、住民がペルシアへ強制移住させられたという歴史がある（サファヴィー朝とオスマン帝国の戦争が原因だった）。それでも広大なアルメニア人墓地は被害を受けながらも残り、無数のハチュカル（中世の十字架石〔石に十字架を彫ったもの〕）

が立ちならんでいたが、一九九八年にアゼルバイジャン人が遺跡の三分の一をブルドーザーで壊し、瓦礫をトラックで運びだしたと報告されている。[71]

トルコのギリシア遺産も苦難の連続だった。一九五五年、水晶の夜を彷彿とさせるような反ギリシア暴動が起き、イスタンブルで無数のギリシア人商店の窓が壊された。一〇〇〇以上の家屋、二六の学校、七三のギリシア正教会が攻撃され、市内のふたつの主要なギリシア正教総主教の墓を含め、多くの建造物が破壊された。[72] この暴動をあおった要素はふたつある。ひとつは、キプロスのギリシア人とトルコ人のコミュニティ間で暴力事件が起きたこと。もうひとつは、ギリシアのテッサロニキにあるケマル・アタテュルク（トルコ建国の父とされる英雄で初代から四期の大統領をつとめた）の生家が、ギリシアの爆弾攻撃で破壊されたという大袈裟な写真がトルコの新聞に掲載されたことである（実際は隣のトルコ領事館外の爆発でほんの少し傷ついただけだった）。[73] 現代のイスタンブルでも、歴史的なアルメニア教会や墓所は放置され、破壊され続けている。ここ数年のあいだも、現存するハチュカルの破壊と瓦礫の撤去が何度か報告された。

一九八七年、欧州議会はトルコに対し、「建築物の保護条件を改善する」よう求め、トルコがアルメニア人虐殺を否定することは、トルコのEU加盟にとって「乗り越えられない障害」であると述べた。[74] 行動はほとんど起こされず、トルコのEU加盟問題は、どちらの当事者も「乗り越えられない障害」を解決する意欲を見せないまま決着しそうである。世界遺産基金もこの問題に取り組もうとしたが、成果は限定的であった。トルコ東部ヴァン湖のアグタマール島にある有名なアルメニア教会だけは、国際的な圧力を受けて、トルコではなくアルメニアの資金で修復され

アルメニア建築のフツコンク修道院（5つの教会）。7～11世紀、トルコ最東端の由緒あるアルメニア人都市アニから約40キロ南西の渓谷上に建てられた。13世紀のモンゴル侵攻以降は放置されていたが、19世紀に修復。精巧な石造彫刻を特徴とするアルメニア教会建築の典型例で、西欧のゴシック建築に通じるものがある。

ることになりそうだ。エルサレムのアルメニア博物館長ジョージ・ヒントリアンは、「教会はわたしたちすべてに残されたものです」という。「もうすぐ、アルメニア人がトルコにいたという証拠はほとんどなくなるでしょう。そしてわたしたちは歴史上の神話になってしまうでしょう[75]」

歴史を書くことが勝者の特権であるならば、それをうまく書きかえることもそうだろう。トルコには、過去を否定して「なかったこと」にしようという願望がある。アルメニアの記念建造物の破壊と意図的な放置があるかぎり、トルコと国内の少数民族のどちらにも心の平安が得られない状態が続く。

現在のフツコンク修道院跡。聖セルギウス教会の廃墟だけが残る。修道院はアルメニア人虐殺後に放置され、1960年代にトルコ軍によって破壊された。トルコ国内のアルメニア遺跡に対する破壊活動は長期にわたって続いている。ドーム（1025年）の内部には、吹き飛ばされた4か所の壁の瓦礫が散らばる。頑強で精密なつくりのために完全破壊をまぬがれたのだろう。

罪の意識は払拭しなければならない。トルコ国内のクルド人、アルメニア人、ギリシア人、クルド人に対する抑圧も続いており、クルド人の遺産も無視されたり、巨大なダムプロジェクトにのみこまれたりしている。こうした破壊は、勝利者の功績を否定するものであると同時に、その勝利が不完全なものであることを示す。オスマン帝国の多文化主義の建築遺産は、「パクス・オトマニカ」――オスマンによる平和――の安全性と強さの証だった。トルコがその遺産の好ましい要素だけを慎重により分けて観光資源にするのは、むしろ現代トルコの不安と弱さの証である。

トルコの状況が事後的に、つま

りジェノサイド後も現在進行形で続いている文化浄化だとすれば、「水晶の夜」はその逆、ジェノサイドに成長する「種」だったといえる。そしてホロコーストが進行するにつれ、物質文化の破壊とその制作者を破壊することの距離はちぢまり、最終的にはポーランドの町や村でのユダヤ人殺害とシナゴーグ焼失が同時進行することになったのである。これはたんなる記憶の破壊ではなく、ユダヤ人が存在する未来を否定するものだった。ナチスの反ユダヤ主義と文化的大虐殺は、冷酷であると同時に確信に満ちていた。ボスニア戦争におけるセルビア人の文化遺産攻撃では、過去を書きかえたいという願望が、敵の存在証明となる物質文化の破壊となってあらわれた。図書館、墓所、モスク、特徴的な家屋、教会、文書館などの破壊は、新生大セルビアのための神話的な過去の創造と密接にむすびついていた。旧ユーゴスラヴィアを反映する建造物の徹底破壊は、民族浄化のプロセスと一体化しており、あらゆる段階でそれをおこなった。建築に対するこうした犯罪はボスニア内戦の勝利に必要だったわけではなく、これらの記念建造物の運命はこの紛争の本質――内戦というより、ジェノサイドによる領土獲得だったことを示している。

ナチスの人種イデオロギー、トルコの国家建設、セルビアの拡張主義など、マイノリティーに対する戦争が起こるたびに広範な破壊が繰り返されるのは、個人だけでなく、民族とその集合的記憶とアイデンティティを根絶する必要性があるからだ。誰がアルメニア人のことをおぼえているというのか？　アルメニア人の物語は、彼らの記念建造物のように断片的なものになり、彼らの経験を示す物質的な証拠は消えつつある。記憶はいまも消され続けている。

# 第三章　テロリズム　士気阻喪、メッセージ発信、プロパガンダの手段

だからいったでしょう。愚かな人たちよ。

——H・G・ウェルズ『空の戦争 *The War in the Air*』（一九〇八年）一九四一年版の序文より

「アメリカで先日起きた事件の影響で、マンハッタンのスカイラインを見て気分が悪くなる方がいるかもしれません。ご注意ください」。スカイラインで気分が悪くなる？　スピルバーグ監督最新作『A.I.——人工知能』（二〇〇一年）を上映するロンドンの映画館のチケット売り場に貼られたこのめずらしい注意書きは、ニューヨークの摩天楼が欧米人の脳裏に焼きついていることを物語る。ここは昔から数々の映画で危機の舞台になってきたので（『A.I.』ではスカイラインが水没）、二〇〇一年九月一一日が世界中の人々の目に新たなイメージを焼きつけたとき、それは現実のことなのに非現実性をおびていた。世界貿易センタービルの二本のタワーが地面に崩落するさまは、全世界のテレビで繰り返し流された。人命と人工物を巻きこんだすさまじいカオス。た

とえ多くの犠牲者が出たとしても、もしツインタワーがそのまましっかりと立っていたら、あの日のイメージはいまと同じくらい強烈だったろうか。

バベルの塔から映画『タワーリング・インフェルノ』まで、超高層建築はどこかしら、とどまるところを知らない人間の傲慢さを感じさせる。悲劇の場合、この愚行に対する返事はatē——破壊である。だからハリウッドは高層ビルの破壊というイメージを好み、繰り返し使う。それは効果満点のダイナマイトだ。

長いあいだその役は、エンパイア・ステート・ビルが受け持ってきた。たとえば、キングコングは建物のてっぺんで飛行機にまとわりつかれる（一九七六年のリメイク版では、場所が世界貿易センタービルに変わっている）。それ以降も、パニック映画はマンハッタンを火の海にし、瓦礫にし、水没させ、爆破してきた。地球規模の攻撃となれば、ビッグベンやエッフェル塔が跡形もなく破壊された。ビッグベンもエッフェル塔も国を象徴する建物である。『猿の惑星』では、半分埋もれた自由の女神が地球の壊滅を暗示する。「なんてやつらだ！　おまえたちが滅ぼした！」とチャールトン・ヘストンは叫んだ。しかし九・一一のわずか数週間後にイギリスで封切られた『A.I.』は、あまりにも記憶が生々しかったせいで、映画館の来場者に注意をうながす必要があったのだろう。タワー自体は水浸しになった町のなかで無傷で立っているとしても。

建物や都市への攻撃は、それ自体象徴性を持ち、実際フィクションにも劣らない効力があるため、完全破壊が軍事的優位性に直接むすびつかなくてもテロ攻撃や戦闘で好んで用いられてきた。その破壊行為によって勝利を得ることを期待しているのではない。第二次世界大戦のドイツ都市への無差別爆撃から二〇〇一年の九・一一まで、「戦争」と名がついていようとなかろうと、目的は恐怖を与えることにあった。かなめは恐怖である。士気を弱め、敗北を加速させ、あるいはたんに爆弾をおそれよというメッセージを送って、全住民に恐怖を植えつけるための武器。支配手段としてのテロ。あきらかな無差別攻撃は、恐怖（混乱、ショック、失見当、見慣れたものやいつもまわりにあったものが消滅したりゆがんだりする状況）をつくりだすのに効果を発揮する。ときには、標的が持つ象徴性が重要なポイントとなる。テロリズムは暴力的プロパガンダ行為だと以前からいわれてきた。発信する相手が誰かによってメッセージは変わる。標的のない無差別爆撃は、選び抜かれた建造物を標的にするときよりも広いメッセージを送ることができる。広範囲におよぶ効果は、ストレートなメッセージと比べ、あるムード——士気阻喪——の醸成をねらえる。標的が一般的なものであればあるほど、伝えるメッセージも幅が広くなる。

二〇〇一年九月一一日、入念に選んで世界貿易センタービルをターゲットにしたことは、アメリカよりもイスラーム世界に鮮烈で明瞭なメッセージを送ることになった。アル＝カーイダは、世界貿易センタービル、国防総省ビル（通称ペンタゴン）、それからおそらくキャンプ・デービッド（墜落した四機目の目標）を標的にする理由を正確に理解していた。アメリカの評論家や世界の指導者たちはこれを「自由」への攻撃、「民主主義」への攻撃、あるいは「野蛮な人種」による「文明」への攻撃だと非難した。第二次世界大戦中に、連合国や枢軸国が敵の爆撃に対して使った言葉である。しかしテロリストたちが標的にしたのは、あきらかにアメリカの軍隊と経済と政治中

9.11——2機目の衝突。テロリズムはつねにメッセージを発信するが、標的の選定によってそれを具体化することもある。アル＝カーイダにとって、ニューヨークにある世界貿易センタービルのツインタワーは、ひとつには欧米の偶像崇拝、ひとつにはアメリカによる世界の、とくに中東の経済支配を象徴するものだった。反アメリカ、反近代化のメッセージはイスラーム戦闘員への決起合図でもあった。

枢のシンボルだった（アメリカの権力層はおそらく、それと自由や民主主義の概念に差異はないと考えている）。九・一一攻撃は、超大国をひれ伏させ、不死身神話に穴を開け、広範囲におよぶ支配力を弱めようとするくわだてであり、さらには破滅的な報復戦争に引きずりこんで、国際社会における権威が失墜するところをイスラーム世界とその周辺に見せることも計算に入れていた。

二〇〇一年一〇月七日、アル＝カーイダ――サラフィー主義（初期イスラームへの回帰を主張する改革運動）を奉じるイスラーム過激派のひとつ――の指導者ウサマ・ビン・ラーディンは、カタールの衛星テレビ局アルジャジーラが放送した映像のなかでこう語った。「世界規模の偶像崇拝の指導者――現代のフバル神の背後には偽善がある……すなわちアメリカとその支持者たちのことだ」（フバル神とはイスラーム以前のアラブ人が崇拝した男神で、石像がメッカのカアバ神殿に祀られており、のちにその地を征服したムハンマドの信奉者たちによって破壊された）

プリンストン大学のマイケル・スコット・ドーランは、この声明の意味はムスリムには明白だろうと述べている。[1] ビン・ラーディンの主張は、アメリカ人は現代における究極の偶像崇拝者であり、その文化と政治と経済の力で世界を汚染し、さらにはサウジアラビアの聖なる土地に軍隊を駐在させている、というものだった。スコット・ドーランによれば「過激サラフィー主義者は欧米の現代文明を悪の根源とみなしており、世俗主義の形で世界に偶像崇拝を広めていると考えている」という。アメリカは、ムスリム征服をもくろむ「シオニスト・十字軍連合」を先導する国と見られていた。声明はその後、アル＝カーイダ関係者らによって補強された。テロの指導者アイマン・アッ＝ザワヒリ（ビン・ラーディンの補佐官）は、二〇〇三年五月にアルジャジーラが流した録画音声で「十字軍とユダヤ人が理解できるのは殺戮、虐殺、塔を燃やすという言葉だけだ」と述べた。そして欧米の大使館と企業を攻撃せよとムスリムに呼びかけている。[2] 九・一一計画に関するのちの調査によると、アル＝カーイダは当初、当日目視できるターゲットをもっと広い規模でねらう予定だったらしい。東海岸で五か所、西海岸で五か所に飛行機が突っこむことになっていたといわれ、それにはロサンゼルス中央図書館、シカゴのシアーズタワー（現ウィリス・タワー）、数基の橋やハリウッドのスタジオも含まれていた。[3]

土木工学を学んだウサマ・ビン・ラーディンが、ツインタワーの崩壊を予測していたのではないかと臆測する声がある。つまり、構造上特有の脆弱性を把握していたのではないかというのだ。この説を裏付ける証拠はなく、ビル崩壊という大惨事の原因究明には、テロ計画者が入手しえない構造情報に精通した専門家による徹底検証が必要だった。はっきりしているのは、昔からイスラーム——とくに過激サラフィー主義者——は聖像や偶像崇拝、聖域、幾何学に関心を寄せ、ムスリムに対して、たとえば「アル＝アクサー・モスクと（メッカの）聖モスクの解放」を呼びかけていたことである。[4] サウジアラビアは自国の聖なる土地に教会やシナゴーグを建てることを許さない。また、モスクのドームとくらべたときの教会の尖塔の高さについては、比較的寛容なオスマン帝国の時代でさえ、たびたび警戒の対象にされてきた。[5] 九・一一後、長年にわたって調査を続けている情報機関の報告によれば、テロリストはほかにも数多くの「象徴的な」標的にねらいをつけていた。エッフェル塔（一九九四年に飛行機を衝突させる計画があった）、ゴールデンゲート・ブリッジ、ディズニーランド、バチカン宮殿、メルボルンのリアルトタワー、ロンドンの大規模再開発地域ドックランズの金融街カナリー・ワーフ地区の高層ビル群などだ。[6] 自由の女神とラシュモア山（ワシントンなど四人の大統領の顔を彫刻した山）はどちらも表面の画像データを詳細にとってあり、もし爆破されても再建できるようになっている。またシドニー・オペラハウスやロンドンのセント・ポール大聖堂など、特定の脅威にさらされていなくてもきびしい警備体制が敷かれた象徴的建造物もある。未遂に終わったものの、九・一一以前の一〇年間にホワイトハウス、徹底した世俗主義者ケマル・アタテュルクのアンカラの聖廟、テルアビブ市街への航空機突入計画があったことがその後の調査であかるみに出た。一九九三年二月に世界貿易センタービルの地下駐車場を爆破した事件の主犯テロリスト、イスラーム主義活動家のラムジ・アフメッド・ユセフは「タワーを倒壊させて隣のタワーに衝突させる」予定だったと語っている。大量の爆弾はおもに地下を破壊し、フロア五階分を突き破り、死者六人、負傷者一〇〇〇人以上を出したが、このときにはタワーは倒れなかった。[7] 攻撃する側も守る側も、構造上の力を強く意識していることは疑いない。

九・一一のターゲット選びは、アフガニスタンにあるアル＝カーイダのキャンプではじまったのか（アル＝カーイダの指導者もそう主張する有力説）、それとも飛行機のハイジャック犯――ハンブルク・セルのアル＝カーイダ工作員――が起点となっているのか（ドイツの調査はそれを示唆する）は依然として不明である。[8] しかしハンブルクの工作員でハイジャック犯のひとりモハメド・アタは、建築力学に強い興味を持っていた。建築技師になるための大学教育を受けており、イスラームの建築遺産に深い関心を寄せていた。アタがシリアの古都アレッポを訪れたとき、欧米式の超高層ビルや現代的な開発が旧市街を侵食し、まわりをみすぼらしく見せている光景に衝撃を受けた。そこはアタが学位論文のための研究をおこなった場所である。さらに、エジプト政府はカイロの歴史地区を欧米の観光客向けに「イスラーム版ディズニーランド」にしようとしていた。一般にイスラーム主義のテロリストは、イスラームの地という概念と、欧米人によるその冒瀆に非常に敏感だ。[9] モハメド・アタは、建築アイコンの破壊によって強いメッセージを発信できることを疑わなかっただろう。こうした派手な行為は、ハイジャック犯のシャヒード——殉教——を大勢の信者に目撃させ、過激な行動に駆りたてるというメリットがあった。

ジョセフ・コンラッドの『密偵』（一九〇七年）に登場するウラジーミル氏によると、テロリズム（彼の「爆弾投下の哲学」）は社会がみずからの繁栄の支えであると信じているものを攻撃対象にしなければならない。[10]『密偵』では、科学は万人が信奉するものとされ、王立グリニッジ天文台が標的となる（作品発表の十数年前にあった実際の爆破未遂事件がベースになっている）。アル＝カーイダにとって、世界貿易センタービル——グローバル資本の最重要都市にそびえる経済力の象徴そのもの——以上に理想的なターゲットがあっただろうか？　ツインタワーの死は強大な力の失墜を印象づけた。それは国防総省（ペンタゴン）がこうむった破壊をはるかに凌駕する衝撃だった。たとえペンタゴンが攻撃作戦に直接関与し、世界一の床面積を誇る軍中枢だったとしても。低いビルを倒壊させたところで、それが壮大な重要文化財でもないかぎり、同じ衝撃は与えられないだろう。人類滅亡の預言者（カサンドラ）H・G・ウェルズは、マンハッタンを見て畏怖し、「これが廃墟になったらどうなるだろうか」とつぶやいたといわれる。そして、一九〇八年の『空の戦争』で描かれる飛行船からの都市砲撃が生まれた。[11] 世界貿易センタービル跡の廃墟は、実際、ビルがあった頃と比べると現実離れしている。

テロ直後の世界の反応は驚くべきものだった。国境や空港が封鎖され、株式市場は下落し、大西洋の向こう側でもオフィスワーカーたちは高層ビルから避難させられた。評論家たちはすぐさま、超高層ビルという建築形式の終焉と、密集した金融街の空洞化を予想した。一年もたたないうちに、あきらかに模倣と思われる攻撃が起きた。イタリアではルイージ・ファスロが、ミラノの戦後経済復興のシンボルであるピレリ・タワーに小型飛行機で衝突して死亡した（故障による墜落事故という報道もある）。その数か月前には一五歳の青年が、フロリダ州タンパのバンク・オブ・アメリカ・プラザの二八階にセスナ機で突っこみ自殺した。これらは事件としては比較的小さいものだったが、その前にあった九・一一事件のために、反響は大きかった。もっとも、世界貿易センタービルの再建計画が示すように、高層建築の魅力は消えていない。ヒュー・フェリス、ミース・ファン・デル・ローエ、ル・コルビュジエなどの初期モダニストたちにとって、高層建築は未来や未来によせる信頼を建築で表現する手段だった。建築家も顧客も考え方を変えた様子はない。九・一一事件は、シュワルツェネッガー主演のアメリカ映画『コラテラル・ダメージ』公開延期の要因となったかもしれないが（ロサンゼルスの高層ビルがテロリストによって爆破される話を中心に展開する）、高層ビルの建設とその破壊は——フィクションでも、またおそらく現実世界でも——続くだろう。

「物理的な構造物——人間の命とはまた別物——の破壊は気持ちをくじく効果がある」という考えは、破壊を受けた側が多くの場合「決意を強める」ことが証明されているにもかかわらず、非常に強く信じられている。経験した者にはあきらかなことだ。九・一一攻撃から一周年を迎えた日、ジョージ・W・ブッシュ大統領は「テロリストはわが国から士気を奪うためこのターゲットを選んだが、成功しなかった」と述べた。国防総省の聴衆にはこう語っている(国防総省は即座に投入された三億二二〇〇万ポンド(約五〇〇億円)で修復された)。「[テロ攻撃の]数時間後、この建物内で軍事対応が協議された……一年後、この重要な施設は完全に元の姿を取りもどした……この場所は、わが国の力と決意のシンボルである[12]」

おそらく、敵のねらいは戦意喪失だという理解の仕方は、恐怖を生みだす当惑や無力感の払拭にかなり役立つだろう。非軍事施設やインフラ施設への爆弾テロ攻撃が何度も失敗していること(敗北主義につながる士気阻喪を生むという点で)を考えると、プロパガンダの長所のみが残ることになる。しかし、そうした士気うんぬんの理論は、攻撃の根底にある動機——罰や報復——を隠す可能性がある。テロの動機は手段や標的と同じくらい多種多様だ。国粋主義、宗教、政治、イデオロギー、領土に関連したテロリズムは、あらゆる範囲に広がっている。アメリカ国務省のテロに関する報告書には、世界中のじつに多くのテロ組織と標的建築物があがっている。たとえば、一九九四年には次のような事件が起きた。ペルーの極左組織「センデロ・ルミノソ(輝ける道)」によるリマの日系ペルー人文化センター爆破事件、アテネのゲーテ・インスティトゥート前爆弾事件(革命的人民闘争が犯行声明を発表)、クルド労働者党による二度のイスタンブル旧市街バザール爆破事件（観光産業に経済的打撃を与える目的だったと思われる）[13]。

なかには、一見不可解な攻撃もある。一九九三年、イタリアの文化遺産のすぐ近くで自動車爆弾テロが相次ぎ、フィレンツェのウフィツィ美術館、ローマのパリオリ劇場、サン・ジョバンニ・イン・ラテラノ大聖堂、サン・ジョルジョ・アル・ヴェラブロ教会、ミラノのヴィラ・レアーレと近隣の現代美術館に被害を与えた。ウフィツィ美術館では、ルーベンス、ベラスケス、フラ・バルトロメオなど多数の作品が爆風で激しく損傷した。メモなどはなく、声明を出したグループもない。マフィアの攻撃対象はたいてい個人か政府機関だったが、これの文化財攻撃は当時からマフィア、とくにコーザ・ノストラの犯行ではないかと考えられている（イタリア当局は八〇年代からマフィアの取り締まりを強化していた[14]）。文化史家のハチグ・トロリヤンはコンラッドを引用してこう指摘する。「異なる社会はそれぞれの方法で集団的自己の理想像を保っており、したがって三者三様のテロリズムが発生しうることを理解する必要がある[15]」。これをふまえると、イタリアでの文化財攻撃は、社会にすさまじい反響と怒りをまねくのはまちがいなかっただろう。国民は自国の芸術遺産をアイデンティティの大きなよりどころとしているのだから。一連の裁判で激しく争ったマフィアの意図は、大衆を味方につけることではなく、国家を威嚇して自分たちが自由に活動できるようにすることだった。捜査に協力したある情報提供者は、マフィアのメンバーにこう質問されたと述べている。「朝目がさめて、ピサの斜塔がなくなっていたらどうする？」情報提供者は答えた。「そんなことになったら町は終わりだ」。すると相手はいった。「そういう芸術品にくらべたら、たかがひとりの人間をターゲットにしたときの意味はかぎられる[16]」。ローマの教会が爆弾攻撃を受けたのは、その数か月前にシチリアを訪問したローマ法王ヨハネ・パウロ二世がマフィアを糾弾し、マフィアの活動と縁を切れと市民に呼びかけた演説への報復と考えられている。

被抑圧者による抑圧者の建物——とくに大使館——への攻撃は、輸送システムをはじめとするソフトターゲットにくわえて、民族主義や地域主義テロ組織の「共通語（リングア・フランカ）」になっている。たとえばアイルランド共和軍（ＩＲＡ）は、最近の評価では攻撃対象は軍事や経済にしぼられていたとされるが、とくに一九二二年のアイルランド自由国成立までの期間、イギリス国家権力に関係する文化標的を攻撃した長い歴史がある。一九二一年まで続いた独立戦争とその後の内戦で、ＩＲＡは支配者層の英国系アイルランド人のカントリーハウスを数多く焼き打ちした。数字に幅はあるが、この時期、アイルランドで最大二〇〇（およそ一〇パーセント）の「屋敷（ビッグ・ハウス）」が破壊されている。[17] 所有者のほとんどは、アイルランド国王を兼ねることになったイングランド国王の臣下として一五世紀から一六世紀にやって来た人々の家系に連なる。大邸宅はよそ者であるプロテスタント支配階級を代表するもの（そこの住人がいかに地元に馴染んでいようとも）、アイルランドの大多数を占めるカトリック系住民の貧困を見下ろすものだった。新設された議会上院に推挙された地主は、とくにねらわれやすかった。攻撃は支配階級、そして広大な地所の建造物に表現されている階級認識に向けられた。

「屋敷」時代の終わりは、エリザベス・ボウエンが小説で印象的に描いているが、現在ではやや

コーク州コーチフォードにあるリーモント屋敷の跡。1921年、この家はIRAによって火をつけられ、家主のミセス・メアリー・リンジーが射殺された。強硬なロイヤリスト（英国帰属支持者）だったリンジーは、イギリス軍にアイルランド共和軍の作戦を知らせたために、IRAメンバーに捕まって処刑された。IRAは英国系アイルランド人領主が所有する植民地支配的な「屋敷」をいくつも襲撃したが、双方の紛争当事者によるこの種の攻撃は報復が目的だった。

感傷的に振り返られる存在となり、アイルランド観光局は屋敷を歴史的建築遺産にすべく積極的に働きかけている。しかし多くのアイルランド人にとって屋敷は長いあいだ、憎むべき「地主制度と圧政の遺産」だった[18]。しかも贅沢な屋敷はイギリス本土のものよりも豪壮だと、アイルランドの労働者や小作人からきびしい搾取をした証だと住民は思いこんでいた。実際のところは、概してもっと小さく質素だったのだが、入植者の象徴と捉えられていたため、イメージが肥大したのである。家屋自体はそれなりに堂々としたものが多く、植民地時代の所有者の新古典主義やパラディオ様式の趣味を反映している。一九世紀後半になっても、アイルランドでは、当時イギリス本土で流行していたチューダー様式やゴシック復古調の家はほとんど見られなかった。植民地スタイルにこだわっていたためだろう。[19] だからといって、ＩＲＡが建築に対する審美眼を持っていたというわけではない。

カントリーハウスの多くは壊されても再建されたが、作戦が功を奏し、多くの領主たちは土地を売り、アイルランドからも出ていった。いくつか制定された土地法も収入の激減につながって、この地にとどまる気を萎えさせた。二〇世紀初頭には一二〇〇家族が爵位を持っていたが、先祖伝来の土地に今も残っているのは三〇家族に満たない。階級浄化ともいえよう。カントリーハウスの減少は、最近まで、平和なジョージアン時代（ハノーヴァー朝でジョージ国王が四代続いた一七一四～一八三〇年）のダブリンが確実に消えていくことを意味していた。独立を果たした共和国は、植民地遺産を大切に保存したりはしなかった。ジョージアン様式建築の軽視はアイルランド特有のものではないが（イギリスでジョージアン様式が見直されはじめたのは一九六〇年代後半になってからである）、そのいかめしい特徴や、おそらくは国外から持ちこまれた点も相まって、長いあいだ反感の対象にされていた。「なくなってうれしかった。わたしが憎むものすべての象徴だから」と、アイルランドのある文化大臣は述べている。[20] 共和国が豊かになり、国家としての自信も高まった近年では、多様性が生まれ、アイルランドの建築遺産に対する再評価が起こっている。

断言はできないものの、都市部での爆弾テロの歴史がもっとも長いのがアイルランドの民族運動といえるかもしれない。一八六七年、アイルランド共和主義同盟（ＩＲＢ）は、幹部二名の解放をくわだててロンドンのクラーケンウェル刑務所を爆破したが、そのときとんでもない被害を出してしまった。計算を大幅に誤り、二トンの爆薬を使って刑務所の壁をまるごと吹き飛ばしたのである。通行人が一五人死亡し、被害を受けた近くの住宅数軒は取り壊すはめになった。もちろん、ロンドンの大衆から動機に対する同情も得られなかった。アイルランド問題の解決をめざしたイギリス首相グラッドストンがさまざまな譲歩を示したにもかかわらず、彼らは一八八三年から一八八五年にかけて、イギリスの力の象徴に爆弾をしかける組織的活動をやめなかった。ロンドン塔、下院（庶民院）、カールトンクラブ（英国保守党本部）、ロンドン・ブリッジ、スコットランド・ヤード（ロンドン警視庁）などがフィーニアン（ＩＲＢとアメリカ系アイルランド人活動家の呼称）の標的になった。トラファルガー広場のネルソン記念柱の足元で時限爆弾が見つかったこともある。ダブリンに建設されていた兄弟像、ネルソン柱はもっと悲運だった。二〇世紀のなかばを過ぎた一九六六年、ネルソン提督像は反体制派ＩＲＡほかのメンバーが計画した「ハンプティ・ダンプティ作戦」の爆弾攻撃で柱上部から転がり落ちた。一九一六年のイースター蜂起（イギリスからのアイルランド分離独立をめざした武装蜂起）から半世紀もたっているのに、まだ自分たちの首都にイギリス軍の英雄がふんぞりかえっていることに憤慨したのがその理由である。

もっとも、ダブリンのフォー・コーツ（四つの裁判所の意）こそ、建築的にも歴史的にも最悪の犠牲者だといえるだろう。リフィー川沿いに建つ壮麗な新古典主義様式の建物（ジェームズ・ギャンドン設計）は、偽装地雷によって一九二二年に破壊された。地雷を設置したのは、アイルランド自由国創設条約に反対して内部にたてこもったＩＲＡメンバーである（これは対英独立戦争停戦のためにむすばれた条約［英愛条約］で、内容はアイルランドの完全独立ではなく、北アイルランドを除く地域の自治権付与等にとどまったのでＩＲＡの分裂をまねいた）。自由国軍を率いるマイケル・コリンズはイギリスの迫撃

暗号名「ハンプティ・ダンプティ作戦」により、1966年3月、元IRAメンバーだった男がダブリンのオコンネル通りにそびえる、高さ40メートルの花崗岩製ネルソン柱を爆破した。ロンドンのトラファルガー広場にあるネルソン記念柱の兄弟像にあたるが、ダブリンの柱は1808年に建設されており、ロンドンよりも数年早い。フランシス・ジョンストン設計のドーリス式の柱には、町の全景を見渡せるデッキがついていた。イギリス軍国主義の記念碑の存在は、共和国の感性には侮辱と感じられており、像の転落は50年前のイースター蜂起を記念するものと受けとめられた。

砲を用いて記念碑的建造物に激しい攻撃を加えたので、反条約派は投降したが、そのときに地雷が爆発した。フォー・コーツ敷地内にあった公文書館の記録保管庫は、かけがえのない何世紀分もの史料を含め、木っ端みじんになった（占拠組は公文書館を総司令室と武器製造所にしていた）。この爆破がアイルランド内戦勃発の狼煙（のろし）となる。責任をめぐる論争は今日まで続いている。地雷を作動させたのは、建物内にいた「反乱分子」の砲撃だという説もある。その一方、反条約派ＩＲＡによる計算づくの文化破壊だったという説もある。アイルランド人学者トム・ガーヴィンは、独善的で反知性的なＩＲＡが「事実上、集合的記憶を持つ集合体である国家を抹殺しようと試みた」と述べている。[21]

イギリス本土におけるＩＲＡの爆弾攻勢は、一九六〇年代以降、基幹施設やイギリスの経済力を象徴する建物など、より効果を見こめる目標物に向けられた。シティー・オブ・ロンドンや、ロンドンのドックランズにある金融機関の建物などがそれにあたる。マンチェスターのショッピング街やウォーリントンでの爆発も経済を標的にしたものといえるが、最大のねらいは、純粋に恐怖を与えることだったと考えられる。無辜の市民の犠牲は抑止力にならなかった。ただし共和国独立以降、文化施設を標的にする例はほとんど見られなくなった（ネルソン柱やベルファストのグランド・オペラハウスの爆破などはあったが）。ＩＲＡは、文化や民族宗教的立場で争うセクトとしてではなく、政治的かつ領土的目標を掲げた軍事組織としての正当性を維持しようと腐心してきた。このスタンスは「北アイルランド紛争」で（カトリック系とプロテスタント系の両派に）起きたすさまじい宗派間殺戮によってゆがんだが、そういうレッテルを貼られることを避けたいという願いが、その後三〇年、異なるパターンで建物を破壊するという行動につながったのである。結果として生じた居住区をめぐる争いについては第五章でくわしく述べよう。

代表的建築物は標的にしないというＩＲＡの方針からはずれる奇妙な例外は、一九九三年のベルファスト・リネンホール図書館の爆破だ。この図書館には、共和国派とイギリス帰属派（ユニオニスト）双方の活動を記録した重要な歴史的資料が保存されているが、爆弾は共和国派のセクションに設置された。フォー・コーツのときと同様、ＩＲＡはその事件と距離を置こうとし、爆発物を所持して逃走中の爆破犯がたまたまそこに捨てただけの偶発的な事故だろうと主張した。文化的、宗教的価値を持つものをあからさまに標的にすることへの警戒である。

英国系アイルランド人のカントリーハウスの破壊は、あきらかに文化が標的だが、これは独立戦争中にアイルランドを震撼させた破壊行為への「報復」と考えるべきだろう。警察を襲撃してはコミュニティに姿をくらますＩＲＡのやり口にいらだちを募らせた結果、イギリス政府は「ブラック・アンド・タンズ」や「補助部隊」という元イギリス軍兵士らからなる特別警察隊を編成して、住民に放った。この特別部隊が悪名をとどろかせた。住居、パブ、店舗、町の中心部全体、さらには乳製品製造所のようなできたばかりの地元産業にいたるまで、部隊による「公的」あるいは「私的」制裁によってめちゃめちゃに破壊された。多くは焼きはらわれ、爆破されたものもあった。ＩＲＡも報復として政府の建物を攻撃し、親イギリス派やイギリス協力者の家を襲撃した。[22]

一九二一年三月、ゴールウェイ州クリフデンで警官が二名殺害されると、町の家屋が一六軒焼きはらわれた。その一年前には、コークのショッピング街で、ブラック・アンド・タンズが建物にガソリンを撒いて火をつけるという事件があった。補助部隊は火災に立ち向かう消防隊のホー

1922年6月、ダブリンのインズキーにあるフォー・コーツが爆破された。ここはジェームズ・ギャンドン（1786～1802）設計の複合司法施設で、アイルランド内戦初期に反条約派兵士が占拠した。政府軍の砲撃にあい、建物内に設置された地雷が爆発、公文書館が破壊された。1932年に再建。

スの切断までしている。[23] 抵抗に対しては、場所や時代で過激さは変わるものの「懲罰的破壊」という方法がとられる。ナチスによるチェコスロヴァキアのリディツェ（ハイドリヒ暗殺への報復）、フランスのオラドゥール＝シュル＝グラヌ（レジスタンス活動に協力した疑い）の徹底破壊は悪名高い。ツインタワーの崩壊は、テロ組織による「すべての報復の母」とみることもできよう。

　壊滅的な規模という点では、国家を乗っ取ろうとする者、あるいは国家の一部を掌握しようとする者をつねに凌駕してきたのは国家によるテロであり報復である。その結果、数多くの文化が傷ついた。イラクのサダム・フセインは第一次湾岸戦争後に起きた反乱を受け、五〇〇〇年の歴史文化を持つマーシュアラブ（湿原のアラブ人の意）を破壊した。それは独特な形状に編んだ葦の家で暮らすシーア派コミュニティの村々への襲撃にはじまり、生態系全体の破壊におよんだ。湿原に流れこむ水をダムでせき止めるという排水計画の影響を受けなかったのは、かつてはウェールズほどの面積があった湿原の一〇パーセントにも満たない。戦後のイラク政権に対する蜂起にかかわったマーシュアラブは文化を失った。また、イラク北部では、サダム・フセインがクルド人の民族主義と文化を抑圧するためにおこなったアンファール作戦の一環で、クルド人自治区の町や村が無数に破壊され、農村部の住民は大量虐殺の対象となった。最大で一八万人におよぶクルド人が亡くなり、さらに数十万人がイラク支配下の町へ強制移住させられる一方、生まれ故郷の村はブルドーザーで平らにされた。

中東地域でも、イギリスは民間人攻撃の先陣を切っている。一九二四年、民間人に対する史上初の空爆のひとつがイギリスの植民地政策に抵抗するイラクの村におこなわれた。「爆撃屋（ボマー）」（後述）が「獲物の血を味わった」のもここだった。「彼らはわかっている」とハリスは述べた。「四機か五機によって、四五分以内にひとつの村が文字どおり丸ごと消え、村の三分の一の住民が死傷することを。敵は攻撃目標をさだめられず、戦士として栄光を得る機会もない[24]」。もっと最近の例としては、イラクの隣国シリアで、ハーフィズ・アル＝アサド大統領が政権に敵対する都市ハマーに対して残忍な軍事作戦を実施した。一九八〇～八一年にスンニ派のムスリム同胞団が政府機関にしかけた爆弾攻撃への報復として、アサドは一九八二年はじめに都市を壊滅させた。古い城壁の外側から破壊の開始を見ていた戦場記者ロバート・フィスクは、ミサイルが町の中心を破壊し、モスクの銀と青の円屋根に穴を開けるのを目撃している。一万人から二万人が殺され、多くが拷問を受けた。だがアサドはそれで満足しなかった。一年後フィスクが戻ると、旧市街は跡形もなくなっていた。「壁も路地もベト・アゼム博物館も——文字どおり消えていた。古代遺跡があった場所は平地になり、巨大な駐車場に変わっていた[25]」。こういった攻撃は二重の目的を持つ。懲罰を与え、恐怖を植えつけるという抽象的な理由は、根絶という具体的なゴールとむすびついていることが多い。こうしてテロは、民族浄化やジェノサイドと融合する。

イデオロギーに基づく破壊は、やはり、恐怖や報復を与えることが目的とも考えられる。ユダヤ人の歴史的遺産の破壊や、焦土作戦をともなうドイツ軍撤退後もウクライナに残った建築遺産に対してスターリンがとった軍事行動は、多くの機能を発揮した。それは、敵に協力したウクライナ民族主義者への報復であり、ロシア化と世俗化というスターリンの願望を実現させるものだった（第四章参照）。ウクライナ・カトリック教会（民族主義の砦）も、破壊されたり、より従順なロシア正教会の会派に移行させられたりした。スターリンの支配はあきらかに一種のテロといえる。戦争、テロ、暴力の境界はつねにはっきりしない。

国家が主導するこうした破壊行為のプロパガンダ・メッセージはすべて同じだ——抵抗しようとすれば、個人の殺害だけではすまず、居住地、都市、ひいては文化全体が破壊される。第二次世界大戦中、ナチス・ドイツがイギリスの諸都市にくわえた猛攻（イギリスでは稲妻を意味するドイツ語「ブリッツ」と呼んでいる）は、イギリス空軍（ＲＡＦ）爆撃機集団によるドイツ都市への無差別爆撃につながった。その残忍さと爆撃による破壊の規模は際立っている。それはドイツ本土を爆撃することで抵抗力をつぶし、降伏に導こうとする大規模攻撃だった。第一次世界大戦中にも民間施設への空爆はあったが、一九三九～四五年の第二次世界大戦の初期に、町や都市への絨毯爆撃を最初にはじめたのはドイツ空軍である。ワルシャワやロッテルダムへの壊滅的な攻撃もそのひとつだ。この空からの攻撃の予兆となったのが、一九三七年のスペイン内戦時に、バスク地方の中心地ゲルニカへドイツ軍がくわえた空爆だった。バスク文化揺籃の地は跡形もなく消え去った。それは空襲による完全破壊のおそろしさと、それにともなう物質的文化の喪失というふたつの意味の象徴となっている。ゲルニカ以降、国際的な禁止が強く求められたにもかかわらず、人口密集地への爆撃は連合国側でもナチス・ドイツでも、一気に正規の戦術となった。

第二次世界大戦中、破壊の規模は戦局が進むにつれ確実に大きくなっていった。最初のうち、標的はほぼ軍の基地や生産拠点にしぼられていたが、どんどん無差別になり、なかには、あきらかに報復の匂いが強くただようものもあった。たとえば、一九四〇年一一月、中世の面影を残したコベントリーの中心部や大聖堂が破壊されると、チャーチルはマンハイムへの爆撃指令で報復した。続く四月、イギリス軍のベルリン空襲で国立歌劇場が破壊され、プロイセン国立図書館が被害を受けると[26]、一週間後にはロンドン中心部が攻撃され、セント・ポール大聖堂、ウエストミンスター寺院、国会議事堂、大英博物館、ナショナル・ギャラリー、テート・ギャラリーなどの多くの重要建造物が損壊した。イギリス中部の工業都市コベントリーは主要な産業標的であり、どんなに重要な登録建築があったとしても、敵が意図的に建築遺産を標的にしたとみる例にはならない。たしかに、後述するベデカー爆撃は別として、どちらの側も空爆戦でそのような作戦があったことも、具体的な計画をたてたことも認めていない。ひとつひとつの文化標的が攻撃目標になっていたわけではないにしろ、少なくともその保護や重要性は、都市の中心部全体を無差別爆撃するイギリス空軍の頭にはなかった。数万単位の建造物――文化施設、公共施設、民間施設、産業施設、歴史的建築物、現代建築――が立ちならぶ都市が瓦礫と化した。それは、建築物を十把ひとからげにした軍事行動作戦だった。

さらにイギリス軍は、古都であるゆえに高性能爆薬弾や焼夷弾の影響を受けやすいドイツの町や都市を、あえて選ぶこともあった。文化を極端に軽視するこの傾向は、戦争終盤に向かうにつれ増大していくのだが、その予兆は一九四二年三月末、ドイツ北部の歴史的な港湾都市リューベックへの爆撃にみてとれる。この爆撃はまさにイギリス空軍の空爆作戦のはじまりであり、のちの性格を露呈するものだった。中世にはハンザ同盟の中心地だったリューベックは、市のはずれに中小産業や軍需産業の工場が集まっていたが、ドイツ側は潜在的標的になるとは考えていなかった。そのため、防空体制も最低限だった。しかし、イギリス空軍爆撃軍団の司令官に任命されたばかりのアーサー・「ボマー」・ハリスは、イラクで自分が体験したような「獲物の血を味わう」経験を部下たちにさせたいと考えた。リューベックはそれにうってつけだった。さらに、ハリスの都市爆撃計画顧問が言及しているように、歴史的なゴシック様式の教会や倉庫、木材商の家屋など燃えやすい材料でできた建物が密集していた。「人の住む場所というより焚きつけだ」とハリスはいっている。[27] 爆撃機が落とした焼夷弾や高性能爆薬弾は、さほど重要性を持たない工業地

ヒトラーの怒りに火をつけ、ベデカー爆撃につながったのは、イギリス空軍のリューベック港空爆だった。古くからの木造建築が立ちならぶリューベックの旧市街は、1942 年 3 月 28 日の急襲で火の海になった。爆撃屋ハリスは町を「人の住む場所というより焚きつけだ」と表現している。旧市街の 80 パーセントが破壊された。これに続いて、町のはずれの中小産業工場も爆撃されている。この爆撃を皮切りに、ドイツ全土に壊滅的な空爆作戦が実行されるようになり、主要都市がほぼすべて破壊された。

よりも、標的の中心となった旧市街（アルトシュタット）の大部分を完全に破壊した。死者数三一二人。この襲撃の被害は、そのあとに起こるものとくらべれば軽い。リューベックが選ばれたのは――これで勢いがついたというメリットは別として――建築物や文化的モニュメントのせいではない。むしろ、町の歴史的価値や文化都市であることは無視され、破壊のための破壊、ドイツ中心部への組織的な無差別爆撃のテストとしておこなわれた。それは、「ゴモラ作戦」（ハンブルク空襲）やドレスデン大空襲の恐怖で最高潮に達する。

ヒトラーはイギリス軍のリューベック襲撃に激怒し、その直後に続いた古都ロストック爆撃がその怒りに油をそそいだ。ナチ党の機関紙『フェルキッシャー・ベオバハター』に「野蛮なイギリス人　ロストックの文化財を爆撃」という見出しが躍っている[28]。爆撃に対するヒトラーの返報は、イギリスの歴史ある民間施設に連続爆撃を命じることだった。これはのちに、ドイツの旅行ガイドブックの書名をつけた「ベデカー爆撃」として知られるようになる。ゲッベルスは、爆撃に先立ち、対象となった町に破壊されたリューベックとロストックの光景を描いたビラを配るよう命じた。まず対象となったのはエクセター（四月二三～二五日）で、次いでバース（四月二五～二六日）、数日おいてノリッジとヨーク、数週間後にカンタベリーに爆撃が実行された。一八世紀のジョージアン時代に上流階級の温泉保養地としてにぎわったバースは別として、それ以外は本質的に中世から続く都市で、大聖堂、古い教会、ギルドホール、城などがあり、燃えやすい古い建造物が狭い中心部に密集していたため、焼夷弾が落ちるとあっというまに火がつき、破片型爆弾で粉々になった。エクセターで起きた大火災は、いっとき町の中心部から二三エーカー四方（東京ドーム約二個分）におよび、ハイストリート、公共施設、家屋を焼き尽くした。ドイツは空から機関銃を掃射して消火活動を妨害した。大聖堂は――相手も必死だったものの――なんとか最悪の事態をまぬがれた。ドイツの爆撃機は低空で旋回したのち爆弾を投下し、それは屋根を貫通して甚大な被害をもたらした。ガラスを割り、聖歌隊の間仕切りを砕き、一三世紀創設のセント・トーマス・チャペルとセント・ジェームズ・チャペルを破壊した。最終的に市街の四〇エーカー（東京ドーム約三・五個分）が破壊された。

標的となったほかの町でも同じような光景が繰り広げられた。バースはとくに被害がひどかった。ロイヤル・クレセント、サーカス、アセンブリー・ルームズなどの建築物が損傷した。ヨークの中世からある大きなギルドホールは内部が破壊され、町中の遺跡が瓦礫になった。ノリッジでも同レベルの被害が見られた[29]。夜になると、市民たちは安全な郊外で眠るために、標的となった町からごっそり抜け出した――ある報告によると、バースの人口の一〇パーセント以上、ノリッジでは三分の一が町を離れたという[30]。内務省職員がバースで見たものを次のように語っている。

> 全体として、通常の町の機能は多かれ少なかれ停止しているという印象だ。話をきけた人々の大半は、かなりの緊張状態にあるようである。みなどことなく神経質になっていて、動揺しているように見える……人通りはつねに多いが、満足に開いている店はなく、みなこれといった目的もなく歩いている[31]。

歴史的に有名な大聖堂があるエクセターのロウアー・マーケット地区の爆撃跡。1942年のドイツのベデカー爆撃で市街の約40エーカーが破壊された。イギリスがドイツにくわえた同規模の空襲に対する報復である。高性能爆薬弾と焼夷弾の組み合わせが建物を粉々にし、火だるまにした。中世の大聖堂は損傷したが、倒壊はまぬがれた。

この記述と、夜ごと安全な郊外へ移動するという話は、あきらかに恐怖心や士気阻喪がある程度のレベルまで達していることを示しており、このあとに起こるドイツ攻撃がさらに熾烈なものになるのは必定だった。しかし、この士気阻喪が敗北主義的行動につながった、あるいは蹂躙されたことが戦争の結果になんらかの影響を与えたという証拠は、北海をはさんだどちらの側にもない。

ノリッジとカンタベリーの爆撃のあいだに、爆撃屋ハリスは、ドイツ東部のケルンに「一〇〇〇機爆撃」を決行し、イギリスの大聖堂都市の被害がかすり傷に見えるほどの被害を与えた。起源が一〇世紀にさかのぼるケルンの壮麗な教会遺産が、大規模な波状攻撃の最初の犠牲者となる。市街の六〇〇エーカー（東京ドームの約五二個分）が壊滅的被害を受け、それはエクセターの被害がかすむほどだった。カンタベリーへのドイツの報復攻撃はその直後に実施された。標的は「目には目を」で選ばれ、規模としてはケルンとは比較にならなかったが、ドイツ空軍が集めた八〇機の爆撃機にはちょうどいいものだった。焼夷弾と高性能爆薬弾が大量に投下され、カンタベリー東部の中心地のほとんどが壊滅し、大聖堂そのものにも脅威が及んだ。報復合戦は続き、イギリス空軍がブレーメンを爆撃すると、即座にノリッジが爆撃し返された。大聖堂境内には約一〇〇〇の焼夷弾が落とされ、とくに照準となったようにもみえるが、火災警備員は被害を最小に抑えたと言っている。瓦礫の山のなかで大聖堂が生き残ったのは、悪評を回避するためにわざと避ける方針があったのではないかと両陣営は解説している。それを示す証拠があるわけではない。高度から正確に標的をねらう難しさを考えると、残存率は、運と、比較的燃えにくい巨大な石の建築だったことに左右されたともいえる。

いや、どちらかというと、その逆だ。文化財への一連の爆撃は、文化施設や民間施設への無差別爆撃解禁の幕開けだった。記念碑的建造物は格好の標的だった。これはそうだと簡単に認められたわけではない。正当な軍事目標がないと（都市や民間人は合法的な軍事目標ではない）、どちら側にとっても戦争犯罪となる。リューベック爆撃のあと、イギリス国務大臣のアーチボルド・シンクレアは、爆撃方針を変更したことはないと下院で述べた。一方、ドイツ外務省はナチスの

1455年に建てられたヨークのギルドホールは、1942年4月、歴史都市におこなわれたベデカー爆撃で犠牲になった建物のひとつ。爆弾の直撃を受け、全焼した。ヨーク大聖堂は被害をまぬがれたが、聖マーティン教会、優美な鉄道駅、何千戸もの家屋が損傷破壊された。ギルドホールは第二次世界大戦後に一部再建されている。

計略を漏らしてしまう。グスタフ・ブラウン・フォン・シュトゥム男爵は、一九四二年四月二七日の記者会見でこう発表した。「ドイツ空軍は、『ベデカー旅行ガイド』で三ツ星のついている建物をすべて攻撃する」[32]。ゲッベルスは即座にその発表と距離を置いたが、このときの会見が、ヒトラー自身が旅行ガイドを手にベデカー攻撃と命名したのだ、という根強い神話のもとになった。結局、ベデカー連続爆撃の公式理由には、かなり脆弱な産業標的があげられた。しかしゲッベルスの日記を見ると、文化標的への関心を捨てていないことがわかる。ナチス・ドイツの公式見解とは異なり、ひそかに標的となる文化財をさがしていた。日記には、「イギリスのように、われわれも文化の中心を攻撃すべきだ」とある。「そういう場所を二度三度と繰り返し攻撃し、徹底的に壊滅させねばならない。そうすれば、イギリスはおそらく、テロ攻撃でわれわれを恐怖に陥れて楽しもうとは思わなくなるだろう」[33]。同時に、両陣営は、自国の文化遺産が甚大な損害を受けたと声高に訴えた。「大切に守ってきたわが国の歴史的建造物の多くが破壊された」。ケルンへの「一〇〇〇機爆撃」を正当化するために、イギリスの放送局がドイツに向けて放送した言葉だ。「われわれはドイツの都市という都市をいっそう激しく爆撃する。これによってドイツは戦争継続意欲を失うだろう」[34]

当初ナチ政権は損傷した記念建造物の修復につとめていたが、空襲が激しくなるにつれ、イギリス政府もドイツ政府も戦後の再建——以前にも増して美しい未来志向の都市を建設し、不死鳥のようによみがえらせる計画に時間をさくようになった。両国ともに相手からこうむった文化的被害を強調し、自分たちは産業や軍事目標だけを攻撃していると正当性を訴えた。戦争初期はイギリス軍による被害の程度を軽く見せようとしていたドイツは、やがて精神論に転換する。「由緒ある文化や歴史の記念建造物の廃墟をまのあたりにすると胸が締めつけられる。しかし空爆の脅威にさらされている地域住民はみな、われわれがテロリズムに屈することでイギリス人を満足させることになれば、自分たちが失うものの大きさを知っている」[35]。イギリスではコベントリーが「殉教都市」となり、イギリスの文化の破壊の（そして戦後の復興の）シンボルとなった。

ベデカー爆撃はさておき、記念建造物や歴史的都市がその文化的意義そのものや、建築遺産の消滅が戦意におよぼす影響を理由に標的にされたことを示唆する証拠は、ごくわずかしかない。とはいえ、これだけの記念建造物が失われたのは、英独両陣営が絨毯爆撃によって一般市民の戦意を低下させるという、広汎な目的を追求した結果だった。英米の爆撃作戦の背景にあるプロパガンダ・メッセージやモラルはどのような前提だったのか？　歴史学者ニコラ・ランボーンが詳述した著書『西欧における戦争被害 *War Damage in Western Europe*』によれば、この連合国の方針は一九四三年一月のカサブランカ会談で決定された（アメリカ大統領ルーズベルトとイギリス首相チャーチルがモロッコのカサブランカで開いた戦争指導会議）。ドイツの建築遺産はいかに重要なものであっても、回避する必要はなくなった。ランボーンが指摘するように、懸念がないことはそれ自体が政策になる[36]。

建物の破壊が戦意におよぼす影響についてイギリスが立てた仮説は、一九四二年三月のバーミンガムとハルの市街地空爆に対する反応を調査した結果などに基づいている。この調査の手法はきわめて疑わしいため、その手法から導きだした仮説も同様に疑わしい。チャーチルへの助言として作成された覚書は、この仮説をもとに、イギリス空軍の攻撃対象リストにあるドイツ主要五八都市で家を失う市民の数は、全人口の三分の一にあたると試算した。「住宅の崩壊はもっとも士気に影響を与える……それが人々の心をくじくことはまちがいないだろう」[37]。この発言から、住宅被害を回避するのではなく、むしろ奨励するような戦争遂行の姿勢がみてとれる。イギリスの空爆被害調査には、「家を奪われる」ドイツ人の数も含まれていた。[38] 愛する者の命が脅かされ、あるいは失われ、それまで築いてきた財産が瓦礫と化したことが、両国の士気を低下させたことは疑う余地がない。たとえば、有名な「空襲精神（ブリッツ・スピリット）」は過大評価かつ神格化されてきたため、当然ながらその陰にあったとてつもない憂鬱と不満を隠してしまっている。

しかしイギリスの内閣には、目の前で起きていることが見えていただろう。燃えあがるロンドン市街の煙の上にそびえ立つセント・ポール大聖堂のドームは、反骨精神の象徴となった。『デイリーメール』紙はハーバート・メイソンが撮影したセント・ポール大聖堂の有名な写真を「戦争写真の傑作」の見出しとともに掲載した。セント・ポール大聖堂のドームは一九四一年のプロパガンダ映画にも登場し、チャーチルはドームの映像を見ながら「われわれは決して降伏しない」と述べている。「セント・ポール大聖堂はなにを意味しているのか?」『ロンドン大空襲の神話 *The Myth of the Blitz*』のなかでアンガス・カルダーはこう問いかける。「偉大な建築家の［クリストファー・］レンが設計したのだから、イギリスの天才的な創造性を意味していることはいうまでもない。それよりもあきらかなのは、新興の異教に対するキリスト教の勝利であり、さらにはイギリス、そして大英帝国における首都ロンドンとしての役割である」[39]。炎にかこまれたセント・ポール大聖堂のイメージは、イギリス人のロンドン大空襲のイメージを決定づけた。実際、この

1940年12月、空爆によって煙に包まれるロンドン市街のセント・ポール大聖堂(ハーバート・メイソン撮影、『デイリーメール』紙掲載)。「戦争写真の傑作」と評され、大英帝国時代のキリスト教国の首都ロンドンの存続をかけた挑戦を象徴するイメージとなった。写真は2005年7月のロンドン同時爆破テロのあと、イギリスのタブロイド紙にふたたび掲載された。

写真は二〇〇五年七月のロンドンの地下鉄爆破事件（ロンドン同時爆破テロ。ロンドン地下鉄三か所と二階建てバスが自爆犯によって同時に爆破された）後にふたたび新聞各紙に掲載され、空襲精神の概念をはっきりと呼びさました。おそらくドイツ人も、自分たちにとって大切なランドマークが失われたり生き残ったりすることに対して、同じように反応したのではないだろうか。第二次世界大戦の戦略家たちは、なじみ深い大切な建築物を失うことが市民の士気に与える正確な影響について研究しなかったが、一般的な略奪行為による士気の低下と同様、建築物の喪失が敗北主義を高めることを示す証拠はほとんどない。比較的最近の例を見ても、ボスニア紛争下の古都モスタルで包囲されたイスラーム教徒たちは、安全な地下室を出たときに愛する橋が失われたことを嘆いただろうが、それによって市内西側のカトリック勢力との最前線が後退することはなかった。

また、無差別爆撃作戦は戦時中の工業生産に影響を与えることはなく、実際、生産量は増加した。コベントリーやケルンなどの都市はすぐに生産能力を回復した。そもそも、工場に爆弾が命中していたかどうかは別の話だ——戦争終盤に爆撃機の照準精度が改善されてもなお、爆撃が目標地点から五キロ以上はずれることがあったのだから。とはいえ、工場も実際の攻撃対象にはいっていたらしい。爆撃屋ハリスはのちに日記のなかで、「工業地域の破壊は相当な規模だったにしろ、ボーナスのようなものだった。攻撃目標はたいてい町の中心部だった」と認めている[40]。ハリスは、民家でも記念建造物でも病院でも、なりふりかまわず攻撃したがった。ドイツの石油精製工場の空爆に集中するよう求められているのに、たびたびそれを怠っている。

イギリス政府が懸念を持ちはじめてからも、第二次世界大戦はこのような形で進行した。ドイツとイギリスの爆撃の応酬合戦は、連合軍による爆撃の序章にすぎなかった。連合軍は文化をほとんど考慮することなく、新たなレベルの猛威をふるってドイツの主要都市の中心部を徹底的に破壊した。ついに一九四三年末、ドイツの都市のいくつかは攻撃対象から除外すべきだという提案がなされた。つまり、それらの都市には「歴史的または美的価値がきわめて高い建物や芸術作品がある。攻撃を回避すれば、そうした文化遺産が爆撃によって破壊されることを懸念する世論の大きな声にアピールするだろう[41]」。しかし、この提案は却下された。著名な軍事学者ジョン・

フレデリック・チャールズ・フラー少将は『イブニング・スタンダード』紙への寄稿で、この空爆を批判した。「ゴート人、ヴァンダル人、フン人、セルジューク人、モンゴル人によるおそるべき破壊は、現在引き起こされている物質的、道徳的な損害に比べればとるにたらないものだ」。しかし、この記事は掲載されなかった[42]。イギリスは、さらに数十箇所のドイツの町や都市を空爆した。あるドイツの新聞は、一九四三年六月のケルン空襲による大聖堂の損壊を「ヨーロッパ文化に対するイギリスの暗殺行為」と報じた[43]。この時点で、ドイツの都市に二〇万トンの爆弾が投下され、都市部の約二万六〇〇〇エーカーが壊滅した。

七月下旬から八月上旬にかけて、「ゴモラ作戦」（的を射たネーミングだとランバーンも指摘する）と呼ばれたハンブルク空襲が実行された。四万人以上が死亡し、約五四〇〇エーカー（東京ドーム約四七〇個分）が破壊され、ハンブルクは壊滅的な打撃を受けた。一〇〇万人の市民が家を失い、「住宅四万三八五戸、アパート二七万五〇〇〇棟、工場五八〇、商店二六三二軒、学校二七七校、病院二四、教会五八、銀行八三、橋一二、公共施設七六、動物園ひとつが消滅した」[44]。人々は灰と化し、あるいは一〇〇〇度を超える高温によって膨れあがり、破裂した。舗装された道路は溶け、松明と化して逃げまどう人々を飲みこんでいった。空気は時速二四〇キロの火災旋風に吸いこまれ、何千人もの人々が窒息死した。

ベルリンもまた、大規模な空襲によって広範囲にわたって焼け野原となった。首都中心部の壮麗なウンターデンリンデンや周辺の歴史的建造物、美術館、博物館、政府機関の建物などが破壊されたり、深刻な被害を受けたりした。マックス・ヘイスティングズは、著書『爆撃機集団

*Bomber Command*』のなかで、ロンドンがそれと同規模の被害を受けた場合のイギリスの新聞報道を想定して、連合軍航空幕僚の諜報部が書いたレポートを紹介している。

政府の建物は甚大な被害を受けた。財務省の大部分と外務省の一部が破壊された。ロンドン警視庁は黒焦げの廃墟と化し、運輸省も同様である。ダウニング街一〇番地の首相官邸は屋根を失い、一一番地の蔵相官邸の半分が焼失した。ロンドン中心部の数多くの有名なランドマークも消滅した。大英博物館図書館や大学の建物も被害を受けた。ロイヤル・アルバート・ホールとドルリー・レーン劇場の残骸から煙がくすぶっている。シェル・メックス・ハウスやブッシュ・ハウスのような大規模なオフィス街も炎にのまれた。リッツ・ホテルの姿はなく、サヴォイ・ホテルの一部も焼失した。ホテル・カフェ・ロイヤルは屋根から地下室まで破壊された……どの鉄道駅も避難してきた人々でごった返しているが、その大半は損傷が激しく、発車できる列車はほとんど、あるいはまったくない……現代の首都でこのような規模の惨状を想像することは困難だ[45]。

空想に基づくこのレポートには、人間が歴史に与えうる大規模破壊に対する病的な陶酔感、いびつな喜びが見え隠れする。もしこのようなことがロンドンで起これば、由緒ある記念建造物の消滅は深い悲しみをもたらしただろう。しかし第二次世界大戦もこの段階になると、ドイツ空軍はそこまで壊滅的な攻撃をする余力はもうなかった。爆撃機によるベルリンの被害が、終戦近くまで稼働していた軍事施設や産業拠点をねらった攻撃に付随して起きたとは考えにくい。このレポートには、ベルリンが物理的に破壊されたことに対するシャーデンフロイデ（他人の不幸を喜ぶ気持ち）がある。勝利と執念に満ちた破壊行為だ。

空襲はヨーロッパと日本で続いた。アメリカによる空襲は東京をはじめとする都市部を壊滅的に焼き尽くし、何十万人もの人々が命を落とした。ドイツに投下された全爆弾の約八〇パーセントが一九四五年に投下された。ドイツでは、ドレスデンが戦争末期の攻撃の大きな犠牲となった。ドレスデンは世界に冠たる文化の都であり、空襲前に爆撃機集団が作成した概況報告書では「第一級の重要性のある工業都市」(46)とされていたが、実際にはこれといった軍事的・産業的目標はほとんどなかった。「エルベ川のフィレンツェ」は、一九四五年二月一三日にハンブルクと同じ運命をたどった。宮殿、教会、美術館などがあるバロック様式の都市は廃墟となった。プロテスタントの大聖堂である聖母教会は、一時的に持ちこたえたものの、火災旋風で焼かれた石材が瓦礫となって崩れ落ちた。ドレスデンが攻撃された理由は不明である。考えられるのは、ドレスデンが「敵国の最大の未爆撃地域」であることと、この攻撃がロシアの進撃を受けて後退するドイツ戦線の背後に混乱を与えるとみなされていたことのふたつだった(47)。大勢の避難民が暮らす文化の殿堂を破壊する理由としては、どちらにも説得力はない。地下室から遺体をかきだすため、火炎放射器を使わなければならなかった。爆撃の正当な標的であるインフラの鉄道操車場はほぼ無傷のまま残った。

それ以降、推定死者数は政治的な目的のために使われるようになる。ただちに数字を粉飾したゲッベルスにはじまり、今日のドイツの極右勢力も然りだ。最近では、歴史家のフレデリック・テイラーが、この都市のナチスにとっての軍事的・産業的重要性が軽視されていると主張し、より現実的な推定値を二万五〇〇〇人から四万人のあいだに設定している。[48] これほどの強度と規模の破壊は第二次世界大戦以前には見られなかった。これはもはや都市環境破壊（アービサイド）であり、継続的なテロ活動における都市とその市民を殺戮することを意味した。ハンブルク、ドレスデン、そして最終的には広島へと続く道は、この荒廃した論理にのっとったものであった。たとえこの論理を裏付ける証拠がなくても、人々がつくりあげた環境を広範囲に破壊することで、戦争に勝ったように「見える」のだ。

　爆撃機集団の第一次、第二次目標が廃墟となり（ハノーファー、ミュンヘン、ケルンなど二〇都市が「事実上破壊」され、ベルリン、フランクフルト、ニュルンベルク、ブレーメンなど、それとほぼ同数の都市が「深刻な被害」を受けた）、イギリス空軍とアメリカ陸軍航空軍が空襲を繰り返すと瓦礫をさらに粉々にする危険性があったため、戦争末期には第三次目標の町が攻撃される。ドレスデン爆撃の翌月、連合国は一九四二年の一年間に投下した爆弾を上まわる数の爆弾をドイツに投下した。[49] リューベックと同じく、これら大戦末期の標的の多くは可燃性によって選ばれていた。つまり、長い歴史があるため旧市街が充実していたのである。この時点では、建築遺産へのダメージは偶発的なものではなく、戦略によるものだった——たとえそのように認定、認識されていなかったとしても。二〇〇一年に放送されたBBC放送制作のドキュメンタリー番組『タイムウォッチ』は、公文書館から新たに発掘された文書を取りあげ、イギリス空軍が「火災攻撃に適している構造的特徴」を有する「燃えやすい」町――すなわち狭い道が入り組み、可燃性の素材でできた古い建物が多いといった特徴を持つ地域を選んでいたことを紹介している。[50]ドイツ・バロックの粋をきわめる大聖堂を擁する都市、バイエルン州のヴュルツブルクも犠牲となった。一九四五年三月一六日から一七日の夜にかけ、一七分間で一〇〇〇トンの爆弾がヴュルツブルクに降りそそいだ。戦争後期のほかの空襲と同じく、投下された爆弾に占める焼夷弾の割合が高く、ヴュルツブルク市内の歴史的建造物の八二パーセント以上が破壊された。ヴュルツブルクに軍事的・産業的目標はなかった。[51]

それから二週間もたたないうちに、無差別爆撃作戦は終了した。ドレスデン爆撃に対する怒りがチャーチルに正気を取り戻させたらしい。彼は「ほかの大義名分があるにせよ、たんに恐怖心をあおるためにドイツの都市を爆撃するという問題を見直すべき時が来た」と書いている。「さもなければ、われわれは完全な廃墟となった国土を支配することになる……ドレスデンの破壊は、連合国軍の爆撃行為に関して重大な疑問を残す[52]」。音楽と建築、陶磁器と芸術の美しい都ドレスデンを破壊することで、連合国側は文化人としての自己をみずから攻撃したのだった。恐怖を与えて得られた利益があったとしても、教養人たるべきイギリス人の自負の喪失を上まわるものではなかった。われわれはヨーロッパの芸術の伝統のなかで生きてきたのではなかったか。「ドレスデンは、教育を受けたイギリス人が、その名を聞き、読み、訪れたことのある都市であった」とヘイスティングスは記している。「有力者たちはドレスデンを破壊した理由を示すよう、ただちに要求した[53]」。爆撃屋たちは誤ったメッセージを発信していたのである。

第二次世界大戦では、民族や国家の財産が受けた被害は、それ自体がプロパガンダとしての価値を持つことを両陣営が認識していた。最近の紛争でも、敵を野蛮人、ヴァンダル人、フン人（この言葉は何世紀も前から使われている）と表現し、彼らの大義や手法が野蛮なものと示すために、以前に倍するアピールが国際世論に向けておこなわれている。それによって被害者としての立場を主張し、加害者との戦いへの支援を訴えることができるからだ。旧ユーゴスラヴィア紛争の破壊行為では、建築をめぐる非難の応酬は新たなレベルに到達した。各陣営は戦時中に報告書を作成し、プレスリリースやウェブ上での声明を通じて、敵対勢力による建築遺産の文化破壊を訴えた。一九九四年一月に、欧州評議会に提出された報告書『クロアチアとボスニア・ヘルツェゴビナにおける文化遺産の戦争被害』[54]は、こうした課題をふまえて作成されている。これはボスニア、クロアチア、セルビアの国家遺産機関やセルビア正教会などが作成した多数の報告書を参照しながら、進行中の戦争における文化浄化を検証したものである。紛争地域での実地調査のむずかしさを考えれば、被害の程度を正確に把握しきれない部分があるのは避けられないにせよ、それよりもむしろ、とくに民兵による証言に誇張や省略、明白な嘘がないかどうかを慎重に検証する必要があった。欧州評議会文書は、セルビアとクロアチアの報告書に「プロパガンダ的な目的」――自民族の文化遺産が受けた被害のみ詳細かつ広範に示していることのほか、文化的暴挙の責任転嫁や、自民族の文化浄化に対する告発の繰り返し――があると指摘する。セルビア文化省の報告書には、クロアチア国内におけるセルビア正教の宗教建築（「セルビアの天才の産物」）の悲運が記されている。冒頭の文章を見れば、報告書の意図はあきらかだ。

現在、クロアチア共和国の領土内で文化的なランドマークであるセルビア正教会が消滅しているのは、一九四一年から一九四五年まで独立国クロアチアで続いた破壊行為の延長線上にある。その基本的な目的は、当時も現在も、ユーゴスラヴィア北西部のセルビア人の破壊と同化である。(55)

ボスニア人、クロアチア人、セルビア人すべての建築遺産の破壊について言及しているのは、サラエヴォを拠点とするボスニア・ヘルツェゴビナの文化・歴史・自然遺産保護研究所の報告書しかない(56)。このことは、サラエヴォ市民が一貫して多民族主義に取り組んできた歴史を示す。彼らのボスニア人としての文化的な自己認識は、このコスモポリタニズムを維持できるかどうかにかかっており、それは国土の建築の多元性と切り離せないものだった。

紛争がコソヴォに拡大したときも、同様のプロパガンダの応酬が展開され、セルビア人とコソヴォ人の双方が意図的な破壊や文化浄化の規模を大々的に主張した。セルビア政府とセルビア正教会のウェブサイトは、自国の宗教の中心地にある教会や修道院がＮＡＴＯ（北大西洋条約機構）の空爆によって受けた甚大な被害を掲載している。これは世界中のメディアで広く報じられた。

紛争終結後、ハーバード大学のアンドルー・ハーシャーとアンドラーシュ・リードルマイアーは詳細な調査をおこない、セルビア側に多くの虚偽申告があることを指摘する一方、地上戦によってモスクや教会、古文書館、その土地固有の建物などがこうむった広範な被害の実情を客観的に評価した。[57] たとえば、NATO軍によって破壊されたとされるオスマン帝国時代の橋ふたつは、実際には無傷だった。また、コソヴォ西部のジャコヴァ（またはジャコヴィツァ）にあるローマ・カトリックの聖アントニオ教会は、報道によればNATO空爆で大きな被害を受けたとされるが、実際にはセルビア兵が攻撃していた。プリズレン同盟記念博物館は「NATO軍のミサイル」ではなく、一九九九年三月にセルビア警察のライフル弾によって破壊されたものだった。[58] コソヴォの貴重なセルビア正教の遺産は、コソヴォ紛争中も終結後も被害を受けたが（ほかにセルビア国内でもNATO空爆によりいくつかの建物を失った）、ボスニアと同じく、戦争で壊滅的な打撃を受けたのはイスラーム教の遺産だった。コソヴォの歴史的なモスクの三分の一が破壊され、伝統的なクラ（石造りの塔）の九〇パーセントが損傷した。これはセルビアがボスニアでおこなった民族浄化のやり方を踏襲したもので、ボスニアで学んだ効率的な手法によって被害はさらに大きくなった。コソヴォの非セルビア人の建築遺産の破壊は、民族浄化の計画的かつ体系的な要素だった。[59]

一九九一年のドゥブロヴニク砲撃は、テロや文化破壊によって攻撃者が得た利益よりも、攻撃に対する国際的非難のほうが確実に上まわった典型例である。セルビア主体のユーゴスラヴィア人民軍とモンテネグロの予備兵による包囲攻撃は、世界中に嫌悪感を抱かせた。ドゥブロヴニクの美しさは何世紀にもわたって称えられており、その質の高さはユネスコの世界遺産に認定されていることからもわかる。ドゥブロヴニクは軍事的に重要だというわけでもなければ、セルビアが歴史的に信憑性のある領有の主張をしていたわけでもない（ただしクロアチア紛争下の一時期に、将来像としてモナコのような都市国家を示唆していた）。セルビアがアドリア海へのアクセスのためにドゥブロヴニクを欲しがっていたという話は説得力に欠けるが、わたしは地元の建築家マリヤ・コヤコヴィチから、戦前に彼女が一一世紀以来の貴重な史料を所蔵するドゥブロヴニク国立文書館で働いていた頃、セルビア人研究者たちが、ラグーザ（ドゥブロヴニクのイタリア語の呼称）がかつてセルビアの一部であった証拠を探していた、という話を聞いたことがある[60]。要するに、街の断崖からの砲撃や、海上の砲艦から長大な城壁越しに砲弾を撃ちこんだのは、テロや破壊行為への欲求という動機以外ではほとんど説明がつかない。国連、EU、欧米のメディアは、即座にこの砲撃を世界共通の建築遺産に対する攻撃とみなし、砲撃の中止を求めて糾弾した。ロンドンの『デイリー・テレグラフ』紙の一面には、「まるでローマを襲撃する異邦人の群れ――連邦軍はすべての抑制を放棄」という見出しが躍った[61]。これはタリバンによるバーミヤンの仏像破壊とならんで、文化に対する脅威が大きな反響を呼んだ、近年ではめずらしい例である。しかしそうなったのは、欧米人がドゥブロヴニクのルネサンス建築の完璧さをよく知っていたからだろう。それに比べてバルカン半島のイスラーム文化遺産の破壊に対する反応が鈍かったのは、イスラーム文化に対する抜きがたい文化的偏見、あるいは敵意によるものだと考えられる。ドゥブロヴニクへの砲撃は、セルビアのプロパガンダをもくろむ人々が犯した大きなまちがいだった。

　プロパガンダの争いにおいては、クロアチアの文化の保護者たちのほうが一枚うわてだった。ボスニアやコソヴォでイスラーム教の記念建造物が壊滅的な被害を受けたのに対して、ドゥブロヴニクの被害は比較的少なかった。これはおもに、ドゥブロヴニクを包囲した部隊が街を占領できなかったことに原因がある。その一方で、珠玉の建築の宝庫ドゥブロヴニクの後背地では、大半の記念建造物や集落全体がセルビア人の占領部隊によって至近距離から徹底的に焼きはらわれ、粉々に吹き飛ばされた。クロアチア人の激しい抗議は、外部の人々にドゥブロヴニクの旧市街が完全に廃墟になったという印象を与えた。だが、実際にはそうではなかった。多くの瓦屋根が吹き飛ばされ、九軒の由緒ある住宅が焼け落ち、鐘楼や回廊などの数多くの建造物が砲撃を受けたが、重要な記念建造物は、完全に破壊されることも、修復できないほどの深刻な損傷を受けることもなかった。

それでも、状況は悲惨だった。砲撃が続く八日間、マリヤ・コヤコヴィチはラパド郊外のガレージに避難していた。窓を鉄板や書類棚でふさいで「床に座っていると、砲撃で床が揺れて船酔いしたようになった」という。当時ドゥブロヴニクには、焼け野原になった周辺の村から多くの避難民が流入して四万人がひしめいていた。「もちろん、優先すべきは人命でした。記念建造物ではなく市民です」とコヤコヴィチは続けた。「でも、聖ヴラホ教会が砲撃されたときは涙が止まりませんでした」。一九九一年一二月六日の激しい砲撃によって、状況はさらに悪化した。「めったにないことでしたが、気温が零下七度まで下がったのです。夕方、ラジオで住民たちに向けて、海で水を汲んでバケツリレーで消火活動をするようにとの呼びかけがありました。それは紛争中もっとも激しい戦いでした。火災旋風で町が消滅してしまうのではないかと不安でした」
「彼らは記念建造物にねらいを定めていました」とコヤコヴィチは主張する。「フランシスコ会

1991年末、セルビア人主導のユーゴスラヴィア人民軍とモンテネグロの予備兵によるドゥブロヴニクへの砲撃は国際的な怒りを引き起こした。クロアチアの城壁都市ドゥブロヴニクが受けた被害は、数多くの建築物がある後背地や近隣のモスタルやストラツで起きた記念建造物の徹底的な破壊に比べれば軽いものだった。しかし、欧米の観光客や美術史家にとってなじみ深い都市であったことから、この爆撃はまたたく間に世界の注目を集める大事件となった。

修道院は五六発の砲撃を受けたのに、近隣の民家にはほとんど被害はありませんでした。教会の鐘楼やドームはすべて砲撃されたのです。自分の心臓をえぐられたような気持ちになり、わたしたちは涙を流しました。人生でもっとも悲しい日でした[62]」

セルビアの攻撃がそれ以上激化することはなく、旧市街が占領されずにすんだことに世界は感謝すべきだが、ドゥブロヴニクへの脅威やさまざまな被害報告（コヤコヴィチの正確な記憶よりも誇張されている）は何の異論もないまま受け入れられ、ボスニアやコソヴォの文化遺産の被害に対する評価によく見られた、やや慎重な評価はおこなわれなかった。国連安全保障理事会に提出されたある報告書には、セルビアによる旧市街への砲撃は、一九七九年の地震の影響で崩壊の可能性がもっとも高い区域に集中していたとの記述がある。[63] だが、この主張を裏付ける証拠はなく、その点が問われることはなかった。

欧米規準の対象となるものは本能的に守ろうとする一方で、対象外の建築記録には無関心な傾向があることは否めない。

ドゥブロヴニクの砲撃について書いたクロアチア人作家たちは、バルカン半島を貫いてきた東西分裂の歴史を呼び起こす。当時出版された作品集『戦時下のドゥブロヴニク *Dubrovnik in War*』では、ドゥブロヴニク襲撃の理由を探る多くの著者が、セルビアとモンテネグロによる攻撃を「嫉妬深く無知な東洋人（オリエント）」の策略によるものだとしている。[64]

> 彼らの憎しみの根源は、自分たちにはない造形、純潔、美に対して感じる絶望、妬み、恨みにある……汚れた人間は清らかさを許せない。（ボジダル・ヴィオリッチ）

> ビザンティンの背信行為からヨーロッパ文明の伝統を守るものは知恵と用心しかないことが、われわれにはわかっていた。（フルボエ・カシッチ）

冷酷で粗野なセルビア軍は、アジア的に残酷で、共産主義的で、洗脳されていて、正教の狂信者であり、レバント的な不誠実さをそなえている……バルカン半島の辺鄙な田舎町や盗賊の巣窟とは対照的に、ドゥブロヴニクは理想的な都市だった。[65]（イゴール・ジディッチ）

レバント？　ビザンティン？　クロアチア人はスラヴ系のセルビア人のことを、セルビア人がボスニアのムスリムやコソヴォ人に使う呼称で語っている。西洋思想の多くの分野にひそむ東洋蔑視は、自分たちの文化遺産が攻撃され、他者の不可解な行動に説明が必要になったときに表面化する。ドゥブロヴニクへの攻撃には、たしかに都市殺し（アービサイド）の要素があり、とくに地方からの非正規軍には、粗野、反都市、反コスモポリタニズムの傾向があったが、だからといって東方世界に住む「アジア」民族に対する人種差別を正当化するものではない。

このような人種差別や外国人排斥のプロパガンダは、第二次世界大戦の空爆における野蛮さと文明国の規準をめぐる議論や、第一次世界大戦中にドイツ軍の攻撃によってフランスの記念建造物（とくにランスのノートルダム大聖堂）が損傷したときに起きた論争にも通じるものがある。美術史家のダリオ・ガンボーニは、美術および応用美術における聖像破壊（イコノクラズム）に関する優れた研究のなかで、こう述べている。「第一次世界大戦中、『破壊行為（ヴァンダリズム）』という概念の民族史的な意味合いが最大限に利用され、フランス人によってドイツの侵略は『ラテン文明』を消滅させるための『チュートンの野蛮人』の試みとして定義された[66]」

それはあたかも、東側から大群が押しよせてきて西ヨーロッパの都市とその価値を脅かすという文化的記憶が刷りまれているかのようだ。そのなかには文化的価値の暗黙のヒエラルキーが潜んでおり、紛争時に標的にされる建築と保護される建築の運命が示されている。このヒエラルキーは、バルカン半島の建築の運命や第二次世界大戦における戦争当事国にも認められる。ドイツとイギリスはたがいに電撃戦を展開し、連合国軍は北フランス奪還の際に甚大な被害をもたらした（どの国も丁寧にいいつくろってはいるが）。しかしイタリアでの衝突は、より慎重な対応がとられた。連合国はイタリア文化、とくにグランド・ツーリスト（一七〜一八世紀にイギリスで良家の子弟が古典的教養の習得のために行ったヨーロッパ大陸への旅行をグランド・ツーリズムと呼ぶ）たちが北にもたらしたルネサンスやバロック建築の遺産を崇敬していたため、イタリア建築はほかの戦場に比べて被害が少なかった。つまり、絨毯爆撃の戦術がとられることはなかったのである。ピサ、ヴィチェンツァ、ヴェローナ、ミラノの旧市街の建築物には甚大な被害があり、ナポリ周辺では退却するドイツ軍が文化破壊行為をおこなった。だが、モンテ・カシノの爆撃や、パドヴァのエレミターニ教会とその内部にあるマンテーニャのフレスコ画が誤爆されたときは、そのありうべからざる行為によって囂々たる非難がわきおこった。ファシスト党のイタリアは連合軍の作戦を「芸術に対する戦争」[67]だと主張したものだが、イタリアの貴重な建造物は、そのほとんどが第二次世界大戦を生き延びた。ローマは無防備都市を宣言し、ヴェネツィアは両陣営によって完全に迂回された。フィレンツェも橋をいくつか失った程度ですんだ。こうした保護戦略は偶然の産物ではなかった。アイゼンハワーは戦地の全司令官にこう命令している。

> 現在、われわれが戦場としているのは、世界の文化遺産に大いに貢献してきた国であり、記念建造物の宝庫とも言える国――かつて、それらの建設によって世界の文明の発展を助け、

いまではその古びた姿を通じて文明の発展を例証する国――である。戦争の許すかぎりにおいて、われわれはこのような記念建造物を尊重しなければならない。[68]

(リン・H・ニコラス『ヨーロッパの略奪―ナチス・ドイツ占領下における美術品の運命』/高橋早苗訳/白水社/二〇二〇年)

ここには、ハチグ・トロリャンの文化的自己の概念がきわめて明確に示されている。価値のあるものは大切にされ、意識的に共有された文化的自己があれば、敵国からも大切にされることもある。逆に、ある国の文化的自己にとってドゥブロヴニクやカンタベリーが重要だという理解があるからこそ、それらの都市が敵の標的になる場合もある。世界貿易センタービルが格好の標的となった理由もそれだ。建築物としての本質的な価値はほとんどなかったにもかかわらず、いまやツインタワーはドレスデンやスタリ・モストと同じように、打ち砕かれた文明の功績のアイコンになっている。

嫉妬が破壊の原動力になるという点では、ドゥブロヴニクの怒れる作家たちの主張も一理あるかもしれない。恋人にふられたときに相手の服を引き裂くように、自分のものにはできなくても、少なくともそれを壊すことはできる。嫉妬と復讐はもっとも致命的になりうる動機のひとつであり、一九四四年八月、それがあやうくパリを壊滅させるところだった。ドイツ軍が撤退を余儀なくされたとき、ヒトラーはパリを敵の手に渡してはならないと命じた。「たとえ、そうなったとしても、パリは廃墟になっていなければならぬ」[69]。ヒトラーは一九四〇年に短時間パリを訪れ、お気に入りのガルニエ宮（オペラ座）などの記念建造物を見てまわった。彼はパリの美しさに感銘を受ける一方で、パリの破壊について思いをめぐらせていたが、ベルリンの壮大な改造計画によって、どのみちパリは日陰に追いやられることになるだろうと判断した。そして、もはや大ドイツの文化財としてパリを所有できなくなったとき、その遺産がどれほど傷つこうとも、最後のひとりまでパリを死守することを命じた。それさえも実行不可能だとわかったとき、記念建造物の爆破とパリ全域の破壊命令を下した。

爆破対象にされたのは、エッフェル塔（ヒトラーは「パリのシンボル」と認識していた）、凱旋門、ノートルダム寺院、リュクサンブール宮殿、アンヴァリッド、セーヌ川の古い橋、コンコルド広場周辺の二〇エーカーの地域にある記念建造物や道路などだった。オペラハウスでさえ、ヒトラーの怒りを逃れることはできなかった。残りはすべてドイツ空軍とV2ロケットで爆撃されることになった。パリを救ったのは、パリの指揮官ディートリッヒ・フォン・コルティッツの命令不服従である。それまでロッテルダムなどの都市の破壊を指揮してきたコルティッツは、パリの救世主からはほど遠い存在だった。彼はかつて「セヴァストーポリ（クリミア戦争最大の激戦地）以来、わが軍の退却を援護し、背後の都市を破壊するのがわたしの宿命である」と語っていたが、このときばかりは、「数人の司令官だけでなく、全世界がわれわれを監視している」[70]として、その行為の重大さを理解していた。ヒトラーは悪評を意に介さなかった。パリを消滅させることは（建築に対する前例のない復讐行為であることに加えて）、爆撃屋ハリスとチャーチルのゴモラ作戦や一〇〇〇機によるケルン爆撃に対する評価と同様に、冷酷さを誇示するとてつもない威嚇行為になっただろう。しかしチャーチルがドレスデン爆撃のあとに気づいたように、破壊行為がプロパガンダ戦争に及ぼす影響は慎重に評価する必要がある。

テレビや通信技術によって戦況がほぼリアルタイムで全世界に配信されるようになったことにともない、紛争のイメージは明確なものになったが、それはかならずしも侵略者のためになるとはかぎらない。たとえばベトナム戦争では、裸のベトナム人の子供がナパーム弾の攻撃から逃れようと泣き叫びながら走る姿を撮影したニック・ウットの写真が、またボスニア紛争では、数ある事件とともにスタリ・モストの崩落の写真が、いまでもその戦争のイメージを形づくるものになっている。暴力行為が発するメッセージは、もはや当事者同士だけでなく、国際世論にも影響を与えるため、世界を納得させる主張が必要なのだ。

第二次湾岸戦争のバグダード攻撃は、ジョージ・W・ブッシュの「衝撃と畏怖」によって幕を開けた。それは、軍事施設やサダム・フセインの宮殿と省庁（後者は作戦上の重要性よりもフセインの権力の象徴として有益だった）を爆撃するという実際的な目的にくわえ、イラク人を恐怖におとしいれ、アメリカの軍事力は脅威だというメッセージをイラク人、ひいては世界中の人々に伝えることを目的としていた。無差別爆撃はいまでもおこなわれてはいるが、戦争を遂行する手段としては認められていない。民間人の遺体の数によって、大義名分の正当性がそこなわれることがある。そのため、イラク戦争では「精密さ」「ピンポイント爆撃」「スマート爆弾」、そして「巻き添え被害」の回避が強調されたが、これらの比喩的な表現は、行動の透明性確保ではなく、むしろ煙幕をはることを目的としている。足元の有志連合は不安定、目の前には敵対的なアラブ世界、そのうえイラクの人心掌握は不可欠――したがって、アメリカのイラク侵攻は軍事目的に限定した攻撃であり、征服者ではなく解放者としての侵略者であるように見える必要があった。

本書の執筆時点では状況はさらに複雑になっているが、アメリカがイラク人や世界の世論にメッセージを伝えることに完全に失敗していることはあきらかだ。それなりに努力しているにもかかわらず、である。二〇〇三年四月九日、バグダードの占領軍が最初にとった行動は、フィルドス広場の巨大なサダム・フセイン像を倒すという、抗いがたい聖像破壊（イコノクラズム）だった。テレビの画像をクローズアップしてみると、歓喜するイラク人の大群衆が自発的に台座の浄化にくわわり、それを助ける形でアメリカ軍兵士がサダムの銅像の首に縄をかけて地面に引きずり下ろし、イラク人の野次馬たちが歓声を上げながら銅像を靴で踏みつけたという印象を受ける。アメリカの海兵隊員が星条旗を掲げて銅像を覆おうとしたが、それはすぐにイラクの国旗に取りかえられた。イラク人の大半がサダム・フセインからの解放を望んでいたことに疑いの余地はないが、たとえ銅像引き倒しをはじめたのがイラク人であったとしても、実際にはすべてが綿密に仕組まれていた。広大な広場は軍事演習のためにアメリカ軍によって封鎖されており、その場に集まっていたのは、ＦＯＸニュースなどで報道されている数百人ではなく、海兵隊員や記者を含めてもせいぜい一五〇人程度だった[71]。この光景は、ベルリンの壁や東欧圏のレーニン石像が壊されたときのニュース映像と重なって見えた。アメリカの機械部隊はさらに多くの銅像を倒し、全土で独裁者の銅像を壊し続けた。

比較的新しく美的価値があるとは思えない像を倒すことと、イラクの建築遺産を破壊すること

2003年4月9日、バグダードのフィルドス広場で行われたサダム・フセイン像の引き倒しは、アメリカ軍第四海兵隊第三大隊の協力を得て慎重に仕組まれたメディアのイベントだった。それは1989年のスターリン政権崩壊後に東欧諸国でおこなわれた銅像の破壊に通じるものがあり、きわめて大きな宣伝価値があった。

は別問題である。イラクの古代都市、歴史あるモスク、博物館、図書館などの記念建造物は、アメリカ軍の侵攻によってきわめて大きな危険にさらされている。イラクには八〇〇〇年前の人類の営みの記録、すなわちメソポタミアの遺跡が無数に散在する。それはいわゆる「文明のゆりかご」であり、世界的に重要な建築物の宝庫だ。アメリカが侵攻計画を立てた際、第二次世界大戦中のイタリアのときと同じく、たしかに西洋とアラブの文化遺産の集合体に配慮はした。しかし、あまりに不十分だった。二〇〇三年のイラク戦争の準備段階で、アメリカの軍事計画担当者は、攻撃を避けるべき重要な考古学的遺跡を一五〇か所特定した。これに対して、アメリカの考古学者たちは四〇〇〇か所の重要な場所をリストアップしたが、国際法の要請に反して、ペンタゴンはそれらの「保護の義務」を拒否したのである。[72] バグダード陥落後の混乱のなかで、国立図書館・文書館の貴重なコレクションや宗教寄付省のコーラン図書館が炎上し、考古学博物館が略奪された。アメリカ軍は、イラク各地でのこのような破壊を防ぐことを要求されていたにもかかわらず、それにしたがおうとはしなかった。[73] そのかわりに、アメリカ軍がバグダードで守った数少ない建物のひとつが石油省だった。

サダム・フセインは自慢のイラク古代文明の保護に際して、かなり偏ったイデオロギー的な手法をとっていたかもしれないし、彼の時代にもやはり略奪は起きていただろう。しかしフセイン政権崩壊後、イラク全土の遺跡は驚異的な速度で破壊、略奪され、地方の重要な博物館の多くでも盗難が繰り返されている。[74]

また、アメリカ軍の存在自体も被害の原因だ。現地を訪れたコロンビア大学の古代近東美術史・考古学教授のザイナブ・バーラニによると、古代バビロン遺跡に建設されたアメリカ軍駐屯施設のヘリコプターの振動によって、ナブ神殿の壁やニンマー神殿の屋根が崩壊したという。[75] 大英博物館のジョン・カーティスによる最近の報告は、イシュタル門から装飾レンガを剝がそうとしたり、数千トンの考古学資料が土嚢やメッシュの木枠を埋めるために使用されたりするなど、さらなる意図的かつ無思慮な損害があったことをあきらかにしている。[76] 現在、遺跡の管理は連合軍からイラク当局の手に戻されたが、それによってイラクの文化遺産に対する乱暴な扱いがおさまったわけではない。アメリカ軍の関係者によると、二〇〇四年末、サーマッラーに九世紀に造成されたアル・ムタワッキルのモスクの螺旋状の大光塔(ミナレット)の最上部に陣取っていたアメリカ軍のスナイパーが、それまで塔を占拠していた反乱軍から銃撃を受けたという。これは、紛争の両陣営がおこなった歴史的建造物の軍事利用に関する国際法の重大な違反である。[77] アメリカは、かつてアイゼンハワーがイタリアの美術品が西洋文化の中心であることを強く意識したようには、イラクの文化的自己への貢献を意識することはなかった。むしろ、メソポタミア文明が発祥してから数千年という時間的距離や、そこに築かれてきたイスラーム世界の文化的成果に対する現代の無知と軽蔑によって、その意識は薄れているようだ。

だが、イラク南部の都市ナジャフにかぎっては、アメリカ軍はイラクの物質的文化を保護し、さらなる損傷を避けることに関して慎重な姿勢をとった。二〇〇四年夏、イマーム・アリー廟のターコイズタイルの壁の内側に立てこもった民兵組織マフディー軍の排除という喫緊の要求があったにもかかわらず、アメリカ軍がイスラーム教シーア派のもっとも神聖な廟を攻撃して損傷させれば、イラクやそれを取り巻くアラブの世論に与える影響は黙過できるものではなかった。イマーム・アリー廟では、イスラエル軍がベツレヘムの聖母マリア教会に逃げこんだパレスチナ人武装勢力への攻撃に躊躇したのと同じような膠着状態が続いた。双方とも、イマーム・アリー廟の神聖な建築物が汚されるようなことがあれば、ナジャフから許しがたいほどの冒涜的なメッセージが発信されることを知っていた。包囲戦のあいだ、金色のドームやタイル張りの壁にほんのわずかな損傷があっても、その責任は攻撃側から防御側へ、あるいはその逆へと転嫁された。[78]

イマーム・アリー廟はその象徴的な地位によって守られたが、広い古都は聖地であるにもかかわらず、同様の理由は適用されることはできなかった。モスク、カーン（バザール内の店）[79]、市場、地下墓地、そして重要な墓地の墓や記念碑といった歴史的建造物が戦闘で破壊された。

イラクの文化遺産は世界的にきわめて重要であり、アメリカがみずからの行動、さらには行動しなかったことによって、イラク全土にこれほどの被害をもたらしたのは信じがたいことだ。ウサマ・ビン・ラーディンの言葉を借りれば、偽善はまさしく現代のフバルである（一一一ページ参照）。これこそが、マフディー軍の挑発的で冒涜的なイマーム・アリー廟の占拠と、イラクの文化保護に関するアメリカ軍の記録から得られる真のメッセージといえよう。

# 第四章　征服と革命

そして台座にはこんな言葉が刻まれている。
「わが名はオジマンディアス、王のなかの王
わが成し遂げしことを見よ、強者（つわもの）どもよ、そして絶望せよ！」
このほかにはなにひとつ残っていない……
――パーシー・ビッシュ・シェリー「オジマンディアス」

一九三九年九月一日にはじまったドイツ軍の電撃戦がポーランドを転覆し、東から進撃してきたソ連軍と遭遇したとき、ナチズムとスターリニズムの顎が閉ざされ、この国を引き裂いた。占領されたポーランドでは、ナチスの人種差別的なイデオロギーと領土的野心が一体となって、常軌を逸した残忍な実験がおこなわれた。およそ五人にひとりのポーランド人が亡くなり――そのうちの半数がユダヤ人――ポーランドの領土は、拡大する第三帝国を支えるための殺戮（キリング・フィールド）の場となった。ナチスがさだめた抑圧のヒエラルキーでは、ユダヤ人は排除の階層である。また、虐

殺と飢餓で適度に減少したポーランド人は、奴隷民族の地位が割りあてられた。この奴隷は「劣等人種（ウンターメンシュ）」になるのだから、教育も言語も知的生活も、そしてもちろん記念碑も持つ必要はない。かつての首都ワルシャワはポーランドの物質文化抹殺計画のもと、完全な取り壊しが決まった。それはポーランド人から未来を奪うだけではなく、独自の精神を持った過去の記憶を封じることが目的だった。彼らは無垢な野蛮人になるだろう。征服の永続には、少なくとも被征服者の同意が必要である。しかし、これだけでは危険なほど不十分な場合がある。買収が敵対的なものであれば、新しい主人への服従が不可欠だ。武装解除や警察活動が重要となる時期は、征服直後にかぎられる。心を勝ちとれないのなら、心を壊さなければならない。敗北とは、軍事的な結果だけではなく、存在する状態でなければならない。

　コロンブスの到着のあと、スペインの征服者（コンキスタドール）たちは司祭を新大陸に連れてきて、この作業をおこなった。過去の栄光を夢見て後もどりしたり、古い宗教に傾倒したりしないように、前の時代の宝物や遺物は踏みにじられ、痕跡はすべて埋められた。記念建造物は壊され、言語は抑圧され、伝統は殺された。二〇世紀の征服者たちの粗暴さも変わりはなく、とくに新世界の征服のときのように、領土獲得の野望がイデオロギー的な情熱とむすびついた場合はそうだった。ナチスによるポーランド人の奴隷化、その後のバルバロッサ作戦（一九四一年のソ連奇襲作戦の暗号名）によるスラヴ系東欧の荒廃、中国によるチベットの併合などは、その好例といえよう。ナチスの大量虐殺やチベットの中国化とは比較にならないが、イギリス委任統治領パレスチナをイスラエル国家に変えたことも、その土地の住民を犠牲にして征服を永続的かつ不可逆的なものにしたいという願望のあらわれだ。ただし、それはうまくいっていない。

これらの作戦には、建築を武器として使用すること、とくに新たに獲得した領土を再編成する手段として、その土地特有の建築を破壊するという共通項が認められる。ポーランド、ロシア、ウクライナ、パレスチナ、チベットの建築遺産はすべて、それまでの文化の痕跡を消し去って新たな建造物をつくるという欲望にさらされた。ワルシャワ、ラサ、エルサレムなどの都市は、外部からの征服者に犠牲を強いられ、大きく形を変えた。一方、北京、モスクワ、ブカレストなどは、内部から現れた征服者に——ある体制が別の体制に勝利したあと、革命的な熱意によって歴史的建造物が破壊された都市である。自由民主主義の政体では、資本主義都市もまた、権力者の利益のために、あるいは近代化の名のもとに取り壊しや開発がおこなわれて景観を変えてきたが、二〇世紀後半においては、民主主義国家における破壊のための破壊は、スターリン主義、毛沢東主義、ナチズムよりもはるかに稀だった。西側諸国のより温和な情勢にくらべると、建築をめぐる対立は、その結末においても手段の徹底性においても、全体主義体制のほうがはるかに苛烈である。

ナチスは、ドイツの東側に住む人々の心や気持ちには興味がなかった。それはポーランド侵攻の初期からあきらかだった。全面戦争の残酷さは軍事面にかぎっていたわけではない。怒濤の進軍を続けるドイツ軍は、住宅地を必要以上に平らにし、記念建造物を壊し、ワルシャワを荒らした。占領下では、さらに徹底的な破壊がおこなわれた。ポーランドは消滅した。集団的なアイデンティティと歴史を持つ民族としてのポーランド人は、忘却の彼方に追いやられた。ポーランドは戦前からその脅威を察知しており、貴重な美術品を何度も移動させたり、地下室に隠して入り口をレンガで塞いだり、国外に疎開させたりした。教会、シナゴーグ、修道院、博物館も、自分たちのかけがえのない貴重品を隠した。しかし隠し場所の多くは発見されてしまい、ナチスは自分たちの観点から重要とみなす美術品をつぎつぎに略奪したあと、わずかに残ったものを破壊していった。

ドイツ軍が占領下においたポーランドは、ドイツに直接編入される地域、ドイツ化される地域、そして首都をクラクフとする「ポーランド総督府領」（ポーランドの東側に設定されたドイツ属領でワルシャワもここに含まれる）に分けられた。ポーランド人はこの総督府で、第三帝国のために移住したり季節労働者になったりしながら生活することになる。新たに引かれた境界線を軸に、大量殺戮と文化浄化が進められた。ポーランド人は強制的に総督府へ立ち退かされた――人種的特徴という偽りの美徳によって「ドイツ化可能」とされた少数を除いては。それ以外は、ドイツ化されるのは土地とその歴史であって、使い捨てにできる人々は対象にならなかったのだ。[1]国中でポーランドの建築や記念建造物が破壊され、ポーランド人の住宅や企業は、帝国のほかの地域から移住してくるドイツ人のために没収された。記念建造物は、ゲルマン的由来があるとナチスが判断したものは助かった。そのなかでもとくに幸運だったのは、中世の建造物にゲルマン的特徴あり、と判定されたクラクフである。ドイツの美術史家ダゴベルト・フライは、偏向した理論でポーランド建築のドイツ化におおいに貢献し、クラクフを「ニュルンベルク芸術の東の前哨基地」と呼んで、自説をまとめた『ポーランドのドイ

ツ建築 *German Architecture in Poland*』を出版している。ただ、ドイツの「文化的伝統」に基づくとされる記念建造物であっても、かならずしも破壊や略奪をまぬがれたわけではない。たとえば、クラクフの聖マリア教会にあった「ファイト・シュトースの祭壇画」（一五世紀末に彫刻家ファイト・シュトースが制作した着色木彫の大祭壇画）は取りはずされ、特別列車でニュルンベルクへ送られている。[2]

とりわけ冷遇されたのがワルシャワである。ナチスの目には、かつての首都はポーランドの都市として将来性がないと映り、着実に瓦礫と化していった。最初の侵攻で四万人のワルシャワ市民が殺され、市街の一二パーセントが破壊された。占領後、被弾したワルシャワ王宮の修復につとめていたポーランド人専門家らは追いはらわれ、ユダヤ人の強制労働で内部の調度品が撤去された。天井画は引き剝がされ、羽目板は取りはずされた。王宮のいたるところに、爆破用の爆薬を入れるための穴が開けられた。ショパンの雄大な像、王宮広場にあるジグムント三世像など、詩人や作曲家、国民的英雄の記念碑や銅像も壊された。ショパンは切り刻まれて運ばれていったのである。[3]

それと同時に、ユダヤ人やその他の市民の一斉検挙がはじまった。多くのポーランド人がドイツに連行されて過酷な労働につかされ、ユダヤ人の場合は、ポーランド国内の強制労働と死の収容所へ送られた。一九四〇年には、ワルシャワにユダヤ人用のゲットーがつくられた（第二章参照）。ポーランドの知識人（医師、弁護士、教師、芸術家、作家）、聖職者、貴族の粛清も進んだ。ポーランド文化の継承にかかわる人、地域社会のリーダーになりうる人は、誰ひとり安全ではなかった。ワルシャワ郊外のパルミリーの森では二〇〇〇人近くが銃殺され、アウシュヴィッツではさらに多くの人々が命を落とすことになる。ポーランドのある教区（ポズナン・グニエズノ）の報告書によると、五〇五あった教会と礼拝堂のうち、本来の目的に使われているのは三一か所だけだった。多くが納屋や倉庫、ダンスホールに転用された[4]。総督府は新体制のもと、かぎられた範囲でポーランドの「文化」を許すことにした。「娯楽と遊興に対する原始的なニーズを満たすこと［が必要である］。オペレッタ、軽喜劇……」しかし美術展の開催、クラシック音楽、民謡、愛国歌の演奏は許されていない[5]。

半壊したワルシャワを再建しないという方針は、占領直後の一九三九年一〇月には正式に決まった。ヴュルツブルクのフリードリヒ・パブストが率いるナチス都市計画チームは、ポーランドの首都の瓦礫の上にごく小さな「新ドイツ都市」を建設する計画を作成した[6]。使用する土地面積は五パーセント、人口は戦前（一三〇万人）の一〇パーセントにとどめる。既存の建物のうち、ごくわずかなものだけをドイツ人の使用に供する。ヴィスワ川の対岸には、奴隷民族ポーランド人八万人を収容する収容所を建てる……戦争の優先順位が変わったことでワルシャワは一時的に生き延びたが、その均衡はまず、一九四三年のユダヤ人ゲットー破壊で破られた。しかし翌年、ソ連軍が東部ドイツ軍を押し返してくると、一九四四年八月一日、ワルシャワの解放をめざしてポーランド人のワルシャワ蜂起が起こった。ナチスがワルシャワを壊滅させる計画を実行するなか、ソ連軍は進撃を止め、介入することはなかった。総督府総督のハンス・フランクは日記にこう書いている。「ワルシャワはそれにふさわしい報いを受ける——完全なる消滅だ[7]」。ヒムラーの考えも同じである。「首都ワルシャワ、このポーランド国家の頭脳、知性は抹消されるだろう[8]」。

首都抹殺のための特別分隊「フェルニヒトゥング・コマンド（壊滅部隊）」が組織され、街の通りごとに解体していった。樹木や電信柱は倒され、水道管や排水溝、路面電車の線路は根こそぎにされた。ヒムラーは、残った住民の男女や子供を殺すように命じた。二五万人以上が死んだ。

戦前にワルシャワにあった九五七の歴史的建造物のうち、七八二が完全に取り壊され、一四一が半壊した。ソ連軍の進撃が再開されたあと、ドイツ軍が爆弾を設置する時間がなかったため、三四だけが残った。戦闘が終わったときには、旧市街の市街区の通りの道筋さえもほとんどわからなくなっていた。歴史的、美的に重要な建物は大半が燃やされたり、破壊されたりした。国立公文書館、国立図書館、聖ヨハネ大聖堂、聖ヒヤシンス教会、聖三位一体教会、ドウガ通りをはじめ、居城建築ではブラニツキ宮殿、クラシンスキ宮殿、ラジヴィウ宮殿、ワジェンキ宮殿などが手にかけられた。財務省と大学（高等教育は禁止されていたが、元教授らが地下組織で秘密裡に講義を続けていた）も崩れた。しかし国立博物館は、ポーランド侵攻時に被害を受けていたものの、最悪の事態はまぬがれた[9]。一三〇〇年代に建てられた旧市街と一五世紀に生まれた新市街は、中世、バロック、新古典様式の栄光に包まれていたが、瓦礫と灰燼に帰した。一九四四年一二月、廃墟と化していた王宮はついに粉々に吹き飛ばされた。市内の建物三七億八〇〇〇立方フィートのうち、二六億立方フィートが消えた。ワルシャワ市民は、自分たちの都市と文化のために戦い、見事に敗北したのである。「わたしをおそろしい野蛮人と思うかもしれません」とヒムラーは述べた。「お望みなら、わたしは必要に応じて野蛮人になります。わたしが下した命令は、すべての街区の家を焼きはらい、吹き飛ばせというものだった。その結果、東部戦線の最大の膿殤のひとつが取り除かれたのです[10]」

一九四五年にナチス・ドイツが敗北していなければ、ポーランドのすばらしい建築遺産は、今日、国内のどの地域にもほとんど残っていなかったに違いない——民族ドイツ人のためのチュートン式再開発の海のなかに、適切にドイツ化された記念建造物がところどころにあるだけで。それがいまのチベットの現状である。徹底した中国化が進むなか、一〇〇〇年以上続いた文化は、わずかに山腹に残っているだけだ。

一九五〇年一〇月七日、毛沢東率いる人民解放軍が国境を越えてチベットに進駐したとき、神政国家チベットには六〇〇〇以上の僧院があった。チベット人の生活の中心に位置する僧院は、宗教だけでなく学校や大学としての役割も果たしており、哲学、医学、建築などを学ぶ学生を育成していた。また、チベット語やチベット文化の発信地であり、宝庫だった。国家は腐敗して賄賂が横行し、宗教団体やチベット貴族階級が広大な領地に農奴制を敷いていたため、見ようによっては——毛沢東主義者たちが主張するように——中国の侵攻はたしかに「解放」に見えたかもしれない。しかしいまとなっては、中国のチベット政策にこの言葉を正当化できるものはほとんどない。

ナチスとは異なり、チベットの征服者はいまなおとどまっている。チベットの宗教建造物は、異なる民族的アイデンティティの象徴というだけでなく、革命的な変革をめざす無神論かつ共産主義の外来者にはがまんのならないものだった。中国は記念建造物の破壊、チベット語の禁止、

中国のチベット侵攻、1959年のラサ蜂起弾圧、それに続く中国同化政策により、建築をはじめとするチベット文化は大きくそこなわれた。ラサの現在のポタラ宮は1648年に再建されたもので、1300年の歴史がある。この宮殿は半世紀にわたる文化浄化のなかで、比較的被害を受けずに残った数少ない建物のひとつだ。世界遺産に登録されているが、もはや宗教と政治の中心機構ではなく、観光名所となっている。中国当局の誤った保存作業のせいで劣化が進み、最近では壁の一部が崩落してしまった。宮殿前広場は地元のチベット建築が撤去され、天安門広場のようなスペースになっている。

工芸品の排除と略奪など、チベット文化の解体に取りかかる。一九五九年に中心都市ラサで起きた蜂起が終わりのはじまりとなり、人民解放軍の激しい鎮圧行動の結果、ダライ・ラマ一四世（チベット仏教の最高指導者）は亡命した。その後、何万人もの中国人がラサやチベット各地に移り住んだ。一九七〇年代末に存続していた僧院はわずか一〇か所にすぎない――これは地元対策であり、さらにいえば観光客の誘致用だった。この大変動をもたらしたのは、一九六六年からはじまった文化大革命（文革）（毛沢東主導のもと、大衆を動員して中国全土で展開された政治運動・権力闘争）である。それは中国とチベットを激しく揺さぶり、徹底的な聖像破壊（イコノクラズム）につながった。文革は、「旧思想」「旧文化」「旧風俗」「旧習慣」という「四つの旧弊」の打倒を目的に掲げた。ラモチェ寺、ジョカン寺（トゥルナン寺）などの寺院や僧院、ノルブリンカ（ダライ・ラマ七世が建設した夏の離宮）などが組織的に破壊され、閉鎖された。戦車による砲撃や空爆が実施され、ヒマラヤ辺境の谷にある宗教施設さえ見落とされることはなく、壊されていった。あわせて一万三〇〇〇人の僧侶が住むドレプン僧院とガンデン僧院の町は、ほぼ壊滅状態になった。何十万人ものチベット人が死に、仏教の僧侶や尼僧、知識人が虐殺された。一三〇〇年分の仏像や経典が破壊され、燃やされた。紅衛兵（こうえいへい）の猛攻から逃れられたのは、ラサの丘に築かれた、部屋数が一〇〇〇室以上もあるポタラ宮のほか、一二の重要遺産だけだった[11]。

　文化大革命終了後の政策転換により、とくに宗教建築に関しては多少の便宜がはかられるようになった。さほどの締め付けはおこなわれず、中国は一定数の僧院の再建と再開に資金を提供した。僧侶たちは廃墟のなかに、ふたたび自分の家をつくった。しかし、そこに残っているのはかつての文化の抜け殻にすぎず、中国は監視の目を光らせ、厳重な管理下においている。僧侶た

かつてチベットには6000以上の僧院があったが、ほとんど残っていない。写真は、ラサ近郊の山頂に1409年に建てられたガンデン僧院の廃墟を歩く僧。1959年以降に中国軍によって破壊された。近年、宗教弾圧が続くなかでも僧たちの帰還が進んでいる。

ちの役割は宗教的な存在というよりも、博物館の学芸員やツアーガイドに近い。国内の多くの地域では、もはや学齢期の子供たちは僧院で学ぶことも、チベット語で教えてもらうこともない。中国語で話したり書いたりできなければ、働く機会は少ない。チベット人の識字率は依然として低く、大学に入学する学生の大半は中国人である。このようにかぎられた自由さえ、引き続き人権侵害が続くなかで、近年はあやうくなってきている。中国が、自分たちの過去を取り戻そうとするチベット人の活動の盛り上がりに警戒感をつのらせているためだ。ダライ・ラマは、自国の現状を「文化的ジェノサイド」だと主張する。[12] 一方、チベットの一般建築遺産の廃止は、むしろエスカレートしている。この中国の行動の背景には、代償をはらってでも近代化と工業化をはかりたいという純粋な願望もあるが、それ以上に、チベットを中国に統合して永久に国土の一部となし、別個の文化と国家の歴史を思いださせる物体を消し去りたいという願望のあらわれといえる。侵攻から四年以内に、中国はチベット・四川高速道路などの大規模なインフラプロジェクトをすでに完成させていた。それと並行して、四川省から膨大な人数の農民が、中国政府の経済支援に後押しされて東方のチベットにはいっていった[13]。

ラサは現在もチベット自治区の首府だが、かつての領土の多くは中国の青海省、雲南省、四川省に移入されている。また一九八〇年にラサ都市計画局が計画を発表して以来、ラサは徹底的に再構築されてきた[14]。この計画では、ポタラ宮、ジョカン寺、ドレプン僧院、セラ僧院などを除けば、七世紀から発展してきた仏教都市とは似ても似つかないラサが想定されている。すでに多くが失われた。チベットの古都は、六年ごとに倍増する新市街に幾重にも取り巻かれている。一九四九年に三万人だったチベット人の人口は、いまでは都市人口三八万人（さらに増加中）の三分の一を占めるにすぎない[15]。丘の上にそびえるポタラ宮の裾野にあった村ショルは、歴史的な木造建築が撤去されてコンクリート製の観光村となった。申しわけ程度にチベット人を配置して「らしく」見せ、チベット人の「解放」を記念する巨大なコンクリート製の記念碑が立っている。この地区の広い範囲が整地されて、天安門広場風の行事会場になったのである。「ポタラ宮は博物館となり、過去と切り離された存在でしかない」と、チベット情報ネットワークのケイト・ソーンダーズはいう。「チベット仏教最高位のシンボルは、中国支配のシンボルに変えられた[16]」

ラサ市内最古の地区バルコル（八角街）は、六四一年建立のチベット仏教の聖地ジョカン寺をかこむ巡礼路沿いに広がる（バルコルは「中環巡礼路」の意）。破壊はここでも進んでいる。一九九〇年代なかばには中国の新しいデパート建設などのために、チベット特有の伝統様式——木材と独特の石組み——で建てた古い建物を街区から数多く撤去した。取り壊された建物のなかには、かつての貴族スルカン家の邸宅もあった。新しい建物は歴史的な町並みや建築をほとんど無視しており、粗野にしか見えない。こうした開発は国連やユネスコからも批判されている。中国の建築家さえ、反対を表明しているくらいだ[17]。二〇〇二年には、ダライ・ラマ一一世の家の近くにある四つの歴史的建造物が取り壊された。ほとんどが事前の警告なしにおこなわれ、住む場所を失った入居者は、もとの住まいからかなり離れた場所へ移されることが多い。チベットの中国化を達成するための破壊は継続中だ。

これは、伝統主義と質の高い現代建築との戦いではない。地域の歴史を伝えるという本質的な価値を有する建築と、均質化をめざす現代中国の地域建築に多い粗雑なコンクリートの箱との戦いなのだ。ポタラ宮の修復でも、二〇〇一年に正壁の一部が九メートル×一八メートル以上崩れるほど粗悪な工事がおこなわれている。二〇〇〇八年八月には、一九九六年以来七六の歴史的建造物の修復を支援してきた非営利団体「チベット・ヘリテージ・ファンド」が、パンフレットを印刷するための適切なライセンスを持っていないという些細な理由で、国外に追放された[18]。こうした首府改造計画の結果、一九九五年から現在にいたるまで、現存していた宗教および一般建築三三〇のうち、一三〇が消え去った[19]。

チベットの変容は今後も続いていくだろう。中国に同化することを望まず、自分たちの文化や伝統、すなわちチベット人としてのアイデンティティを必死に守ろうとするチベット人の民族主義的な態度は、「分離主義」だと中国側は批判する。しかし中国とチベットの経済的自由化の状況は、文化的、政治的自由とは一致してない。これはまるで、情報公開(グラスノスチ)のないペレストロイカのようなものだ(ソ連のゴルバチョフ政権は情報公開をペレストロイカ[改革]の重要な柱とした)。反仏教政策の復活により、僧侶や尼僧の数は大幅に制限され、廃墟となった旧寺院や僧院のまわりに建てた仮設の僧房も破壊されている。この締め付けのきっかけになったのは、ひとつには二〇〇〇年に、中国支配に一定の正当性を与えていたチベット仏教の高僧二名が離反したためだと考えられている。二〇〇一年には、四川省ガンゼ・チベット族自治州の高地にある宗教都市「ラルンガル僧院(ゴンパ)」で、僧尼の家屋が数千戸破壊された。その数か月後、ヤチェンガル僧院の居住区でも八〇〇戸が同じ運命をたどった。僧侶と尼僧は、日干しレンガの住居を自分たちで壊すか、罰金をはらうかの二者択一を迫られたという[20]。

宗教建造物とその収蔵品の消失はいっこうに終わる気配がない。ポタラ宮には、さかのぼること再建時の一七世紀から創建時の七世紀までにおよぶ、七万点もの品がおさめられている。二〇〇二年、ブロンズに金箔をはった、高さ五メートルの弥勒菩薩像(未来に現れて衆生を救う仏)がポタラ宮から上海に移された。ほかにも多くの作品が、中国を経由して国際美術市場に流れこんでいる[21]。

チベットと同じような新手の文化攻撃は、中国周辺のほかの少数民族地域でもおこなわれている。これは二〇〇一年にはじまった「犯罪撲滅」政策の一環であり、チベットの北に位置する新疆ウイグル自治区のイスラーム教徒地域では、「分離主義、テロリズム、宗教的過激主義という三つの悪」への対抗を意味する。[22] 中国が民族主義的混乱を警戒するきっかけとなったのは、ソヴィエト連邦の崩壊にともなって中央アジアにイスラーム教国家が誕生したことかもしれないが、九・一一の事件はその懸念をさらに強めた。その結果、中国はシルクロードの古都カシュガルを取り壊し、観光客向けにいくつかの記念碑を飾り、インフラ整備をして国土の周辺部と中核部をむすびつけようと躍起になっている。これはなにも、世界の辺境にある文化圏に開発と経済成長をもたらしたいからではなく、自分たちの征服にひびがはいるのを防ぐのがねらいだ。ドイツ占領下のポーランドでそうだったように、中国にとっても地域の独自性、つまり独自のアイデンティティと過去の記憶を破壊することが重要なのである。二〇〇五年、ダライ・ラマは香港の『サウスチャイナ・モーニング・ポスト（南華早報）』紙とのインタビューで、中国の圧力に屈したかのように「チベットの文化と仏教は中国文化の一部である。中国の大勢の若者が、中国の伝統としてチベット文化を好んでいる」と発言して、チベット支持者の多くを落胆させた。[23] このトーンダウンは、実をむすばない抵抗運動をふまえ、中国に完全吸収されるのではなく、なんとかチベットの独自性を残す道を探ろうとする中庸の試みだったのかもしれない。

中国がチベット征服の手段に選んだのが、差異の排除と宗教的ナショナリズムの弾圧だったとすれば、イスラエルはその逆で、宗教的ナショナリズムが勝利をおさめた。そしてイスラエル政府の政策により、ユダヤ人と異教徒——とくにアラブ人との差別化は憎悪を生み、それが常態化している。オスマン帝国の廃墟からイスラエルを建国しようと熱心に活動した二〇世紀初頭のシオニストたちは、こんな事態になるとは夢にも思わなかっただろう。宗教的なユダヤ人は一九世紀から、パレスチナにどんどん移住していた。ただ、ホロコーストの比類なき恐怖の時代を経て、それを癒やすために国連が一九四七年にパレスチナ分割案を採択したあと、最終的にこの地を征服した人々が抱いていた構想は、本質的には宗教色の薄い前向きなものであり、建国支持者の多くにとっては民族社会主義の一形態だった。奇妙な社会主義といえるかもしれない——先住のアラブ人と協力して目標を達成するのではなく、列強の支援を仰ぐのだから。それでも多くの点で、あかるい未来を思い描いていた。離散ユダヤ人がエルサレムへの帰還を夢み、紀元七〇年に破壊されたヘロデ神殿を悼む伝統を持ち（「嘆きの壁」は神殿の唯一の遺構）、神殿破壊から現代まで離散が続いたにもかかわらず、当初は世俗主義に軸足をおいていたことを考えると、イスラエル建国当時のシオニストたちは、エルサレムがイスラエルのアイデンティティの中心になること、しかもエルサレムの「神殿の丘」が征服完了の最大の障壁になることを想定していなかったのではないだろうか。[24]初期のシオニストの多くは、エルサレムを未開な「丘の人々」が住む、後進的で迷信的な場所だと考えていた。首都の候補にあがったのは、より現代的なテルアビブ、ハイファ、ネゲブ砂漠北端のベールシェバだった。[25]同じように、先住イスラーム教徒のパレスチナ人もエルサレムを「アル＝クッズ（聖地）」と呼んで崇める一方、両世界大戦のあいだにパレスチナ民族主義が台頭するまでは、政治的に注目していたのはカイロやダマスカスにいたる広い地域だった。しかしイスラエルは建国の直後から、過去の神聖な土地をユダヤ人の現在を正当化するために、またユダヤ人の地位とアイデンティティを強化するために利用してきた。つまりイスラエル全体を、とくにエルサレムを未来永劫所有するのは、ユダヤ人の当然の権利だと位置づけたのである。この目的を達成するために、あっては困る建築や考古学的な証拠を抹消することが常套手段となった。

イスラエル人は国際的な合意によって国家を与えられたものの、そのためには戦わなければならなかった。イスラエルも、パレスチナを分割した西欧列強も、パレスチナをなにもない土地だと考えていたかもしれないが、建国を現実化させたのはシオニストである。最初から織りこみずみだったとはいわないまでも、国連のパレスチナ分割決議以降、アラブとイスラエルの対立が激化して本格的な戦争が勃発する。近隣のアラブ諸国も新国家の設立阻止のために連合した。七〇万人以上のパレスチナ人がイスラエルの町や村、そして新国家から追われた。残虐行為は双方でおこなわれたが、イスラエル軍の冷酷さは、パレスチナ人が積極的に退去しなければ——しばしばそうだったのだが——恐慌状態になって家から逃げだすしかないという恐怖を生んだ。故郷を追われたパレスチナ人は、いまも先祖代々の土地が失われた日を「アル＝ナクバ」——すなわち「大惨事」と呼んでいる[26]。

パレスチナ人が不在のあいだに、イスラエルの新しい指導者たちはアラブ人の財産を流用し、自分たちのイメージどおりに土地を改造しはじめた——これはヨーロッパの近代民主主義の価値観とは相容れないものだが、聖典の先例によって正当化されるのである。歴史学者のエルナ・パリスが南アフリカ共和国のアフリカーナー（オランダ系白人）の建国神話について述べているように、「歴史に神をくわえることは、あらゆるもののなかで最強のナショナリズムである[27]」。国土の地名は、アラビア語からヘブライ語に翻訳されたり、聖書や旧約偽典に基づいて改名されたりした（ソドムの場合は、聖書で悪徳と退廃の町とされていることから、恥ずべきものとして逆に改名された[28]）。一九四八年から一九五〇年のあいだに、少なくとも四〇〇のアラブの村が爆弾やブルドーザーによって破壊された。完全に消滅したものも多く、その跡はユダヤ人居住区の下に埋もれたり、新たに植林された森に隠れたりした。砂漠に花を咲かせるどころか、古代のオリーブの木立や果樹園は掘り起こされてしまった[29]。ひときわ美しい邸宅の場合は、ユダヤ人用の住宅や芸術センターに改装されたものもあったが、一般的には破壊である。国中のモスクが取り壊されたり、閉鎖されたり、シナゴーグから牛舎まで、別の用途に変えられたりした。現在でさえ、崩れかけた聖なる建物をパレスチナ人が再開したり再建したりしようとすると、イスラエル当局に阻止される。多くの村はまるで存在しなかったかのように、地図から完全に削除されている。アクレ、ハイファ、ヤッファなどの由緒あるアラブ都市では、アラブ系住民の九〇パーセントがいなくなり、アラブ様式の建物の多くが失われた[30]。

　イスラエルの歴史学者メロン・ベンベニスティは、イスラエルの農村の実情について綿密な調査をおこない、『聖なる風景 *Sacred Landscape*』にまとめた。そのなかで、都市部でもアラブの記念建造物の破壊があると指摘している。たとえば、地中海に面した古都カイザリアや、北部のカウカブ・アル＝ハワ村では、歴史的なアラブの建物が撤去され、周囲の十字軍時代の壁が修復されている。ベンベニスティはこう述べる。

イスラエルの理屈では、今日のイスラエル人が共存しなければならない地元のアラブ文明の遺物を保存するよりも、(一一世紀後半から一二世紀前半に)ヨーロッパのユダヤ人社会を絶滅させ、一〇九九年にエルサレムのユダヤ人を殺害した人々を不滅にするほうが好ましいのである。[31]

しかし過去の十字軍は、国境の向こうへ追いだされて悲嘆をかこちながら、昔の家の鍵を握って暮らす人々ではない。たがいにこれほど危険な近さにいる場合、征服者としては、亡命者が戻りたくなる指標をいっさい残したくないという願望にかられる。

一九六七年の六日戦争(第三次中東戦争)で領土を獲得したイスラエルは、ついにエルサレム旧市街と神殿の丘を手に入れた。長く待った――二〇〇〇年だ。神殿の丘に向かう占領軍に同行したラビは、イスラーム教ではハラム・アッシャリーフと呼ばれるこの聖域で、象徴的にトーラーを持ちながら、ショーファ(羊の角でつくった笛)を吹き鳴らした。アル゠アクサー・モスクをその場で爆破することも提案されたが、イスラエル人は岩のドーム(征服した十字軍がかつて十字架を設置した場所)からイスラエル国旗を一時的に掲揚することで満足し、ドームを管理するイスラーム教徒に鍵を返した。[32]この時期にたまたま撮影された、嘆きの壁をじっと見つめる三人の若い兵士の写真がある。これはイスラエルを象徴するものとなり、タバコやチョコレート、ワインなどの商品に使われてきた。その後、イスラエル右翼の宣伝活動に用いられたこともある。撮影した写真家デイヴィッド・ルビンガーは冷めた目で見ており、先頃こう述べた。「石が神聖になる。神殿が神聖になっている。丘が神聖になる。そして今度は写真だ。問題なのは、なにかが神聖になることで人が死ぬことだ[33]」

歴史上、これほど多くの問題を引き起こした壁はないだろう。ベルリンの分断を象徴する壁は、この嘆きの壁――ヘロデ神殿の「西壁」、神殿の丘の「擁壁」、またアラブ側からはハラム・アッシャリーフの「アル＝ブラークの壁」と呼ばれるものに比べれば、見劣りがする。この壁は、西暦七〇年、ユダヤ人の反乱鎮圧後にローマ軍が破壊した神殿の唯一の遺構である。ローマ人は神殿を含む市街全体を滅ぼした。エルサレムはローマ風の格子状街区の都市に建てなおされ、名前もアエリア・カピトリナに変わった。その後六年間、ユダヤ人は殺されたり、海外で奴隷にされたりした。離散（ディアスポラ）のはじまりである。

エルサレムの起源は数千年前と古く、武勲のほまれ高いイスラエル王ダビデの時代の前にさかのぼる。ダビデは、カナン（古代のパレスチナ地方）の先住民族エブス人が支配していた要衝シオンの丘を征服した。エブス人はその地を彼らのシャレム神（セム系諸族の黄昏と美の神）にちなみ、「ルシャリムム」と呼んでいた[34]。異教の祭壇の跡地にユダヤ教の第一神殿が建てられ、信仰の究極の中心となっていく。

イスラエルの地は地球の真ん中、エルサレムはイスラエルの地の真ん中。神殿はエルサレムの真ん中にある。至聖所は神殿の真ん中にある。聖櫃（せいひつ）は至聖所の真ん中にある。そして礎石は至聖所の正面にある[35]。

ソロモン王が建てたこの神殿は内装にレバノン杉を用いた壮麗なものだったが、紀元前五八六年、新バビロニア王国によってエルサレム全市もろとも破壊された。その後、バビロンで捕囚となっていたユダヤ人が戻ってくると、神殿も小規模ながら再建された。やがて時代は移り、敷地の制約はあったものの、ヘロデ大王は神殿の大改築に踏みきる（それがイエスの怒りの行動につながっていく）。完成までに八〇年を要した神殿は、古代世界最大の規模だった。この壮大な建物が通称「第三神殿」と呼ばれるものだが、完成からわずか一〇年後に、ローマ人の手にかかって破壊されてしまう。ユダヤ人が結婚式でグラスを割るのは、神殿の破壊を記憶するためであり、日常の祈りのなかでもそれに思いをはせる。三〇〇〇年たった現在でも、この場所は象徴的にも物理的にも、アラブとイスラエルの対立の中心に位置する。ここはユダヤ人がエルサレムの所有権を主張する根拠であり、ユダヤ教の中心だ。問題は、ユダヤ教の「神殿の丘」は、アラビア語では「ハラム（聖地）」と呼ばれており、メッカとメディナに次ぐ第三の聖地になっていることである。ここはムハンマドが夜の旅をした場所――天馬ブラークにまたがってメッカからエルサレムのアル＝アクサー・モスク（最果てのモスク）にたどり着いたあと、第七天国に昇ってアラーの御前に額ずいたとされる（ユダヤ教とイスラーム教では天国は七つの階層に分かれており最上天に神が住む）。ムハンマドが天馬をつないだのがアル＝ブラークの壁（ユダヤ人にとっては、かつての神殿の西壁、現在の嘆きの壁）である。神殿の礎石はまた、神がアブラハムに息子を生贄に捧げるよう命じた場所であり、ムハンマドが昇天の際に足をかけ、表面に足跡を残した岩でもあるのだ。[36]

神殿跡が「ハラム」となり、アル＝アクサー・モスクと、岩のドーム（オマールのモスク）が礎石の上に建設されたのは、六三八年にムスリム勢力がビザンティン帝国時代のエルサレムを征服したのがきっかけだった。神殿跡は破壊されてから数世紀のあいだ、わざとゴミ捨て場として使われていた。初期キリスト教徒の場合、イエス・キリストの受難をたどることで街全体が聖地となった。キリスト教の巡礼ルートは数世紀にわたって変化しており、現在はイエスの墓が最終地点である。かつては墓の上にローマの神殿が建っていたが、それは破壊され、聖墳墓教会の前身が建設された。旧市街全体が聖地となったキリスト教時代を経て、イスラーム教が神殿の丘の精神的な中心性を回復したことになる。同じ「啓典の民」であるムスリムも旧約聖書の預言者たちを崇拝しており、それぞれに応じた記念碑を設置した。エルサレム征服後、ムスリムは聖墳墓教会を壊さずに残した。十字軍時代に岩のドームが教会に改造されたり、帰還したユダヤ人が殺害されたり追放されたりしたことを除けば、イギリス委任統治時代を経て一九六七年にイスラエルが旧市街を占領するまで、イスラーム教徒のアラブ人がこれらの聖地とキリスト教徒、ユダヤ教徒を支配した。最終的にオスマン帝国の一部となったエルサレムは、一〇〇〇年以上も前からアラブ人の都市であり、そのほとんどの期間、ユダヤ人とキリスト教徒が少数派だった。ユダヤ人が多数派になったのは、一九世紀後半のことである[37]。

今日、旧市街をうるおす観光業がないため、エルサレムの通りや路地は地元住民ばかりが目立ち、生気のない空間となっている。アラブ人居住区の青空市場(スーク)は中東の活気に満ちているが、買い物客のあいだを歩くスペースはほとんどない。ところが嘆きの壁の前につくられた巨大な広場に行くと、まるで容器を揺らして中身をかたよらせたように、壁のそばにしか人がいない。広場にいる熱狂的な第三神殿派の客引きは、彼らが計画している新神殿の宝物の見学や、神殿の丘の地下トンネル探検にしつこくわたしを誘う。厳重な警察の監視と身分証明書のチェックがたびたびあるとはいえ、少なくとも非アラブ人にとっては、この街に恐怖を感じる必要はほとんどないようだ。しかし大通りから少し離れると、屋台の匂いや物々交換の音が消え、高い壁とシャッターの閉まったドアがならぶ誰もいない路地になり、ときおり上の暗い部屋で子供の甲高い声が聞こえる以外は、静寂に包まれる。路地の奥のほうまで、あちこちに青と白のイスラエル国旗を掲げた家がある。これは、ユダヤ人入植者がアラブ人やキリスト教徒の居住区に無理やりはいりこんでいるためだ。わたしの足元に石が落ち、またすぐに別の石が落ちた。誰が投げたのか――パレスチナ人なのか、イスラエル人なのか――はわからない。ただ、そのメッセージはあきらかで、わたしはもとの世界に戻っていく。生活を人目に触れさせまいとする雰囲気は、高い壁の内側に暮らす古い中東都市ではよくあることだが、ここには、じっと隠れていながら、突然絶望的な怒りを爆発させるような緊張感が、通奏低音のように流れている。

パレスチナとイスラエルを分割する国連案では、エルサレムとその周辺をあらゆる信者が自由に出入りできる「特別区（コルプス・セパラトウム）」にすることで、エルサレム問題は解決されるはずだった。しかしイスラエルがエルサレムの一部、そして全体を征服した結果、国連が現在も維持しているこの原則は悲しくも遠のいてしまった。一九八〇年、イスラエルの右派政党リクード政権は、「統一された全域はイスラエルの首都」とする「基本法」を可決し、この問題に幕をおろそうとした。[38] イスラエルは「基本法」の願望が後退しないようにするため、他の占領地であるヨルダン川西岸地区とガザ地区（第五章参照）で採用されているのと同様の戦術――ユダヤ人入植地の建設、パレスチナ人住宅の取り壊し、境界線の変更、差別的な計画措置――を用いて、その支配力を着実に強めている。この半世紀のあいだ、旧市街とその周辺でおこなわれてきた建造物の破壊と建設は、アラブ・イスラエル紛争の縮図であると同時に、その震源地でもある。

イスラエル国家の樹立が宣言（一九四八年）されるまでの数年間、エルサレムではすでに対立する勢力による暴力の応酬がおこなわれていた。爆破や銃撃で犠牲になった建築物のうち、アラブ側の攻撃によるものは『パレスチナ・ポスト』新聞社（現『エルサレム・ポスト』の前身でイスラエルの日刊英字新聞）、ユダヤ機関（イスラエル建国を推進するための国際的機関で創設は一九二九年）、主要なショッピング街などがある。また過激派シオニストのグループは、イギリス軍司令部として使用されていたキング・デイヴィッド・ホテルに爆弾を仕掛け、それにより九一名が死亡している（一九四六年）。エルサレムは急速にユダヤ人が住む西側、パレスチナ人が住む東側（旧市街の大半を含む）に分断が進んでいった。パレスチナ分割決議の発表自体、新市街のユダヤ人ビジネス街での迫害行動を誘発した。

一九四八年の独立宣言直後の戦争で（第一次中東戦争）、イスラエル軍は旧市街を制圧できなかった。東エルサレムとヨルダン川西岸地区を占領していたヨルダン軍は、歴史的なユダヤ人地区の家屋を徹底的に破壊し、二〇〇〇人のユダヤ教徒を追放し、エルサレム旧市街の栄光のひとつであるフルバ・シナゴーグを含め、二七のシナゴーグを破壊した。[39] 旧市街が分断された結果、ユダヤ人はこの数世紀のうちで初めて、嘆きの壁への立ち入りを禁止された。オスマン帝国の支配下では、ユダヤ人は二級市民として苦しめられ、ハラム・アッシャリーフにいるイスラーム教徒から定期

エルサレム旧市街のユダヤ人地区のフルバ・シナゴーグ（意味は「廃墟のシナゴーグ」）。以前は18世紀初頭に創建したラビ、ユダ・ヘハシドの名前を冠していた。写真は1942年、イスラエル独立宣言後の第1次中東戦争でヨルダン軍に破壊される前のもの。19世紀に再建された巨大なドームは、エルサレムの特徴的な景観のひとつだった。

的に嫌がらせを受けても、壁で祈ることが許されていたのである。

一九六七年に旧市街を制圧したイスラエル軍は（第三次中東戦争〔六日戦争〕）、ただちに自分たちの主張を展開し、復讐を開始した。最初に犠牲になった建築物は、嘆きの壁に隣接する古いマグレブ地区（モロッコ人居住区）である。ここは嘆きの壁に面した広場をつくるために、勝利から二日目にブルドーザーで破壊された。一〇〇以上の歴史的建造物が爆破され、数百人のパレスチナ人が三時間以内の立ち退きを余儀なくされた。[40] 一週間のうちに、その近隣も破壊の対象になった。全部でふたつのモスクを含む約七〇〇の建物が取り壊され、六〇〇〇人のパレスチナ人が追放された。それ以来、この広場は過激なユダヤ人の宗教的ナショナリズムの中心となっている――またここは礼拝だけではなく、兵士が宣誓して銃を祝福される場所でもある。[41]

イスラーム世界は自分たちの第三の聖地も危ないのではないかと思い、恐怖におののいた。いつの日かユダヤ人が、一部のユダヤ人過激派が誓ったように、第三神殿を再建するために栄光のモスクがあるハラム・アッシャリーフを破壊するのではないかとおそれ、その恐怖はいまも続いている。イスラエル主流派の政治家は、そのような提案を認めはしないだろう。またユダヤ教の公式見解は、地上の手で神殿を再建しようとする試みは重大な冒涜である、とする。メシアの到来によってのみ、この場所は浄化され、ユダヤ人は再建された神殿にふたたびはいることができる。それまでは嘆きの壁が限界だ。このようにラビや政治家が反対を表明しても、少数の強硬派は自分たちの宗教を具現する場所、すなわち神がおわす地上で唯一の場所から排除されていることに怒り、パレスチナ人の「高貴なる聖域」を破壊しようとする試みをやめようとしない。

一九六八年六月、錯乱したユダヤ人観光客がアル＝アクサー・モスクに火を放ち、サラディン（一二世紀に十字軍国家から奪回したエルサレムの城壁を再建強化したアラブの英雄）が演説した説教壇を焼いたのが最初の攻撃である。その後、少なくとも五回モスクの爆破が試みられたが、そのタイミングはアラブとイスラエルの和平プロセスの重要な節目をねらったものが多い。聖地をめぐる争いは、いずれもイスラエルの治安部隊によって回避された。[42] また第三神殿派の活動家たちは、(神殿の丘の三五エーカーの敷地全体が事実上の屋外モスクであるにもかかわらず)定期的に神殿の丘に突入して祈りを捧げようとしている(イスラエル占領下でも神殿の丘はイスラーム教徒が管理しており、他宗教の礼拝や宗教行事は禁じられている)。ユダヤ暦アブ月の九日目(ヘロデ神殿〔第二神殿〕が破壊された記念日)に、「神殿の丘信徒」が第三神殿用の大理石の礎石四・五トンをならべる恒例行事も、死者を出す衝突を引き起こしてきた。これまでのうち、もっとも周到な破壊工作は、一九八〇年代初頭に岩のドーム爆破計画を立案した爆発物専門家イフダ・エツィオンが主導したものだ。エツィオンはジャーナリストのコン・コフリンによるインタビューで、七〇キロのセムテックス(プラスチック爆薬の一種)をどのように配置するつもりだったかを説明している。

作戦全体を慎重に計画した。内部の岩に被害がおよんではならないからね。三本の柱だけが破壊されるように計画したんだ。そうすればドーム自体が岩の上に落ちて、ほかの石の崩落から守ってくれる。[43](この爆破計画は実施されず、エツィオンは一九八四年に逮捕投獄されている)

その後も建物への攻撃は繰り返されている。二〇〇三年九月、イスラエルの秘密警察は、同じ日に複数のモスク(岩のドームを含む)への一斉攻撃を計画していたユダヤ人過激派を逮捕した。[44]別の団体「神殿研究所」は、インド北部アヨーディヤのヒンドゥー教徒強硬派のように(ここでもヒンドゥー教徒とイスラーム教徒が聖地をめぐって争っている)、神殿再建の日にそなえて一七〇万ドルの黄金の燭台(メノーラー)、契約の箱の複製、竪琴、精巧な刺繍がほどこされた祭服など、儀式用の品の準備を進めている。研究所の創

1967年の第3次中東戦争でイスラエル軍がエルサレムを占領したあとに建設された記念のアーチ。ヨルダン軍により1948年に破壊されたフルバ・シナゴーグとユダヤ人地区を象徴する。イスラエル政府は先頃、シナゴーグのレプリカ再建の許可を出した。跡地に現代的なシナゴーグを建てるという建築家ルイス・カーンの案は実現しなかった。

設者であるラビ、イスラエル・アリエルは、ハラム・アッシャリーフ全体の破壊を主張するのをやめない。彼の活動はイスラエル政府、市議会のほか、神殿再建によってメシア再臨の預言が成就すると信じるキリスト教原理主義者からも支援されている[45]。

この種の活動がごく一部の狂信者にかぎられているのであれば、イスラーム教徒の懸念は偏執的にすぎるとみなすのは簡単だが、こうした目標を支持するイスラエル人は多い。イスラエルのギャラップ社が実施したある世論調査によると、第三神殿の礎石を築こうとする神殿の丘信徒グループの試みは、イスラエル人の三〇パーセントの支持を得ている[46]。

本気でハラムを撤去すればなにが起こるかはあきらかなだけに、この数字は高すぎるように思える。たぶん、実際の行動を求めているというよりも、最終的には神殿が建ってほしいという一般的な願望を反映しているのではないだろうか。

しかしイスラエルが誕生して以来、イスラーム教の聖堂がユダヤ教の礼拝に転用されてきたという現実がムスリムの不安を煽っている。たとえば、ナブリ・ルビンはイスラーム教の重要な廟のひとつで、そこでおこなわれる宗教行事には毎年多くの巡礼者が訪れていた。しかし一九四八年の戦争でパレスチナ人が追放されたあと、この場所は荒廃し、一九九一年に光塔（ミナレット）が取り壊された。そして、その場所はとくにユダヤ教と関連があったわけでもないのに、ユダヤ教の廟として再奉納された。[47] ほかにも、シェイフ・ガーリブの墓は、イスラエル軍によってサムソンの墓とされたが、一九六〇年代にダンの墓とされ、ユダヤ人の巡礼地となった。同様に、イスラエル北部の町ティベリアでは、ムハンマドの家系に連なるシット・サキナ（スカイナ）の奇跡の墓が、古代の高名なラビの妻ラケルの墓に変えられた[48]（ウマイヤ朝の貴婦人スカイナの墓は奇跡によってメディナからティベリアへ移転したとされる）。ヘブロンのイブラヒミ・モスクをはじめ（第五章参照）、ほかにも多くの場所が占拠されたり侵害されたりしている。エルサレム旧市街では、「ダビデの城塞」と呼ばれる要塞のなかにある歴史的なモスクが、イスラエル人の視点からエルサレムの歴史を語る博物館の一部となっている。その展示では、何世紀にもわたって受け継がれてきたアラブ文明はふれられていない。同じように、政府発行の広報誌でも、聖書とエルサレムのつながりを強調する一方で、イスラームの遺産についてはきわめて控えめに書かれている。旧市街の壁の向こう側では、パレスチナ人が住んでいた地域がユダヤ人地区となり、かつてのアラブ人の村はイスラエルの建造物の下に消えた。国会(クネセト)の議事堂、政府省庁、独立記念公園——どれもパレスチナ人から没収した土地に建ったものである。

エルサレムには濃厚な「場所の力」が感じられる。それは無数の記憶や意味の下に圧縮されている。キリストの墓があるとされる聖墳墓教会の小さな内陣で一緒になった、スマートな服装の中年の巡礼者がわたしの目を引きつける。ひざまずき、ビニールの買い物袋から何枚かの聖像の絵葉書を取りだすと、彼女は冷たい石板に頭を乗せてむせび泣きながら、絵葉書にこぼれ落ちる涙や埃の跡をぬぐい続ける。個人的な悲しみなのか、宗教的な情熱なのか、誰にもわからない。聖地を訪れるユダヤ人やキリスト教徒には、ときに強烈な宗教的妄想や常軌を逸した行動が見られることがあり、臨床精神科医はそれを「エルサレム症候群」と名付けた。城壁を通り抜けてパレスチナ人地区の東エルサレムの汚い街路に逃げこむと、ほっとする。そこでは、あちらこちらの仮設ガレージから漂うモーターオイルの匂いや圧縮空気の音が、香炉を揺らしながら祈るつぶやきの熱気にとってかわる。

宗教性を強要するような雰囲気のなかでは、神殿の丘の上や下、周辺でおこなわれる開発が大きな刺激となるのは当然だ。イスラエルの考古学者や政治家は、イスラーム教の宗教当局ワクフ(ワクフの原義は寄進財産の意)が最近おこなったハラム・アッシャリーフの地下掘削に激怒している。その一方、市周辺部におけるユダヤ人の掘削や発掘もユネスコから繰り返し非難されている。ワクフの管理下で、ヘロデ王時代の遺構が荒らされたり、おそらくは消されたりしているのはまちがいないようだ。ムスリム指導者は、しばしばユダヤ人の神殿が存在したという証拠はないと無意味な主張をする。その主張を既成事実にしたいのかもしれない。アル＝アクサー・モスクの地下に建設する収容人数最大二万人、非常口ふたつの巨大モスクをめぐる論争はおさまる気配がない。このモスクの一部には、十字軍が「ソロモンの厩舎」と呼んで馬を飼っていた、既存の地下室も改造して使われる。工事で出た土石を調査しているユダヤ人考古学者によれば、瓦礫に第一神殿時代の陶器の破片が含まれているという。アメリカ議会のキリスト教系右派議員は二〇〇一年、掘削を継続するならパレスチナ自治政府への資金提供をすべて中止すべきだとした。[49] また、二〇〇二年に西壁（ユダヤ人の嘆きの壁）の南側に膨らみが生じて崩壊の危険が生じたのも、この掘削工事が原因とされる。イスラエルの考古学者は現場への立ち入り調査を要求したが、ワクフはそれを遺構に対する支配権の主張がねらいだとして、拒絶した。イスラエルのあるグループはアリエル・シャロン首相（在任二〇〇一〜〇六年）に、神殿の丘の「異教徒アラブ人の存在」を消すために壁の崩壊を認めるよう求めた。[50] 二〇〇四年二月、イスラエル側とワクフ側が壁の修復をめぐって出口を見いだせないなか、わずかな崩落が起こり、たがいに相手の建築活動を非難した。崩落の原因は小規模な地震だった可能性もある。[51]

その一方、イスラエル人は嘆きの壁沿いに独自のトンネルを掘り、既存の通路や部屋を拡張したり、「高貴なる聖域」の近くに地下シナゴーグを設置したりと、いそがしい日々を送っている（目的は地下に埋もれている神殿の遺構調査とされ、現在は「西壁トンネル」として一般公開されている）。地中深くのトンネルを開通させるのは、地上にあるハラム・アッシャリーフのモスクの土台を弱めるのが真の目的ではないかとパレスチナ人は危惧し、何年にもわたって政治的な混乱の原因となってきた。結局、一九九六年九月の真夜中にエルサレム市長エフード・オルメルトみずからがハンマーを振るい、ようやく開通にこぎつけた。その事実は衝突を招き、パレスチナ側六八人、イスラエル側一五人の犠牲者を出すまでになった[52]。ユネスコの調査によれば、このイスラエルのトンネル工事が四つの歴史的イスラーム建築物（うち三つはマドラサ）の基礎に影響を与え、その安定性を脅かしていることが確認された[53]。また同報告書は、初期イスラーム王朝であるウマイヤ朝時代（六六一～七五〇年）の宮殿出土品に対するイスラエル側の扱いの悪さを批判した。「本日の［遺跡に関する］発表は……過去の時代の遺構を主題にするという名目により、この地域の主要な記念建造物であるウマイヤ朝の宮殿の存在をあきらかに矮小化している」。そして、イスラエル人作家アモス・エロンの次の言葉を引用している。「政治的な、ときには排外主義にさえ走るアプローチの背景には、深遠な心理的理由があるに違いない……愛国的な考古学には、フロイトの精神分析への信仰と同様に、治療効果がある。隠されて見えない自分の起源を――本当かどうかは別にして――再発見すると、人々は疑問や恐怖を克服し、若がえったように感じるのだ[54]」

市内のどの場所であれ、イスラーム教の重要な遺跡が出土しても、破壊されたり、新しい開発の下に埋もれてしまったりすることが多い。対照的に、古代ヘブライの遺物は破片であっても、愛情をこめて保存されているように見える。墓地も同じで、ユダヤ人の墓はすべて永久に神聖なものとされており、エルサレム周辺のユダヤ人埋葬地は開発から慎重に守られてきた。一九六七年の戦争でオリーブの丘（エルサレム東部の山でキリストが最後の祈りを捧げたゲッセマネの園がある）の支配権を取りもどしたイスラエル人が、何万ものユダヤ人の墓の八〇パーセントが冒涜されたり、道路や建築計画のために整地されたりしていることを知って激怒したのは当然である。しかしそれ以来、ムスリムの墓地はイスラエル人によって何度も整地され、再開発されている。

エルサレムは一〇〇〇年以上前からアラブ人の街だったが、取り壊しや、周辺の丘に城壁のように建てられたユダヤ人入植地のために、イスラエル政府が望むほどではないにしても、あきらかにユダヤ人が多数を占める街に変わった。現在、東エルサレムでパレスチナ人が占めているのは一三・五パーセントにすぎない。[55] キリスト教徒のコミュニティもだんだん減って、いまでは旧市街に住む信者はほとんどいない。キリスト教の各派は、何世紀にもわたって彼らの聖所の管理をめぐって争ってきた。そのため、聖墳墓教会内の小さな聖堂(エディクラ)――キリストの墓と伝えられる石墓が祀られている場所――の屋根が崩壊の危険にさらされたほどである。各派の対立が修復を妨げたからだ。この教会を共同管理するギリシア正教会、ローマ・カトリック教会、アルメニア使徒教会、エチオピア正教会、コプト正教会、シリア正教会の僧たちは、建物の異なる区域を受け持っており、ふだんからどの教派がどの段差、窓枠、柱を掃除するかについて、一日や一年の異なる時間帯に厳格なルールを設けているくらいで、修復計画の合意に達するまで数十年を要した。西壁の最近の出来事も、こうした茶番劇の様相を呈している。[56]

キリスト教団体の欠点もさることながら、イスラエルではキリスト教の建築遺産が積極的に保存されていない。たとえば、旧市街近くに中東最大級のビザンティン様式の修道院の遺跡がふたつ発見されたときも、新しい道路計画せいで埋め戻された。ヤッファ門の外で発見されたビザンティン様式の礼拝堂は、フレスコ画やモザイク画が完全な状態で残っていたにもかかわらず、駐車場建設のために撤去された。ユダヤ教過激派は歴史的な教会遺産も標的にしており、六世紀のモザイクの床にタールをかけたりしている。[57] 一方、西壁のいちばん奥で、上部の増築部分用の支柱を立てるために取り除かれた小片は、超正統派ユダヤ人が回収して骨壺に入れ、葬列を組んで嘆きの壁に埋葬した。キリスト教会はこのダブルスタンダードに抗議しているが、効果はない。

紀行作家ウィリアム・ダルリンプルは、中東のビザンティン帝国時代の遺跡をめぐった旅の記録『聖なる山から *From the Holy Mountain*』のなかで、この政策はリベラルなイスラエル人も批判していると指摘する（本章のエルサレムに関する資料の多くもそうである）。[58] ダルリンプルが引用したのは、一九九二年にイスラエルの考古学を「シオニスト運動の手中にある道具」と評したイスラエルの考古学者シュラミト・ギヴァの言葉だ。彼女は、考古学は「科学的な学問としての独立性を失い、イデオロギー運動の執行機関となり、新しい国家に〝根〟を与える民族主義的・政治的な道具となった」と述べている。建築、計画、保存についても同じことがいえる。これは歴史の改竄（かいざん）であり、証拠の隠滅、記憶の消去、より複雑で異質な過去を思いだす道標の抹消を意味する。[59]

消えつつあるのは、何世紀も居住者のいない「死んだ」建物だけではない。旧市街や東エルサレムのパレスチナ人地区の生活基盤は貧弱で、国や自治体の支出の優先順位から、アラブ人居住区への資金提供はほとんどおこなわれていない。一九六七年以降に市内とその周辺に建設された住宅のうち、約八八パーセントはユダヤ人専用となっている。[60] パレスチナ人の建物は必要な許可を得ずに建設されたという理由で取り壊されているが、そもそもイスラエル側は許可を出さないのだ。パレスチナ人は朽ち果てたインフラのなかで、ユダヤ人の二倍の人口密度で生活することを強いられている。[61] 数百戸の住宅のほか、旧市街の障害者のために設立された「市民ルカ協会」の建物も被害にあった。この建物は、一九九六年八月二七日の午前四時にブルドーザーで破壊されてしまった。「リベラル」とされる元エルサレム市長テディ（テオドール）・コレック（在任一九六五〜九三年）は、自分の差別的な政策を自慢していた。

［東エルサレムのために］わたしはなにをしたか？　なにもしていない！　歩道の整備？　なにもしていない。文化施設？　ひとつもない。そう、彼らのために下水道を整備し、水の供給を改善した。なぜだと思う？　彼らのため、彼らの福祉のためだと思いますか？　そんなことはどうでもいい！　そこではコレラが発生していて、ユダヤ人はそれに感染するのをおそれていたんだ。[62]

こうしたなか、ユダヤ人強硬派は旧市街の住宅やその他の建物を、武力を含め、合法的・非合法的な手段で接収してきた。彼らは、残存アラブ人居住区を征服するための先兵なのである。アリエル・シャロン首相の家もこの地にある。武装した軍隊や警察が通りを巡回し、入植者を守っている。ヨルダン川西岸地区と同様に、イスラエル人はエルサレムでも既成事実をつくりだそうと懸命だ。一方、パレスチナ人にとって、「アル＝クッズ」は彼らの民族的闘争、つまり征服への抵抗を象徴するものとなっている。宗教ライターのカレン・アームストロングはこう表現する。

「ユダヤ人は彼らのエルサレムを、アウシュヴィッツの灰のなかからよみがえる不死鳥のように考えている。パレスチナ人は、いまではユダヤ人入植地にかこまれてしまったこの都市を、苦境に立たされた自分たちのアイデンティティの象徴とみなしている[63]」

世界最大の「聖なる建築の集合体」であるエルサレムの歴史的構造は、今後も苦難の道を歩むことになるだろう。イスラームの過去という（イスラエル人の好みにあわない）記憶を軽んじるだけでなく、一部分しかない、新たな歴史をつくっていこうとしているのだから。なにが大切にされたり守られたりするか、なにが廃棄されたり破壊されたりするかは、エルサレムはユダヤ人の首都なのだと、それはダビデの時代から永遠に続く（そして統一された）都なのだという物語のなかで、どのように位置づけられるかによって決まる。歴史学者エリック・ホブズボームの説にならえば（第一章参照）、エルサレムの建築記録の操作は、建築を介した伝統の発明と見ることができるだろう。問題を大袈裟にしないことは重要だが（イスラエル人の爆弾魔が警備網を突破しないかぎり、岩のドームはおそらく安全だろう）、建築に表現されたエルサレムの多元性は評価されておらず、徐々にイスラエルの単一文化的な建築物語に変わっているのはまちがいない。このような傾向はイスラエルにかぎったことではなく、とくに新興国や、外国支配からようやく逃れた伝統を持つ国でよく見られる。そうした意味では、ギリシアやサウジアラビアのように、国内にあったオスマン帝国の遺産を破壊してきた国の責任は重い。イスラエルの場合は、もともと内部にあった建築物の存在意義が激しく衝突していることが違いといえるだろう。

しかし、すべての征服が領土的なものとはかぎらない。革命的な状況――つまり新しい秩序の形成と古い秩序の打破――は、つねに多くのものが壊され、多くのものが建てられる紛争の場となる。専制政治には巨大建築が付き物だが、それは「消す・新しくする・支配する」という願望のあらわれともいえる。こうした政権の建築は広く研究されているので、ここではふれないが、消耗品とみなされたもの、あきらかに破壊するために選ばれたものを見過ごしてはならない。なぜなら、そのかわりに建てられたものと同じくらい多くを語るからだ。ソヴィエト連邦の実権を握ったスターリンが、宗教、少数民族、およびそれらの建築遺産に対しておこなった攻撃がその好例である。

一九一七年にロシアで起きた一〇月革命直後、権力を掌握したボリシェヴィキのあいだでは、建築や建築遺産に関する意見が分かれた。極左派は、建築を含むブルジョア文化の過去の痕跡をすべて破壊し、労働者の利益（と思われるもの）を代表する団体「プロレトクリト」（プロレタリア文化の略称）の設立を望んだ。一方、党の（最終的に勝利をおさめる）右派は、ほかのヨーロッパの革命が失敗した経緯をふまえ、「一国社会主義」を構築する手段として、中央集権的で同質の「国家排外主義（ナショナル・ショービニズム）」を推し進めた。第三の立場は、もう少し洗練されており、それまでの文明の芸術的成果をわきまえた上に生まれた前衛（アヴァンギャルド）を支持するものだ。つまり、革命によって文化はブルジョアのものから人間のものになった、と位置づける。トロツキーは建築のイメージを用いてその考えを明確に示した。

ルネサンスがはじまるのは、それまでの文化に倦んでいた新しい社会階級が、ゴシック・アーチのくびきから抜けだそうと決意し、ゴシック芸術にいたるすべてのものを決別の対象となし、過去の技術をおのれの芸術的目的に使用する力を確信したときのみである。[64]

この路線は残念ながら、レーニンの死とスターリンの台頭によって終わりを迎える。しかしトロツキー自身の立場は、ボリシェヴィキの自由主義のようなものから来ているのではない（このような言葉の矛盾が許されるのであれば）。共産主義は、暴力、破壊、消滅といった旧社会の手法なしには導入できなかった。「革命は社会を救ったが、それはもっとも残酷な外科手術によるものだった」とトロツキーは書いている。[65]

スターリンが支配力を強め、一九二八年に第一次五カ年計画を開始するまで、モスクワ旧市街はほぼ無傷で残っていた。それ以前のボリシェヴィキ政権は、内戦で傷ついた主要建築物の修復に専門家を投入していたくらいである。しかし文化をめぐる対立と国の資源不足は、「社会主義の人間」を念頭においた都市再開発計画を少し遅らせただけだった。一九一七年以降、モスクワを庭園都市にするか、あるいは合理主義的なモダニズムのユートピアにするかについて、さまざまな再建計画が準備された。しかし、できあがったのは尊大なメトロポリス――その特徴は、一九二〇年代後半以降に登場した「英雄的社会主義リアリズム」を具現する権威的な巨大建築である。そしてそのあとには、質の悪い大量生産品の時代が到来する。一九三〇年代、ヨシフ・スターリンの自己賛美的な理想を実現するため、モスクワの大部分、周囲の近隣地域、教会、宮殿が破壊された。[66]

宗教に対するボリシェヴィキの敵意を考えれば、神聖な建築物めがけてスターリンの大鉄槌が下されたことは驚くにあたらない。革命直後、教会、シナゴーグ、モスク、修道院は閉鎖された。教会の多くは、世俗的な用途や無神論博物館（反教会）に転用され、白く塗り替えられ、付属品も取り除かれた。一九二〇年代後半から一九三〇年代にかけて、無数の建物がソヴィエト「帝国」内で取り壊された。モスクワの最大の損失は(建築的にもっともすぐれたものではないにしても)救世主ハリストス大聖堂である。三〇階建ての高さに相当するこの大聖堂は、四五年の歳月をかけて建設され、一八八三年にようやく成聖された。ドームの重さは一七六トン、鐘の重さは一四〇トン。内部の巨大な聖画壁には四二二キロの金が使われ、燦然とした輝きを放っていた。これは皇帝軍の武勲を称える社であると同時に、戦没者を慰霊する教会だった（ナポレオン戦争戦勝記念）。一九三一年、大聖堂を撤去して、やはり威容を誇るソヴィエト宮殿を建設することが発表された。設計では世界最大の規模であり、一九三〇年代のニューヨークの大高層ビル六棟をあわせた容積に匹敵する。建物の頂には高さ一〇〇メートルのレーニンが、長さ六メートルの人差し指を掲げて立つ像がそびえる予定だった。足の大きさは一四メートルにおよぶ。[67] ポーランド人ジャーナリストのリシャルド・カプシチンスキが旅行記『帝国――ロシア・辺境への旅』で指摘しているように、モスクワにはソヴィエト宮殿の建設に適した場所はたくさんあったが、「神の家」を「党の家」に置きかえるという象徴性が重要だったのである[68]（大聖堂の爆破解体後に着工したが結局完成しなかった）。赤の広場にある聖ワシリイ大聖堂は、モスクワの代名詞といえる建物だが、メーデーのパレードに向けた広場整備計画が出たとき、あやうく取り壊されるところだった。
　このような世俗主義的な聖像破壊（イコノクラズム）は、信仰のあり方をめぐる宗派内や宗派間の対立とは無関係であり、教会外部の勢力によって発生する。革命期のフランスや共和国時代のスペインで、往々にして旧秩序や保守主義、迷信の側にいた教会をめぐって起きた、反聖職者主義や教会破壊に通じるものといえるだろう。ロシアでは、推定二〇〇〇万から三〇〇〇万の聖像画が破壊され、燃料、まな板、鉱山の内張り、野菜用の箱などに使われた[69]。

　やがてスターリンは、党内の反対勢力や、ソヴィエト連邦を構成する共和国の分離独立派に対して、徹底的な粛清を開始する。それにともない、旧秩序の建築に対する苛烈な征服運動も頂点に達した。ソヴィエト連邦の端にいるクリミア・タタール人、チェチェン人、イングーシ人は、汎スラヴ主義の潜在的な敵とみなされ、有無をいわさず荒涼とした東部へ移住させられた。無人となった家や記念建造物が壊されたのはいうまでもない。農業の集団化にくわえ、都市部の労働者階級（プロレタリアート）の確立とその食料調達のために農民を犠牲にしたせいで飢饉が発生し、一〇〇〇万人が死亡した。これはあきらかに人災だった。建築史を含め、新しい歴史の創造のために、ロシア化された「ソヴィエト共和国」にするために、民族文化、言語、歴史が消され、あるいはゆがめられた。

　こうした政策で深刻な被害を受けたのがウクライナである。ウクライナの農民は飢え、知識人は殺害され、都市は荒廃した。ウクライナ語の本の出版は禁止され、ロシア語を母語とする人々が何百万人もウクライナに移住した。ウクライナ教会とウクライナ民族主義の中心地だった美しいキエフでも、その記念碑が殺された。キエフの歴史的建造物は、世俗的なものも宗教的なものも含めて二五四以上が被害を受けた。そのなかには、一一世紀以降に建てられたウクライナ建築の宝もある。たとえば一二世紀の聖ミハイルの黄金ドーム修道院は一九三五年に、一七世紀のエピファニー教会は一九三四年に壊された。[70] ウクライナの民族主義的なシンボルのうち、コサック以前の中世に存在したキエフ公国（古代ロシア〔ルーシ〕で初めて設立された封建国家）の要素が濃く、汎スラヴの兄弟という概念に合致するものであれば保存されたが、聖ミハイルの建築様式は逸脱しすぎていたのである。積極的に残されるコサック文化もあったが、無力化された——勇猛果敢なコサック軍団は輸出にぴったりの陽気な舞踊団になった。[71] 一一世紀の聖ソフィア大聖堂は博物館となり、ペチェールシク地区にある生神女就寝大聖堂（聖母の永眠を記念する大聖堂）も博物館になったが、一九四一年に不可解な状況で爆破された。ソ連は奇襲攻撃をしかけてきたナチス・ドイツのしわざだと非難した（ナチスは彼らのイデオロギー達成のための行動で、スターリンの恐怖と破壊を永続させることになる）。一方のドイツは、破壊したのは撤退中のソ連軍だと非難した。

二〇世紀にはいってからスターリンとヒトラーによる新秩序に翻弄され、ウクライナの一万もの歴史的建造物が消えていった。ヒトラーがソ連で展開した「バルバロッサ作戦」は、ポーランド解体に負けず劣らず野蛮で苛烈だった。当然、この地域のユダヤ人とその文化も無事ではすまなかった。ドイツ側では当初、ウクライナの民族主義を共産主義の防波堤にすれば同じ目にあわせなくてもいいという提案もあったが、それが一蹴されるのに時間はかからず、スラヴ人は殺すか奴隷、その文化は根絶というナチスの人種論が既定路線になる。「キエフがその証拠だろう」

とリン・H・ニコラスは、第二次世界大戦中のナチスの美術品略奪についての名著『ヨーロッパの略奪』で述べている。

［一九四一年］九月一七日にキエフが陥落すると、博物館、科学研究所、図書館、教会、大学は接収され、搾取と略奪の対象になった。ソ連各地にある偉大な文化人の住居や博物館の毀損(きそん)はとくに念入りにおこなわれた。トルストイの屋敷と同様に、プーシキンの家も荒らされ……原稿はストーブで燃やされた……チェーホフ、リムスキー＝コルサコフ、チャイコフスキーの家博物館も同じ憂き目にあい、序曲『一八一二年』の作曲者は旧宅をオートバイの車庫に転用されるという格別の栄誉に浴した。(72)

終戦時、廃墟と化していたのはキエフだけではない。撤退するドイツ軍の焦土作戦により、レニングラードからクリミアにいたるまで荒廃した風景が延々とつらなった。ナチスが「劣等人種(ウンターメンシュ)」と呼んだユダヤ人とスラヴ人の文化は、いっさい容赦されなかった。スターリンとヒトラーのあいだで、一〇〇〇年の建築史が一〇年たらずで無駄になってしまったのである。

この規模の計画的な文化破壊が次に起きたのは、一九六五年後半に中国とその衛星地域に文化大革命の号令が出されたときだった。これはマルクス主義を装った個人崇拝がもたらしたものといえる。「建設の前に破壊を」という毛沢東の言葉が示すように、中国の革命的な変化は必然的に、それまでの文化の上に築かれるタイプのものではなかった。記念建造物への攻撃は、すでに革命成就後の近代化に向けた動きのなかで進んでいた。封建制に連なるものはすべて、新たなる農民のユートピアにはふさわしくないとされたのである。伝統的な北京の抹殺は一九五〇年代にはじまり、今日まで続いている。北京の建築では、革命前の人物を記念して市街地に設けられたやぐら門「牌楼（パイロウ）」が最初の犠牲になり、すべて撤去された。社会主義者のための大通りや行事会場をつくるために、無数の街区が除かれた。その後一二年の歳月をかけて、陰陽道の原理を用いて首都全体に敷設された北京城壁が取り壊された。[73]

大躍進（一九五八年から六〇年前半までの急進的な社会主義建設運動。無理と自然災害により大飢饉が発生した）による激動にもかかわらず、思うようにはかどらない進歩に、一九六〇年代前半の毛沢東は苛立っていた。汚職が横行し、地方レベルでは初期の資本主義が静かに復活している。「後退」に対して毛沢東は、まず知識人を標的にした。作家や芸術家は「修正主義に直結」する「有害なブルジョア思想をまき散らす者」と規定され、粛清がはじまった。[74] 富裕層の農民も標的になった。毛沢東の共産主義は西洋のマルクス主義と異なり、革命的な変動の原動力になるのは都市部の無産階級（プロレタリアート）よりも農民だという前提に立っていたから、富農の存在は侮辱にほかならなかったのである。毛沢東はふたたび大衆を動かすことを決意し、一九六五年秋に「プロレタリア文化大革命」が正式に発動した。つまり、「労働者階級の文化確立のための全面的な革命」という意味である。[75] 毛沢東は、若者や学生、これまで変化の恩恵を受けられなかった人々のあいだに混乱と反乱を起こす戦略をとった。青少年団「紅衛兵」が結成され、行動を開始した。彼らは教師や親をはじめ、あらゆる権威者を攻撃対象とし、「四旧（古い思想・文化・風俗・習慣）」に属するすべてのものに襲いかかった。チベットも悲惨な影響をこうむっている。歴史的建造物は格好の獲物だった——建物を壊せば目に見える成果がすぐに表れ、変化の満足にひたれる——自己批判の強要や再教育の結果よりもはるかにわかりやすい。それと同時に、紅衛兵は化粧や髪型、靴の流行などの文化的な指標に対しても、ブルジョアや個人主義を気取っていないかどうか目を光らせた。もっとも被害を受けたのは宗教建造物だが、数年のあいだに書物、絵画、廟、書道、寺院、博物館などが燃やされたり、荒らされたり、粉々にされたり、閉鎖されたりした。京劇などの歌劇は江青（毛沢東夫人）の指導のもと、八作の革命模範劇ばかりが繰り返し上演された。西洋の作曲家はあまりに退廃的であり、ソ連の作曲家はあまりに修正主義的であり、民族音楽はあまりに封建的である。「旧弊を打破し、革新を打ち立てよ！」が指令だった[76]。

紫禁城は難を逃れたが、北京にあった博物館や記念建造物の大半はそうではなかった。北京を代表するランドマークのひとつ、道教寺院の白雲観は兵営として使われ、城門は取り壊された。一三世紀建立の白塔寺は倉庫になり、天寧寺は一二世紀の仏塔は残ったものの、敷地内の寺院は壊された。すべての博物館は閉鎖され、そのほかの建物も破壊されないまでも、プロレタリア的な新しい用途に転用された。のちに亡命した紅衛兵のひとり、戴小艾（ダイ・シャオアイ）の回想録には、暴れまわる若い紅衛兵たちが民家も公共の建物もおかまいなしに物色し、伝統的なもの、迷信的なもの、たんに古いものなどを破壊していったことが記されている。

公園や寺院、墓地にある像や絵画などはたちどころに破壊された。計画があったわけではなく、たんに街路をうろつきまわって獲物を探すのだ。誰かが「どこそこの寺へ行くぞ」と叫べば、みんなでぞろぞろとそこへ向かう。ほかの連中がすでにはいりこんだあとで、灰が積もっているだけ、ペンキを塗られた仏像がころがっているだけのことがよくあった。少なくとも一日に一度は、大きな交差点まで仏像を運び、粉々に砕く儀式をする。通行人は足を止めてわれわれを見守る。なかには声援を送ってくれる人もいたが、ほとんどの人は頭を下げて急いで通り過ぎていった[77]……。

別の紅衛兵は、そのうちに古いものが見当たらなくなり、しまいには軒の出た家さえ封建の名残とみなして、「人民が過去を考えないようにする」ために標的にしたと述べている[78]。

ベルギーの中国学者シモン・レイは、著作『中国の影』にこうした破壊の結果を記している[79]。レイは一九七二年に中国各地を訪れ、そこで見つけた荒廃を記録した。「天に極楽浄土あり、地に蘇州と杭州あり」ということわざになるほど優美と繁栄を誇った都市杭州が、この災厄の好例だろう[80]。この由緒ある古都は、すでに一九世紀に外国人の侵略によって損傷を受けており、残ったものが文化大革命で破壊されたのである。建築被害は惨憺たるものだった。一〇世紀の仏教洞窟の彫刻はハンマーで叩き壊され、大仏寺は無残な姿になった。彷膳寺（音訳）は跡形もなく消え去り、新たに建てられた展示場はまるで公衆トイレのようだった。ほかの寺院も彫刻や装飾を失った。しかし霊隠寺の破壊計画は阻止され、僧侶たちは散り散りになったものの寺は守られた。高さ六〇メートルの六和塔（りくわとう）は一〇〇〇年の歴史があり、街のシンボルでもあったが、やはり封建的だと非難され、取り壊し手続きの煩雑さのせいでようやく救われている[81]。

このような破壊行為は、純粋に社会の再生という目標を追求しているのではなく、プロパガンダ行為（スケープゴートとしての建築）や恐怖を醸成するために考案されたものだった。レイが書いているように、「毛沢東主義者の破壊行為がこれほどまでに悪臭を放ち、これほどまでに哀れなのは、古代文明を修復不可能なまでに傷つけているからではなく、それを真の革命的課題に取り組んでいない自分たちの煙幕にしているからである[82]」。

はっきりした境界線や敵がいない（つまり内戦状態ではない）とき、唯一あきらかな敵は美だったのかもしれない。文化大革命は、美学と、すぐれた才能を持つ個人の創造性に対する戦争だった。文化大革命はピュロスの勝利――あまりに犠牲が多く、征服されたのは石だけである。

毛沢東主義の聖像破壊（イコノクラズム）路線は、中国とチベット以外にもおよんだ。都市と農村、都市労働者と農民に対する毛沢東の態度は、現実の政治や安全保障上の要求に応じて大きく揺れ動いたが、都市化された知識人や制御不能な都市に対する疑念はつねにくすぶっており、東南アジアの大部分に広がっていった。中国の文化大革命の嵐は一九七〇年代前半に沈静化していくが（公式な「勝利」宣言は一九六九年）、カンボジアではポル・ポトとクメール・ルージュ（「赤いクメール」「カンボジア人」の意で反政府勢力の総称。通常は共産党勢力主流のポル・ポト派をさす）のもとで、激烈な反都市主義が生まれた。一九七五年に国を支配した彼らが最初におこなったのは、プノンペンをはじめとする都市部の住民を強制的に農村部へ移住させることだった。医師や看護師は、手術の途中で銃を突きつけられ、病院から追いだされた。国立カルメット病院の新生児室のスタッフも、持ち場を離れれば赤ん坊は餓死するしかないのに退去させられた[83]。都市に住む人々、教育を受けた人々、あらゆる形態の現代文化、とりわけ宗教に対する政権の激しい敵意は、すぐにジェノサイドへと発展した。カンボジア人口八〇〇万人のうち、一七〇万人から二〇〇万人が処刑や強制労働で命を落としたといわれる[84]。教師、医師、弁護士、官僚など――基礎教育以上の学歴を持つ者すべて――は、ベトナムの影響力の強い東部地域の少数民族などと一緒に殺された。また、イスラーム教徒のチャム人や仏教徒の僧侶などの宗教グループも数万人単位で殺害された[85]。

人間の破壊とともに、建築も破壊された。都市はたいてい荒れるにまかせていたが、宗教建造物は組織的に破壊されたり、新たな農地に転用されたりした。プノンペンでは、大聖堂と国立銀行が破壊され、国立博物館と国立図書館は荒らされたのちに放置された[86]。その目的は、新たな社会を創造する農民「ベースピープル」の新秩序をつくるためである。ポル・ポトは、「帝国主義者、植民地主義者、その他すべての抑圧者階級の文化、文学、芸術の残滓を破壊し、根絶し、分散させる。これは力強く、徹底的に、継続的に実行されるであろう」という目標を掲げた[87]。クメール・ルージュの指導者たちは、かつてフランス共産党の伝統に基づく教育を受けた。そしてスターリン主義に毛沢東思想をふんだんに取り入れた独自の路線をつくった。両方の最悪の部分をよりあわせたといってもいい。クメール・ルージュは、労働価値のみに意義があるとした。都市は農村に寄生し、彼らの後背地から剰余価値を搾取しているのだと彼らは考えた[88]。

こうした社会に建築家や建築の存在する場所はなかった。しかし、重要な例外があった。アンコール・ワットをはじめとする古代クメール文明の寺院遺跡群である。この遺跡群は国民を政権につなぎとめるための民族的象徴として活用できるうえ、破壊対象の現代文明とは時間的に異なっていたからだ。「アンコール・ワットを建設した人々に不可能はなかったにちがいない」とポル・ポトは述べている(89)。とはいえ、遺跡から何トンもの彫像を略奪して海外に売り、後世の文明の抹殺資金にするクメール・ルージュの活動がやむことはなかった。しかもポル・ポトの好みどおり、アンコール遺跡はすでに廃墟であり、都市化とは無縁の存在で、長い年月のあいだに密林と同化していたのである。クメール・ルージュは、プノンペン市街の中心部にヤシの木を植えたといわれているが、人間の営みを征服する自然の力を発揮させたかったのだろうか。ポル・ポトは都市の建造物の破壊というより、その住民を飢えさせることで「都市殺し（アービサイド）」を試みた(90)。

「アービサイド」――都市殺しまたは都市環境破壊――は、ボスニア紛争中にセルビアを脱出した建築家で元ベオグラード市長のボグダン・ボグダノヴィチが提唱した、最近の概念である(91)（ボグダノヴィチはセルビア政府反対派だった）。ヴコヴァル、サラエヴォ、モスタルといった都市は「殺された」と彼はいう。コスモポリタンで、多元的で、民族が混ざりあい、リベラルなこれらの都市は、領土征服と人種純化のイデオロギーを強要する過激なナショナリストには忌むべき存在だった。ボグダノヴィチによれば、アービサイドとは、都市の人間的で不活性な構造を意図的に攻撃することであり、その目的は都市――文化が生まれ、共有され、交流がはじまる場所そのもの――が具現する市民的価値の破壊にほかならない。ボグダノヴィチはまた、ドゥブロヴニクへの攻撃もアービサイドだとする。襲撃者はクライナ地方（クロアチアのセルビア人居住区）とモンテネグロの僻地出身者だった。爆撃は、「な

7146
# なぜ人類は戦争で文化破壊を繰り返すのか

愛読者カード　ロバート・ベヴァン 著

＊より良い出版の参考のために、以下のアンケートにご協力をお願いします。＊但し、今後あなたの個人情報(住所・氏名・電話・メールなど)を使って、原書房のご案内などを送って欲しくないという方は、右の□に×印を付けてください。□

フリガナ
**お名前**　　男・女（　　歳）

**ご住所**　〒　－

市　町
郡　村
TEL　（　）
e-mail　@

**ご職業**　1会社員　2自営業　3公務員　4教育関係
5学生　6主婦　7その他（　）

**お買い求めのポイント**
1テーマに興味があった　2内容がおもしろそうだった
3タイトル　4表紙デザイン　5著者　6帯の文句
7広告を見て（新聞名・雑誌名　）
8書評を読んで（新聞名・雑誌名　）
9その他（　）

**お好きな本のジャンル**
1ミステリー・エンターテインメント
2その他の小説・エッセイ　3ノンフィクション
4人文・歴史　その他（5天声人語　6軍事　7　）

**ご購読新聞雑誌**

本書への感想、また読んでみたい作家、テーマなどございましたらお聞かせください。

郵便はがき

料金受取人払郵便

新宿局承認

6848

差出有効期限
2023年9月
30日まで

切手をはら
ずにお出し
下さい

160-8791

343

(受取人)
東京都新宿区
新宿一−二五−一三

原書房
読者係 行

1608791343 7

## 図書注文書（当社刊行物のご注文にご利用下さい）

| 書名 | 本体価格 | 申込数 |
|---|---|---|
| | | 部 |
| | | 部 |
| | | 部 |

お名前　　　　注文日　　年　　月　　日

ご連絡先電話番号　□自宅　（　　　）
（必ずご記入ください）　□勤務先　（　　　）

ご指定書店（地区　　　）（お買つけの書店名をご記入下さい）　帳合

書店名　　　書店（　　　店）

みはずれた美しさ、象徴ともいえる対象を意図的にねらった。それは美女の顔に酸を浴びせ、かわりに美しい顔をやろうと約束する狂人の攻撃だった[92]」。こうした攻撃は原始的な憎悪からくる、とボグダノヴィチはいう。「野蛮人は、自分よりも前から存在するものがありうるということを理解しきれない。原因と結果に対する理解の程度は、原始的で、硬直的で……都会のものすべて、そう、都会のものすべてに対する抜きがたい憎悪がある」。彼の意見には、ドゥブロヴニクの作家たちとよく似たところがあるが（第三章参照）、非難の鉾先は不実な東洋人ではなく、農民の無知と不信に向けられている。それはまた、地方での戦闘に追われ、難民として市内に流れこんできたクロアチア人農民の猛々しい振る舞いに対して、モスタル市民が抱いた恐怖でもあった[93]。文明人を攻撃する未開人――門前の野蛮人――という概念は、古くから西洋人に根づいている。それは遊牧民の大群に直面した定住民の恐怖であり、秩序と異質性に慣れた都市居住者が、無秩序で狭量な部族主義に感じる恐怖である。

サラエヴォのモスク、カトリック教会、正教会の共存は、セルビア人勢力が敵対したすべてを石で具現していた。モスタルの異民族間の結婚や平等主義は、この古都からイスラーム教徒とその建築遺産の一掃をねらったクロアチア過激派には、やはり受け入れられないものだった。モスタルの橋は、ノーベル文学賞受賞者イヴォ・アンドリッチのボスニア小説『ドリナの橋[94]』に登場するヴィシェグラードの橋のように、自分のコミュニティを超えてつながろうとする意志の象徴だった。モスタルの橋はなくならなければならなかった。

しかし「アービサイド」の場合、主要なコミュニティの建物を無作為に攻撃するだけでは成立

ルーカス・ファン・レイデン作とされる『ロトと娘たち』(1520年)。この絵のように、近親相姦を暗示するソドムの滅亡は画家が好んで描く主題だった。悪徳の都の破壊と都市への疑念は、ヴェーダ、コーラン、古典、聖書のいずれにも登場する。今日の「都市殺し(アービサイド)」——国際性と多文化への攻撃——の概念は、ドゥブロヴニクやサラエヴォのような都市に対する暴力に使われる。

しない。多種多様な人々がつどって共有する空間を持つ建物群を標的にする必要がある。[95] 異質性をはぐくむ建築条件が、民族国家的もしくはイデオロギー的同質性を脅かすおそれがあるなら、それは破壊されなければならない。また、多様性を認め、アイデアの交換を可能とする都市空間は、権威を一律に押しつけることはできないこと——つまり権力は絶対的になりえないことを示す。寛容と自由の場所としての都市は、その反対者にしてみれば、危険なほど制御しがたく、本能的に権威に反発し、つねに新しく多様な方法で変化と進化を遂げていく。だからこそ都市は「罪の都市」になる。たとえば、バビロン。ソドムとゴモラの街は同性愛にふけったため(修正主義者はもてなしに失敗した罪というかもしれない)、神の怒りを招いて滅ぼされたとされる。コーランやヴェーダも、都市は悪徳を助長しやすいと警鐘を鳴らす。古代における都市の破壊は、ときに市民の怠慢のせいにされた。神々がじゅうぶんになだめられていなかったか、あるいはローマ帝国のように——『ローマ帝国衰亡史』を著したギボンには申しわけないが——市民がわが身の転覆に抵抗するには懶惰(らんだ)にすぎたかである。

二一世紀初頭、アフガニスタンとパキスタンの国境地帯で生まれた組織タリバンが、退廃的で罪深い都市を打倒した。その行為はいま、ゴート人、ヴァンダル人、モンゴル人、フン人らの歴史とならんで、未開と野蛮の殿堂にくわわっている。バーミヤンの仏像破壊は、タリバンの文化政策の最悪の局面だった。高さ九〇メートルの石窟に刻まれた、約四〇メートルと五五メートルの二体の仏像は二〇〇一年三月に爆破された。少なくとも一五〇〇年前から存在する石仏の破壊に際して、タリバンは事前に声明を出した。世界中に保存を求める声がわきあがり、イスラーム聖職者からも多くの批判が寄せられたにもかかわらず、実行された。ハディースの偶像崇拝禁止に対するタリバンの解釈に、宗教指導者全員が賛同しているわけではない。タリバンの偶像崇拝撲滅作戦の結果、アフガニスタン全土で無数の彫像や絵画が壊された。カーブル博物館の所蔵品はほとんど残っていない。具象作品がもっとも被害を受けたのはいうまでもないだろう。彫像や陶器はハンマーや斧で壊された。絵画のなかには、アフガニスタン人画家の機転によって救われたものもある。水で洗い流せるウォッシャブル・ペイントを用い、女性や子供が描かれている部分を茂みや木立に変えたのだ。タリバン政権崩壊後、絵の具を水で落として絵をもとに戻すようすが公開された。[96]

バーミヤンの仏像爆破はここに埋蔵されていた仏教経典も関係しているだろうが（詳細については本書の趣旨と離れるのでここではふれない）、民族浄化と征服も大きくかかわっていた。この渓谷を居住地域とする少数民族ハザラ人は、シーア派イスラーム教徒でタリバン（スンニ派）と敵対していたうえ、大仏を自分たちの地域の誇りとして護ってきた。ハザラ人は大仏のひとつを「ソルソル（来る年も来る年も）」と呼び、永続性と継続性の象徴とした。[97] つまり、仏像はたんに宗教的偏見だけではなく、征服のための政治と軍事の犠牲になったのである。タリバンはバーミヤン地方を組織的に破壊した。仏像破壊の二年前には、バーミヤンの町の大半を建物ごとに潰していった。何千人ものハザラ人が、殺されたり、仏像の周囲にある古代の僧房窟に逃げこんだりした。バーミヤン州北西部ヤウカランの町や村々も焼きはらわれた。[98] 銃で脅され、ロープをつたって下りながら石窟周囲に爆弾を仕掛けさせられたのは、一三人のハザラ人男性だった。

タリバンのオマル師は、仏像の将来については明言を避けていた。一九九九年の時点では、仏像は古代の貴重な記念建造物であると述べており、仏像を崇拝する仏教徒がいないという理由で、偶像崇拝に対するタリバンの作戦から除外している。ところが二〇〇一年にその方針を撤回し、「仏像は異教徒の社（やしろ）」だと非難した。[99] その背景には、アル＝カーイダを中心とする外国軍事勢力から仏像破壊を求める強力な働きかけがあったらしい。また、サウジアラビアのワッハーブ派聖職者も、イスラーム管理下の物質文化財を普遍的な（すなわち西洋式の）美術史概念に組みこませるなというファトワ（宗教令）を出してそれを支持したとされる。[100] ここでは、政治と宗教を分離するのはむずかしい。歴史的に、イスラーム圏で突発的な偶像破壊が起こる場合、像が表現する擬人化概念を問題にすることが多い。そのため、インドに初期イスラーム勢力が進出した頃、具象的な芸術作品の斬首、汚損、鞭打ち、辱めなどがおこなわれたのである。一方、タリバンのスポークスマンは、インドの古都アヨーディヤで起きたバーブリー・モスク破壊事件への対応がいちじるしく遅れたのが仏像破壊につながった、と自分たちの行為を正当化している。[101] また、仏像破壊はビン・ラーディンの九・一一攻撃の前哨戦だとする意見もある。[102]

コスモポリタンの概念は、異文化の文物と——たとえそれがどれほど古いものであっても——仲良く暮らしていくということだ。しかしそうした姿勢は、タリバン（そしておそらくアル＝カーイダ）にとっては、バーミヤンでも、かつては多宗教の麗しい都だったカーブルでも、容認できるものではなかった。作家のフィリップ・ヘンシャーは、「都市殺し（アービサイド）」の概念を提唱したボグダノヴィチと同じく、タリバンの行為はパシュトゥーン語を話す彼ら「丘に住む狂信者の悪意」だ

バーミヤン仏像2体のうち、大きいほうの仏像。高さ55メートルは世界最大の大仏であり、少なくとも1500年の歴史があったが、2001年3月にタリバンによって爆破された（アル＝カーイダの使嗾があったと思われる）。仏像破壊は偶像崇拝禁止の教義だけでなく、タリバン支配に抵抗するハザラ人の民族浄化や、地域のシンボル破壊も目的だった。囚われたハザラ人がロープをつたって仏像に爆弾を仕掛けさせられた。

と述べた[103]。カーブルもサラエヴォ同様、アービサイドの犠牲になった。ボグダノヴィチによれば、一九世紀のセルビア人言語学者ヴーク・カラジッチは、セルビア人の精神は国際的で混沌とした都市以外の場所に根ざしているという見解を示した[104]。こうした考えはハイデッガーの哲学に通じる――国の伝統をはぐくむためには、都市ではなく生まれ育った地に足をつけることが重要だ、とする考えだ[105]。この思想は、ナチスのイデオロギー「民族の血と土」にやすやすと取りこまれた。また、ベルリンの跡地に壮大な新都ゲルマニアを建設するというヒトラーの野望の裏表でもある（ユダヤ人地区は、この暗黒のユートピア計画のためにまっさきに整地された場所のひとつだった）。ゲルマン民族の牧歌的な田園風景のイメージは、ナチスのプロパガンダに繰り返し登場する。コスモポリタニズムは、都市であれ田園であれ、ナチスの計画に出

番はなかった。

帝国や専制君主は、つねに広大で記念碑的な再建計画に惹かれる。その規模は自分の巨大な野心を満足させると同時に、強大な力を見せつけて大衆を畏怖させるパレード会場や広場をそなえていなければならない。また、オスマン男爵はパリ改造にあたって旧市街の大半を取り壊したが、そこには美化と経済再生という目的のほか、大通りの監視と軍事的管理にも重点がおかれていたとされる。それは今日の北京にもあてはまるだろう。胡同（フートン）という、両側に伝統的な民家（中庭をかこんで四棟が建つ）が建ちならぶ狭い路地は着実に消えつつある。著名な建築家の梁思成（りょうしせい）は、新北京は歴史ある聖都に隣接して建設されるべきだと主張したが、その案は毛沢東に採用されなかった。新都建設と同じくらい過去の抹消が重要だったからである。社会主義者とその都市、あるいはファシストとその都市をつくりたいという願望は、「まず破壊、それからのちの再建」という暴力的なプロセスで変化を望む気持ちを内包している。

近代建築の巨匠ル・コルビュジエは、新しい都市を介して新しい社会を構築する――彼の言葉を借りれば「ストリートを殺す」――というモダニズムのヴィジョンを持っていたが、その思想は人間の顔をした都市殺しというより、一般にはむしろ進歩的ととらえられている。一九二三年に著した『建築へ』の最後の一節「建築か、革命か。革命は避けることができる」[106]はよく引用される。つまり彼は、社会不安の原因は都市構造にある、としているのだ。ル・コルビュジエは市民参加型の行動のかわりに、技術者によるトップダウン方式の破壊と再建を提唱していた。純粋に建築の理想を追っていたとはいえ、ル・コルビュジエの考えには革命的というよりも、本質的には保守的な部分があり、戦後の共産圏の東欧でも、西側の民主国家でも積極的に取り入れられた。建築の改造はけっしてユートピアの近道ではないのに、その試みは止まらない[107]。戦後、資本主義の西側諸国では、モダニズムによる都市計画の失敗例をよく目にするが、鉄のカーテンの後ろの全体主義国家のあいだでは、建築環境の再開発に中央集権的な力がふるわれ、過激な思想を目に見える形にしようと、大規模な計画が暴力的に進んでいった。

チャウシェスク大統領時代（在任一九七四～八九年）のルーマニアでは、都市部でも地方でも、この国の伝統的な建築遺産が計画的に破壊された。その規模の大きさは近年では類を見ない。一九六〇年代も近代化の号令のもと、旧市街がいたずらに再建されたこともあったが、一九七〇年代なかばまでのルーマニアには、比較的洗練された建築物保存システムがあった。チャウシェスクは農業中心の経済の近代化と産業化をめざす一方、国の豊かな建築の伝統を守るという方針も立てており、バランスが保たれていた。しかし独裁者が、ルーマニアの歴史の痕跡をほぼすべて消し去って、過去と完全に決別した新工業システム社会をつくろうと決意したとき、すべては変わった。一九七四年に「都市および農村体系化法」が制定され、国内の町や村を徹底破壊するための法的枠組みが整った。一九七七年三月にブカレストを中心に大きな被害をもたらした地震は、この計画を本格的に進めるきっかけとなった。その年の一一月には政府の歴史的建造物管理局が閉鎖され、建築家やエンジニア、職人たちが解散させられた。ブルドーザーの出番となったため、彼らは必要なくなったのである。

一九八九年末にチャウシェスク政権が崩壊するまで、建築の殲滅は続いた。ブカレストの歴史地区の四分の一がほぼ完全に破壊され、さらに二九の古都がわずかな記念建造物を残してつくりかえられた。少なくとも三九の町が破壊と再開発の最中だった。歴史的建造物の九割もが撤去のリストにあがっていた。一方、村の整理もはじまっていた。一万三一二三の村のうち、取り壊しの対象になった村は七、八〇〇〇にものぼる。ルーマニアの町や村の特徴は何世紀も前から、菜園のある農家だったが、それを廃して五〇〇か所の農産業センターを設置し、買い物やサービス業の地区を中心に定形の住宅用アパート群を建設することになった。この農村計画でいくと、一一〇〇万の農民が家ではなくアパートに移ることになる。すべての計画が実施されていた場合、今日、一九〇〇年以前の建物はルーマニア全土に一万七六〇〇棟しか残っていなかったと計算されている。[108]

このような破壊、このような征服の衝動をうながしたものはなんだったのか？　これは、都市へのおそれから来る都市殺し（アービサイド）ではない——むしろ、国土全体をほぼ都市化する予定だったのだから——また、ソ連を手本とした単純な集団農場化でもない。大勢の作家がチャウシェスクの精神の分析を試みている。ドイナ・ペトレスクはフロイトの『防衛——神経精神病』をもとに、「現実を否定し、それを置換しようとする」衝動だと述べている。[109]ペトレスクによれば、ブカレストを平らにして、歴史的な町並みのかわりにチャウシェスクのおそるべき「ウェディングケーキ」のような「国民の館」を建てたのは——そのためにどれほどの歴史地区が壊されたことか——「抑圧的な現実を否定して〝驚異〟に置き換える」試みだったという。この巨大でキッチュな新古典

19世紀のミノヴィチ科学捜査研究所はブカレストの歴史地区に建っていたが、チャウシェスクによる全国規模の歴史的建造物破壊計画によって壊された。無数の教会、邸宅、歴史的建造物、町や村全体が取り壊され、再開発された。

研究所は1985年8月に解体された——上の写真に写っている正面の建物はすでにない。9月には礼拝堂と後ろの建物が消えた。建築としての重要性はあまりないものだったが、この研究所も政権によって順番に消されていった良質な建築の典型例である。

ブカレストのヴァカレシュティ修道院（1716～22年）は、「18世紀ルーマニア建築の最高傑作」とされていた。歴史的建造物管理局による修復作業は1977年に終わったが、管理局はその年に解散になった。この写真は、1984年12月にはじまった解体作業のまもない頃のもの。

様式の建物は、延べ床面積三三万平方メートルにおよび、三・五キロの記念碑的な大通りがそこまで延びている。建物としては、ペンタゴンに次いで世界第二の大きさだ。

もっと端的にいえば、ルーマニアの建築遺産（大量生産時代以前の多様性、豊かさ、特異性のすべてをそなえた建物）を打ち負かすことは、個人主義的な農民の過去、宗教的信念、民族的遺産などを排除した「新しいルーマニア人労働者」を誕生させたいという願望だった。ルーマニアの共産主義は、国家を均質化する試みを特徴とする。そのためには、工業化された都市のプロレタリアートを創造し、

ヴァカレシュティ修道院の西側正面。3つの塔はすでにない。中心となる教会、礼拝堂、公邸、回廊のある修道院はいずれも歴史的建造物に指定されていたが、約3年のあいだにすべて壊された。瓦礫の一部は、20キロ離れたモゴショアヤ宮殿の中庭に捨てられた。

強力な地域的要素（ドイツ人、ハンガリー人、ユダヤ人、ロマ、ギリシア人、セルビア人、ウクライナ人）を抑圧しなければならなかった。個人主義や多様な文化遺産は受け入れられず、それらを証明する建築も認められなかった。それはスターリンも理解していたことだったろう。

「国民の館」は、一六世紀末のミハイ・ヴォダ修道院の跡地に建っている。ウラヌス地区にあった修道院関連の建物と丘は、建築スペースを得るために一掃され、平らにされた。修道院の教会は助かったものの、新しい団地にうまく隠れるような場所に移転させられた。この教会が保存されたのは、ミハイ勇敢公が建設したものだったからだろう。チャウシェスクは、一六〇〇年にルーマニアの主要地域（モルドバ、ワラキア、ハンガリー人支配下のトランシルヴァニア）を一時的に支配した勇敢公が好きだった。[110] ブカレストには、ほかにも由緒ある教会、宮殿、公共の建物、個人住宅など、記念建造物に指定されているものが多数あったが、チャウシェスクの熱狂からは逃れられなかった。おもな被害のなかには「一八世紀ルーマニア建築の最高傑作」とうたわれたヴァカレシュティ修道院（一七一六～二二年）もあり、取り壊しには約三年を要した。[111] 美術史家たちは、いっせいに破壊に抗議する手紙を送った。ある手紙は、「いかなる国家もその創造性によって存在が認められる。国家の創造性をひとつ、またひとつと抑圧していけば、国家のアイデンティティそのものがしだいに失われていくだろう」と述べた。[112] この訴えは無視された。地方の町や村には何世紀も前の伝統建築があり、さまざまな様式や都市の形態を雄弁に物語っていたが、ルーマニアの民族多様性は消え去り、ローマ時代のダキア属州（トランシルヴァニアなど）に起源を持つ国家に変更されてしまった。

それはある種の文化大革命だった。さまざまな集団の記憶を消して、国家の概念を再定義し、地上に現出させた新建築によって新たな統一集団の記憶をつむいでいこうとしたのである。慣れ親しみ、大切にしてきた物理的環境が見る影もなく変わっていく様子は、心をくじき、国家権力に対する恐怖心を植えつけ、人々を「無力な観客」に変えていったに違いない。[113] 生産ラインからは、均一なルーマニア人労働者が出てくることになっていた——体系化され、標準化され、恐怖にさらされた者、管理され、排除され、征服された者が。

# 第五章　壁と隣人　分断の破滅的帰結

ぼくは垣をつくる前に、
自分がなにをかこおうとしているのか、なにを締めだそうとしているのか、
そして誰に嫌がらせをしようとしているのか、知りたいんですよ。
垣を好いていないものがいて……
——ロバート・フロスト「石垣の修理」

二〇〇二年に北アイルランドの西ベルファストを再訪したとき、その夏の街路にいつも以上の旗があふれている光景がいやでも目に飛びこんできた。民族主義の三色旗だけでなく、何百ものパレスチナ旗が街灯や建物に掲げられ、煙突からも顔をのぞかせている。ほどなくしてロイヤリスト地区に差しかかると、ダビデの星をあしらった青と白のイスラエル国旗がレンガ造りのテラスを飾っていた。

ベルファストでは戦闘的な図像（イコノグラフィー）が昔から好まれており、旗から壁画、ペイントされた縁石まで、街の景色の特徴となっている。それは分断されたコミュニティの境界を示すだけでなく、さ

まざまな意見を発信する。[1] わたしが聞いたところによると、ベルファストのリパブリカン（強硬なアイルランド共和国帰属派）はパレスチナ解放闘争と自分たちを重ねあわせることで、占領地と州における類似性――分断、軍事占領、強力な隣人への抵抗――を示しているのだという。一方、ロイヤリスト（強硬なイギリス帰属派）のほうは、ただそれに反応しただけかもしれないが、共和国派の活動をテロリズムと同一視し、シオニストの象徴を用いて自国の分裂の危険を訴えていたのはまちがいない。

ベルファストにパレスチナ支持の旗がひるがえるようになったのは、イスラエル国防軍（ＩＤＦ）が自爆テロリストを追ってヨルダン川西岸地区に侵攻し、壊滅的な被害をもたらした直後のことである。この侵攻により、一九九五年のオスロ合意Ⅱ（パレスチナ自治拡大協定）によって誕生したパレスチナ暫定自治は、事実上の終焉を迎えた。ベルファストもエルサレムと同様、過去一世紀――とくに過去三〇年間の「衝突」によって、ますます分断された都市となっている。住宅への攻撃、脅迫、暴力により、カトリックとプロテスタントが混在する地域は、いまや都心部ではほとんど存在しない。イスラエルの占領地では、二〇〇〇年からはじまったアル＝アクサー・インティファーダ（第二次インティファーダ）下で、ユダヤ人入植地の建設と、パレスチナ人の住宅やインフラ、遺産の破壊が激化した。なぜなら、和平構築の動きは領土問題や隔離と密接に関連しているからである。イスラエル右派は、一九六七年の六日戦争で占領した東エルサレムと旧市街、ヨルダン領ヨルダン川西岸地区（当時）の土地の争奪戦に終止符が打たれるのを望んでいなかった。パレスチナ自治政府が得た脆弱なモザイクは、事実上終わりを迎えた。ナブルス、ヘブロン、ラマラ、ベツレヘムは壊滅した。
隔壁は建築環境にも大きな影響を与える。強制的な分断、境界、分離には、イスラエル人がいうように物理的な「地上の事実」をつくることのほか、それぞれのコミュニティがぶつかるところに壁やフェンス、空間で境界線を示すという、ふたつの意味がある。かつてベルリンには長さ一五五キロの「対ファシズム防壁」が、ベルファストには「平和の壁」（現在、同市の社会地理学者はインターフェイス・ゾーンと呼んでいる）があり、イスラエルは最近「継ぎ目地帯（シーム・ゾーン）」の建設に着手した。この分離の政治的動機とそれを強化する軍事作戦の対象は、相手方の軍事組織というより、境界をはさんで居住する人々だ。最初に犠牲となる建築物は、ほとんどの場合、住宅である。ごく一般的な放火や爆弾攻撃から、装甲したブルドーザーやアパッチ・ヘリコプター……さらには計画規制や建築許可という行政手段を用いて取り壊しをおこなう。しかし、象徴的な建造物が分断や差別を助長する場合もある。たとえばエルサレムの岩のドーム。また、インド北部アヨーディヤのバーブリー・モスク。一九九二年に起きたこのモスクの破壊は、イギリス領インド帝国を乱暴にインドとパキスタンに分割してから約五〇年たった今日まで、ヒンドゥー教徒とイスラーム教徒の緊張関係を解消できなかったことの証といえる。

ベルリンのユニークさは、「マウアー」（ドイツ語ではたんなる「壁」ではなく「障壁」を意味する）そのものが都市の分断のみならず、コンクリートと有刺鉄線の延長線上でにらみあう、世界の二大イデオロギーの象徴となったことだろう。壁の建設とその破壊の過程は、政治の物理性を非常によくあらわしている。西ベルリンは包囲されていたのか、それともくさびだったのか？

対照的に、三〇年間にわたって頑強な壁で分断されていたニコシアは、最近のトルコとキプロスのEU加盟申請まで、ほとんど注目されてこなかった。その間、分断された島の建築遺産を破壊する文化浄化がたびたび起きていた。

境界線の問題が関係している場合、建築物の解体は再建と無縁ではなく、境界に隣接している地域ほどその傾向が強い。競合しているところでは、ふたつの文化、民族、イデオロギー、あるいは人種が混ざりあわずに、隣りあって存在している。そうすると両方の側で、また境界線に沿って――その境界線が歴史上どれほど「人工的」であろうと（もしくは人工的であるがゆえに）――過去と未来に関する建築意識が高まる。どちらの記憶も物理的表現を求めて争い、イスラエルのある歴史家がいうように、「親密な敵」を生みだしている。[2] 一般的に見ると、こうした分裂は立ち退きや不安定な停戦協定、部分的な勝利を既成事実化して、所有権の主張や、妥当性の確認に変えていってしまう。「違い」は所有権を強化する理由になる。境界の向こう側にいる人々の「異質性」を認識するよう促され、しむけられ、こちら側の同質性が強められる。自己は「他者」との関係で定義される。こうして硬直した雰囲気が生まれていく。

二〇〇二年二月にインド北西部のグジャラート州で発生した反イスラーム暴動では、およそ二〇〇〇人の男女や子供が家のなかで殴り殺されたり、感電死させられたり、焼き殺されたりしたという。モスクや廟、企業、村全体が破壊された。この暴動が起きたきっかけは、アヨーディヤからアフマダーバードに向かう列車が途中で焼き打ちにあい、ヒンドゥー教徒五八人が死亡した事件だった。この列車には、アヨーディヤのモスク跡地にヒンドゥー教のラーマ神を祀る新寺院を建設しようとしていたヒンドゥー過激派も乗っていた。

一九九二年、ヒンドゥー右派のインド人民党（ＢＪＰ）が率いる暴徒と世界ヒンドゥー協会（ＶＨＰ）の活動家がアヨーディヤで、一六世紀に建てられたバーブリー・モスクをついに破壊した。彼らはピックやハンマー、ノミなどを手に、あるいは素手でモスクに群がり、解体してしまったのである。イスラームのムガル帝国がインドを支配していた頃、アヨーディヤはアワド地方の首都で、バーブリー・モスクは当時の姿で現存する建物のひとつだった。この破壊以降、街では毎年、ヒンドゥー過激派による行進にからんで両コミュニティの衝突が起きている。モスクを攻撃したカルセヴァ（ヒンドゥー教における無私の奉仕者）は、ここはラーマ神の生誕地であり、もともとヒンドゥー教寺院が建っていたのに、ムガル帝国の皇帝バーブルが冒涜を目的に寺院を破壊してモスクを建てたのだと主張する。活動家が発行する小冊子は、モスク建設の意図は「あきらかに攻撃的であり、ヒンドゥー教の屈辱を目に見える形で永遠に示すこと」にあるという[3]。彼らは寺院の再建を――いや、新設を計画している。というのも、ここにラーマ神の寺院があったと信じるにたる証拠はないからだ。石工所の庭では何年も前から、新しい寺院を飾る既製の彫刻品づくりに職人たちが忙しく働いている。

イスラーム様式の石造ドームが三つあるバーブリー・モスクは、一九四七年のインド・パキスタン分離独立後に閉鎖され（ヒンドゥー活動家がラーマ神像を置いたことから所有権争いが勃発）、一九八六年まで南京錠がかけられていたが、その後にヒンドゥー教徒の入場が許可された。

インド北部ウッタル・プラデーシュ州アヨーディヤのバーブリー・モスクは、ムガル帝国のバーブル皇帝により16世紀に建立された。おそらく、1192年に建てられたモスクの跡地だったと思われる。ヒンドゥー過激派はほとんど証拠がないにもかかわらず、ここにはラーマ神生誕記念の寺院があり、それを侵入者のムスリムが故意に破壊したと主張した。結局、「寺院再建」を掲げる活動家により、3つの石造ドームを持つモスクは1992年12月に壊された。政治的に一触即発の危険をはらむこの問題は長く膠着状態が続いているが、殺人をともなう反ムスリム暴動を招き、インド中でイスラーム建造物やモスクの破壊が起きている。

モスクを撤去するための裁判や直接行動などさまざまな取り組みの末、一九九二年になってついに強硬派が成功した。それ以来、取り壊し場所は厳重に守られてきたが、二〇〇二年、ヒンドゥー過激派が新寺院建立に向けて柱一対を建てる儀式をおこなった。三万七〇〇〇人の警備体制が敷かれたため、過激派はモスクの跡地から約一・五キロ離れた地点で声明を発表するしかなかったが、目的は達した。地元のヒンドゥー教の聖者がこの街全域を「ラムコット（ラーマの地）」と宣言したことにより、道なかばの建立式は正当化されたからである。ただ、実際のモスク跡地に寺院を建設すべきだという要求はおさまらなかった。その意図は、モスク建設によってヒンドゥー教徒が受けたとされる屈辱を晴らすだけでなく、ムスリムとヒンドゥー教徒のコミュニティの分離にある。これは多元主義や多民族社会に反対する運動のひとつだ。この当時も、インド・パキスタン分離時も、ヒンドゥー至上主義者が掲げたスローガンは「パキスタンかカブキスタン」――パキスタンか墓場か、というものだった。ムスリムはどちらか好きなほうを選べ、という意味である。[4]

インド亜大陸では、古くから地域間の争いがあった。しかしイギリス支配が終わり、一九四七年にインドとパキスタンの分離独立が成立するまでは、ヒンドゥー教徒、シク教徒、イスラーム教徒のあいだの紛争は、長いあいだ大きな問題にならなかった。ボスニアと同じく、異なる宗教とそれぞれの記念建造物がほぼ共存していた。イギリスの植民地主義者たちは、統治時代にコミュニティ間の分裂を利用しようとしたが、インド独立のための闘争になると、多元主義が優勢だった。インド国民会議派の指導者や党員のほとんどがヒンドゥー教徒だったが、過激なヒンドゥー・

ナショナリズムは目立たなかった（当時はガンディーが党を主導）。それでも当時のイスラーム指導者たちは、ヒンドゥー教が支配する独立インドで永遠の少数派になることを警戒していた。そして分離独立を迎えたとき、すさまじい規模のコミュニティ間の衝突と民族浄化が発生した。二〇〇万人前後が殺され、さらに一二〇〇万人から一五〇〇万人が新しい国境を越えて強制移住させられた。その過程で寺院やモスク、それぞれの宗教集団の文化財が大きな被害を受けた。インド亜大陸の政治は、いまだに分離独立の影響から逃れられていない。むしろ、どちらの国家でも破綻した政府の延命工作と民族主義や宗教的排外主義がむすびつき、ますますその傾向を強めている。

パキスタンは分離独立後、イスラーム指導者が急速に世俗主義を放棄して宗教国家となり、一九五六年の憲法にイスラーム法が盛りこまれた。一方、独立後のインド政府は、国民会議派が中心となり、世俗主義と多元主義の路線を長いあいだ維持するのに成功した。ムスリムや下位カーストなど、その路線を支える有権者がいた。しかしながら、後継の国民会議派政府はしだいに手綱をゆるめて過激派が台頭するスペースを生みだし、一九八〇年代なかばには、アヨーディヤのモスクはたんなる宗教対立以上のものになってしまった。つまり、インド社会の将来像を示すシンボルになったのである。それは現在も変わらない。ヒンドゥーの排外主義者はこの問題をたくみにあつかい、さまざまなヒンドゥー・カーストをひとつの政治ブロックに統合する手段にして、政府への食いこみをはかった。また、このアヨーディヤ問題は、過去一〇年のあいだに高まったインドとパキスタン両国の緊張関係のなかで読み解く必要がある。国境付近のカシミール地方では、対立する勢力がモスクや寺院を日常的な標的にしており、しかも国境の両側で核ミサイル実験がおこなわれている。こうした紛争は両国を戦争寸前にまで追いこんだ。状況の悪化に応じて、インドのムスリムとパキスタンの少数民族の苦しみが増大する。パキスタンでは、キリスト教の教会もイスラーム勢力からたびたび攻撃されている（イスラーム教の宗派間でもそれぞれのモスクがねらわれている）。

それは、もはやアヨーディヤだけの問題ではない。ヒンドゥー活動家は、イスラーム勢力のインド侵攻が本格化した一一世紀までさかのぼり、何百年も前の寺院破壊にまつわる不和を懸命に探している。彼らは、インドのイスラーム教の正体は聖像破壊的で不寛容、ムスリムはアウトサイダーか、過去にヒンドゥー教徒を強制改宗させた輩と描写するのに余念がなく、分離による不和の継続と民族紛争の再燃を煽ろうとしている。彼らによれば、破壊された寺院は三〇〇〇、いや六万にものぼる。活動家は、たとえばデリーを最初に征服したイスラーム勢力が建てたクワットゥル・イスラーム・モスクは、破壊したジャイナ教やヒンドゥー教の寺院の石材を使ったものであり、またヒンドゥスターン平野中の仏教やヒンドゥー教の寺院や僧院が破壊されたことを強調する。世界最古の大学のひとつナーランダ大僧院もイスラームの侵略によって破壊された。また、聖地ヴァーラーナシーやマトゥラーでは寺院跡にモスクを建設したという（後者のモスクはいまも世界ヒンドゥー会議の主要な攻撃対象となっている）[5]。たしかに、何世紀も前にはイスラームによる破壊が実際にあったのはまちがいないが、その範囲や動機、背景については、歴史家のリチャード・イートンをはじめ、かなりの異論がある。イートンの研究によると、確実にそうといえる寺院破壊の件数は八〇件程度であり、打ち負かした支配者の国が信仰する神（すなわちヒンドゥー支配者の権威の象徴）を寺院から引き出して、まるで人であるかのように捕らえたり、反乱を起こしたかどで罰したりということもおこなわれた。こうした行為は、広範な文化浄化のひとつというよりも、政治的声明の範囲だったといえる。さらに、この種のことはヒンドゥーの支配者間の争いにもよくあったことで、イスラーム勢力が侵入するずっと以前から、さらにいえば「インド」という概念が発生する前から認められていたという[6]。

長く忘れ去られていた聖像破壊の歴史を利用することで、過去が現在によみがえり、建築をめぐる争いが正当化され、政治的紛争の象徴となる。分離独立後の共同体間の対立が激化する過程で、神聖な建物の破壊は紛争の手段の筆頭に躍りでた。アヨーディヤはインドの世界貿易センタービル、グラウンド・ゼロといえるだろう。そこから暴力の波が広がり、数千人、いや数百万人もの人々を巻きこむ可能性がある。ひとつの建物の行く末が、インドの分断を強めている。神聖な場所というものは民族文化の結節点の役割を果たすから、当然ながら、争いの火種になりやすい。こうした建造物のまわりでは、歴史的な意味が維持されたり復活したりする。これから先のアイデンティティも、建造物に託されている。アヨーディヤのバーブリー・モスクは、エルサレムの神殿の山でもなければ、アムリトサルの黄金寺院（シク教の総本山）でもなく、ごく普通の地方のモスクである。しかしこの場所の将来は、亜大陸全体に影響を及ぼすものになった。

インド人民党が政権をとったのは、寺院建設派の活動を支持したからである。モスクを襲撃した暴徒のなかには、インド人民党連立内閣のメンバーもいた。インド人民党およびその関連組織である世界ヒンドゥー協会、民族奉仕団（ＲＳＳ）などは、一九二〇年代から三〇年代に台頭した原始ファシスト思想「ヒンドゥトゥワ」（ヒンドゥーの本質の意）に起源を持つ。インド人民党員でグジャラート州首相のナレンドラ・モディは、二〇〇二年にゴドラで起きた列車炎上事件のあとグジャラート州で猛威をふるったムスリム迫害を支持したと非難されているにもかかわらず、最近の選挙では反ムスリムを訴えて票を伸ばしている[7]（二〇〇二〜一四年まで州首相、一四年から二〇二二年現在までインド首相）。モディはムスリム迫害の原因を「大衆の怒り」としたが、これは水晶の夜の原因を誤解させる主張と同質のものだ。それどころか、インドの著名なジャーナリストのクドリップ・ネイヤーは、攻撃の背後には計画的な要素があると指摘する。「アフマダーバード市全域の地図が描かれ……ムスリムの居住区、家、店、工場のしるしがついており、各グループに殺害、略奪、放火などの具体的任務が割りあてられていた」[8]。アフマダーバードなどのグジャラート州の都市で起きた民族浄化行動では、数千人のムスリムが死亡したり近隣から強制的に追いだされたりしたほか、州内のイスラーム建築遺産が広く冒涜された。これは国境線があるがゆえに生じる破壊ではなく、強制的な分離がはかられたゆえの帰結である。分離独立から数十年を経て、大規模な民族掃討作戦が試みられたのだった。

　分離独立以前、また過去二〇年にわたるヒンドゥー右派の台頭以前のインドを、共同体間の平和が保たれていた模範的な時期とみなすのは大きなまちがいといえるだろう。しかしこの国は（ときに分裂が表面化したとしても）何世紀にもわたって多元的な社会だった。たとえば、アフマダーバードの中心部には迷路のような旧市街があり、道の両側にポルという集合住宅地が連なる。ひとつの入り口から数十本の袋小路や路地がからみあい、緊張と共存の関係を築いている。昔から、住んでいるのは大家族や職人集団だった。一八世紀前半の宗教暴動以来、それぞれのポルの民族特異性はどんどん進んでいった（もともと職人や家内工業は民族的なつながりが強い面がある）。一九六九年と一九八〇年代の大暴動が、民族分離の傾向に拍車をかけた。なんらかのトラブルが発生すると、こうしたミクロ・ゲットーの入り口のゲートは閉じられることもある。その一方、網の目のように入り組んだ敷地内には、公共施設やあらゆる信仰の記念建造物——古い寺院、歴史的なモスク、聖廟など——が点在している。

インドで六番目に大きな都市アフマダーバードが非常に魅力的なのは、近代性と中世性が混在しているところにある。しかしその「名所」は、ピサの斜塔を逆さにして地面に穿ったような階段井戸を除けば、観光客に人気のあるラジャスタンの宮殿からムンバイの喧噪にいたるルートに匹敵するほど荘厳なものはほとんどない。アフマダーバードは織物工業がさかんなことから「東洋のマンチェスター」と呼ばれる。市中心部は歴史地区だが、都市部には広い大通りがあり、ル・コルビュジエ、ルイス・カーン、バルクリシュナ・ドーシ、チャールズ・コレアなど、錚々たるモダニストの建築が街をいろどる。その一方、建築現場では、ベールを被ったラジャスタン女性がホットピンクや色あざやかなグリーンの衣裳を身にまとい、レンガのはいった籠を頭に乗せて運んでいる。川にかかった大きな橋を渡るときは、さまよう牛、牛車、乱暴な運転の一般車で肝を冷やす。まるで独立後に一時的に未来に向かって目覚めたあと、埃をまき散らしながら沈んでいったかのような街だ。

二〇〇二年の暴動では、ガソリン爆弾、酸、石などがムスリムの居住するポルに投げこまれた。被害は州全体のコミュニティや記念建造物におよんだ。インドの市民団体が発行する『コミュナリズム・コンバット』誌によれば、ゴドラ列車火災後の七二時間に、グジャラート州の二三〇か所で聖廟、墓、モスクが襲撃や破壊の対象になったという。[9] たとえば、アフマダーバードでは有名な詩人ワリー・モハメド（一六六七～一七〇七年、「グジャラートのジェフリー・チョーサー」と呼ばれる）、ヴァドダラでは古典声楽家ウスタッド・ファイヤズ・カーンの墓もねらわれた。カーンの墓は燃えるタイヤで覆われてひどく損傷し、道路脇に建てられていたワリー・モハメドの墓は宗教の枠を超えた芸術性があったにもかかわらず、つるはしで砕かれた。ヒンドゥー活動家たちは、その跡地に即席でミニチュアの寺院を建てた。ある参加者は、「われわれはモスクを破壊し寺院を建てた」と述べたという。[10] 二日後、市当局は墓所全体をアスファルトで舗装して道路の一部にしてしまい、跡地をきれいさっぱり消し去った。ほかにも、アフマダーバードのダーダ・ハリ・モスクでは、彫刻をほどこした石壁や墓が壊され、所蔵されていたコーランが焚き火で焼かれるなど、大きな被害を受けた。また、マリク・アシン・モスクや一六世紀に建てられた別のモスクもブルドーザーで完全に破壊された。

アヨーディヤのバーブリー・モスクは取り壊されたものの、かわりの寺院は建設されないまま、この問題は裁判で争われている。二〇〇三年八月、裁判所の命令によりモスク跡地の歴史に関する考古学的報告書が提出されたが、それが大きな議論を呼んだ。報告書は跡地にかつて寺院があったという主張を支持する内容だが、その考古学的「証拠」は、ヒンドゥー側でもイスラーム側でも、政府機関のインド考古調査局と一線を画す建築家たちから完全否定された。政治性の強い調査局の発掘は大急ぎでおこなわれたうえ、局のトップは調査の直前にインド人民党の指示により交代させられていた[11]。その後インド人民党は全国レベルで力が弱まり、より世俗的な議会主導の連立政権となった新政府は、インド人民党の歴史の「着色」に努めている。たとえばタージマハルなど、イスラーム建築であるのは一目瞭然なのにヒンドゥーが設計したというような、偏向した記述が教科書に載るのは減ってきている[12]。こうした傾向は喜ばしいとはいえ、アヨーディヤ問題は依然として解決していない。バーブリー・モスクの瓦礫から巻き起こるほこりっぽいイデオロギーの渦は、すでに数千人の死者を出し、グジャラート州全体で一万二〇〇〇人以上のムスリムの家を奪っており、インド社会を引き裂く分断を全土に広げる可能性がある（二〇一九年にインドの最高裁はモスク跡地にヒンドゥー教寺院を建設することを認め、ムスリム側には代替地を与えるよう政府に命じる判決を出した）。

このような取り壊しがエルサレム、とくにハラム・アッシャリーフ（ユダヤ教では神殿の丘）でおこなわれたら、その影響は考えられないほど大きい。聖地の聖なる場所は情熱を呼び起こす。十字軍の発足もしかり、である。二〇〇〇年からパレスチナではじまった第二次大衆蜂起（インティファーダ）は、当時のイスラエルのリクード党首で外相のアリエル・シャロンがハラム・アッシャリーフに強行訪問したのがきっかけだった。その行為は明白な所有権の主張であり、イスラエル右派を勇気づけた。これに反発したパレスチナ側に聖地のモスクの名前を冠した動きが生まれたこと――この大衆蜂起がアル＝アクサー・インティファーダと呼ばれ、自爆攻撃も厭わない武装組織の名称がアル＝アクサー殉教者旅団になったことは偶然ではない。しかし国際世論の手前もあり、イスラエル政府としては、ムスリムの聖地に攻撃をしかけて中東全体のジハードを引き起こすよりも、パ

1967年の戦争以来、約1万2000戸のパレスチナ人住居がイスラエルによって破壊されている。こうした撤去は行政や軍の決定のほか、パレスチナ人の自爆テロに対する報復の場合もある。イスラエルは建築計画により、三次元の「地上の事実」をつくりだしてきた。写真は2001年2月、ガザ地区のユダヤ人入植地クファル・ダロム近くで、2戸の家を破壊中のイスラエル軍装甲ブルドーザーに立ち向かうソビヤ・アル＝アムール（50歳）。

レスチナの民族闘争に対処するほうが望ましいだろう。それについては、パレスチナの指導者たちも同じ考えに違いない。ただし聖地のモスクのかわりに――後述するナブルスやヘブロンなどの重要地域への侵攻は別にして――過去数十年のあいだ、建築物を介した代理戦争の最前線に立たされているのは庶民の家である。戦いは、ヨルダン川西岸地区のイスラエル占領地、ガザ地区、イスラエルとのあいだに引かれた名目上の境界線沿いでおこなわれる。アリエル・シャロンに「ブルドーザー」というニックネームがついたのには、理由がある。人口と領土をめぐる両者の戦い――「イスラエルの入植」と「パレスチナの（場所と土地からの）不動」においては、入植地の建設とパレスチナ地区の取り壊しが重要になるからである。

イスラエル建国宣言後の戦争では、イスラエルに住むアラブ人の町や村から大勢の人々が追放され、あるいは逃げだし、無人となった住居は破壊された。それはいまも占領地で続いているが、もっと管理された、段階的かつ戦略的なやり方に変わってきている。これは民族浄化の一形態だ。新世代のリベラルなイスラエルの歴史家たちのあいだでも、その認識が広がっている。この「入植と撤去」の政策は、一九六七年の六日戦争でイスラエルがヨルダン川西岸、ガザ、東エルサレムを征服したときからはじまった。「地上の事実」の創造は、イスラエルの三次元的な領土政策といっていい。いかなる和平協定があろうとも、一九六七年の国境線をできるだけイスラエル側に有利になるように曲げるための戦略である。

一九六七年から二〇〇四年なかばにかけて、イスラエルはパレスチナ人の家を一万二〇〇〇戸ほど取り壊し、推定五万人を立ち退かせた。家を失った家族の多くは、一九四八年の戦争で真っ先に難民となった人々だった。[13] 近年、破壊の速度は急激にエスカレートしている。イスラエル軍は二〇〇四年五月までの三年半のあいだに、イスラエルと占領地において三〇〇〇戸以上の住宅、数百の公共建築物や民間の商業施設を破壊した。[14]

そのかたわら占領地内では一九六七年以降、国際法や、場合によってはイスラエルの法律に違反して、少なくとも一三六のユダヤ人入植地が建設されている（最大で二〇〇の入植地があるともいわれる）。現在、ヨルダン川西岸地区には二〇万人、東エルサレム地区にはさらに二〇万人、そしてガザ地区には最近まで少なくとも六〇〇〇人のイスラエル人が不法に居住している。入植者は、イスラエル社会でも極右派に属する場合が多い。つまり、大イスラエルが少なくともヨルダン川まで、そしておそらくそれ以上に拡大することを望む人々である。開発と破壊を武器にする都市計画は、イスラエルの国家建設の核となっている。国土全体が計画されており、土地の九三パーセントは国有地である。税制上の優遇措置が、イスラエル人を新たな入植地や「国家優先区域」に向かわせる。結婚して子供のいるユダヤ人夫婦は、ヨルダン川西岸に入植すると二万五〇〇〇ポンドの住宅ローン補助を受けることができるが、沿岸部のテルアビブでは一万八七五ポンドにすぎない。[15]

評論家によれば、この取り壊しと、それにともなって設置される入植地、道路、検問所、現在建設中の分離壁は、イスラエルの領土を最大限に拡大すると同時に、アパルトヘイト時代の南アフリカのバンツースタン（領土的隔離政策による黒人居住地域）のように、将来のパレスチナ国家を仕事から水にいたるまで、すべてをイスラエルに依存させる方法でもあるという。資源の管理をする権利がなく、移動の自由が制限され、約一九〇のフェンスで囲まれたパレスチナ地域はかろうじてモザイク状につながっている。したがって、イスラエルは何百万人ものパレスチナ人を（完全併合の結果として）イスラエル国内に吸収することなく、パレスチナ人口をコントロールすることが可能となり、人口比を逆転させてイスラエル人優位の構図をつくりだせる。[16] このシナリオでは、イスラエルと占領地のあいだの境界線――その管理はゆるやかだったりきびしかったりするが、つねにどうなるかわからない――と占領地内の分割を維持することが、イスラエルにとって不可欠である。

イスラエル政府は、三つの理由をあげて取り壊しを正当化する。ひとつ目は、建築許可を得ていないパレスチナ人住宅を対象にするという行政的なもの。ふたつ目は、テロ関係者の家族がいると疑われたり知られていたりする家を懲罰として壊すというもの。三つ目は、国境付近や、入植地とその周辺道路に安全地帯を確保するための軍事的必要性というもの。これまでイスラエル政府は、パレスチナ人のイスラエル攻撃への報復として軍による取り壊しをおこなっていることを認めようとせず、たいていは安全対策と銘打っていたが、最近、この政策を公的に援護しようとする動きがでてきた。つまり、「行政による」取り壊しは、実際の作業はいつもどおり軍が実施するにしても、軍とは異なる法的根拠に基づいておこなわれる。その動機は――報復にくわえて――パレスチナ人居住区の拡大を最小限にとどめると同時に、ユダヤ人居住区の安全な拡大を認めることにある。併合された東エルサレムを除き、ガザ地区とヨルダン川西岸の「C地区」（イスラエルが行政権と軍事権を握る地区）で取り壊しが進められている。パレスチナ自治政府が設立されたにもかかわらず、ヨルダン川西岸でイスラエルが実効支配を続けている面積は七〇パーセント以上におよぶ。イスラエルは一九六七年の休戦ラインを大幅に越えて、入植計画を進めている[17]。

パレスチナ人は自国の領土内のすみに追いやられ、適切な建築許可を得ることもできず、建てる場合は違法にならざるを得ない。こうした状況を強化するために、イスラエルはイギリス委任統治時代やヨルダンの法律、自国の開発計画法を組み合わせたものを用いている。表面上は民事の制度だが、実際は軍事目的の追求だ。ヨルダン川西岸地区を統治する機構自体、軍の複合体であり、パレスチナ人を受け入れることはおろか、訴えを起こすのを認める気はないし、いずれにしろほとんどすべてが却下される。どの場所であれ、たとえ文民当局が建築許可を出したとしても、軍には拒否権がある。また、土地登記が三〇年間凍結されていることも、合法的な建築の大きな妨げとなっている。つまりパレスチナ人は土地の所有権を証明できず、許可を得られない。さらに、土地のほとんどはイスラエルが「国有化」しているため、パレスチナ人の建物が許される余地はない。パレスチナ当局が管理できるのはC地区以外の場所のみ――すなわち一九四八年以前からパレスチナ人地区の都市部だった周辺に限定されている。ヨルダン川西岸地区の公式開発計画は、イギリス委任統治時代までさかのぼり、はるかに少ない地域人口を想定していた。公式計画がない場合、建築は違法となる。新しい計画はイスラエルが承認しないため、パレスチナ人は既存の町の中心部以外にはなにも建てられず、農村部では事実上なにも建てられない[18]。

イスラエルの人権団体ベツェレムによると、パレスチナ人の建築意欲は、イスラエルの取り壊しのような武器にはならない。なぜなら、「彼らの行為は、政治的な主張やこの地域におけるイスラエル支配への反対を目的としたものではなく、イスラエルの政策が実現を許さない、自分と家族のための住宅の必要性を満たすためのものである」からだ。一九九〇年だけでも、約一万三〇〇〇戸のパレスチナ人住宅が必要に迫られて違法に建設された[19]。エルサレムでは、パレスチナ人が市の人口六七万人の三分の一を占めているにもかかわらず、パレスチナ人に与えられる建築許可は年間三〇〇件に満たない。また、東エルサレムのパレスチナ人居住区は、既存の住宅の増築がきびしく制限されている[20]。この問題が国際的に注目されるきっかけとなったのは、二〇〇二年七月、東エルサレムのユダヤ人居住区ピスガトゼエフ近くにあるパレスチナ人一四家族の住宅をはじめ、そのほかの占領地でも数十戸の住宅が一週間のうちに取り壊されたことだった。各国政府がこの事態に反応した。イギリスは「挑発的で扇情的」、アメリカは「非常に困ったことだ」と述べた。エルサレムの右派市長エフード・オルメルトは、将来的には無許可の建物はすべて取り壊すと反抗的な態度を示した。そして、パレスチナ人は「栄光の日々は終わった」と知るべきだと付けくわえた[21]。

取り壊しの範囲は、イスラエルの政治や安全保障の状況の変化に応じて増減している。一九八〇年代なかばまでは違法建築でも長年そのままになっている家も多かったが、それ以降は軍による直接撤去にくわえて、「行政的」な取り壊しがエスカレートしている。本書を執筆している時点では、週に二〇件のペースでおこなわれており、たいてい予告はなく、ときには家の住人が死傷することもある[22]。イスラエル政府は死者の発生を頑強に否定してきたが、ナブルス（二〇〇〇年四月）やガザ（二〇〇四年九月）の事例を含め、こうした主張を裏付ける明確な証拠が出てきている[23]。

同じ時期に、ヨルダン川西岸地区では何千ものユダヤ人住宅、商業施設、公共施設が違法に建設された。しかし、取り壊されたのはほんの一握りにすぎない。それどころか、ほとんどの建物が過去にさかのぼって建築許可を与えられている。つまり、パレスチナ人の違法建築は全体の二割程度と考えられているが、無許可という理由で取り壊された建築のほぼすべてに該当する。[24]何年もかけて準備して建てた家が、数時間で破壊される——しかも多くの場合、家のなかに私物が残ったままの状態で。家族はテント生活をするか、大人数の親戚の家に身を寄せるしかない。イスラエルの政治家で国家宗教党党首エフィ・エイタムは、パレスチナ人の違法建築は「非文化的な……テロリストの巣」をつくるための「建物ジハード」だと述べた。さらに、神殿の丘のモスクは「世界規模の災い」であるとした。[25]

住宅需要への影響は、いくら強調してもしすぎることはない。パレスチナ人の出生率は一家族あたり七・七三人（ガザ地区）で、ヨルダン川西岸地区とガザ地区の人口は、今世紀なかばまでに一二〇〇万人に近づくと推定されている。[26]同時に、パレスチナ人の生活水準は七〇パーセントが貧困ライン以下であり、しばしば不衛生な環境で暮らしているが、建物の取り壊しや建築制限がその状況に拍車をかけている。対照的に、イスラエルの歴代政府は、オスロ合意Ⅱや「中東和平のロードマップ」（のちに袋小路にはいる）などの和平交渉で凍結に合意したあとも、入植地の建設を続けてきた。たとえばイスラエル中央統計局によると、二〇〇三年度、違法ユダヤ人入植地での建設工事は三五パーセント増加した。しかしイスラエル全体の建設工事は、この一〇年間で最低の率である。[27]二〇〇四年八月、シャロン政権はガザから入植者を撤退させると宣言する一方で、その前週に発表した一〇〇〇件の住宅建設入札にくわえて、ヨルダン川西岸の入植地に五三三戸を追加で建設すると発表した。イスラエルの圧力団体セトルメント・ウォッチ（入植地監視の意）によると、二〇〇四年八月までに許可されたヨルダン川西岸の建築件数は二一六七件で、過去三年間の合計を上まわっている。[28] セトルメント・ウォッチのコーディネーター、ドロール・エトケスは、「これはイスラエルが方針を転換して、国土の東進に舵を切ったことを示しています。つまり、パレスチナ人が国家を建設したいと望んでいる土地に食いこもうとしているのです。過去四〇年間、それがずっと続いてきました」と述べている。[29] ガザ地区からの撤退は戦術的な措置らしい――理にかなった行動をとるふりをしながら、ヨルダン川西岸地区の再開発を集中的におこなう、という方針だ。しかしガザ撤退と、わずかながらも西岸の入植地外縁にある小規模開拓地を解体させたことは、過激な入植者たちを憤激させた。その結果、彼らは神殿の丘の外でデモをおこなっただけでなく、なかにはハラム・アッシャリーフの占拠を企てる者が出たり、超正統派ハシド派の三人の場合は、肩撃ちミサイルを岩のドームに向けて発射したりした。[30] 騒然とする状況のなかで、シャロンはガザ撤退を遅らせることに合意した。宗教色の強いユダヤ人が毎年おこなう、ヘロデ神殿破壊を悼む行事に重ならないようにするためである。

どれほど不当であっても、イスラエル行政当局の取り壊しには、領土と人口という明確な理由がある。軍事的理由の場合もある。だが、パレスチナ人がイスラエルを攻撃したから「集団的懲罰」として取り壊しをするという考えは、奇妙なほど原始的だ。石そのものに罪があるとでもいうのだろうか。たとえば二〇〇一年一一月、ナシール・ハマドは銃による攻撃を計画したという疑いをかけられ、ヨルダン川西岸地区にある自宅が取り壊された。二〇〇二年七月には、爆弾テロ容疑者の二〇以上の親族を立ち退かせ、彼らの家を軍が爆破した。すべての家族に国外退去命令が出された。[31] 同じ頃、ユダヤ人入植地エマニュエルへの攻撃を組織したとされるハマス司令官の三階建ての家をイスラエル軍が破壊した。その数年前の一九九七年夏には、エルサレムのマハネ・イェフダ市場で起きた爆弾テロの報復として、パレスチナの建物数十棟が取り壊された。イスラエル人が死んだテロ現場近くにあるそれらしい家が報復の対象になることもあれば、ユダヤ人入植地やそこに通じる道路に近すぎて不都合な家が壊されることもある。また、爆破犯と思われる人物の実家を直接攻撃することもあれば、ヘブロンの八階建てアパートのように、アパート全体を取り壊すこともある。[32] ほかにも、アムネスティ・インターナショナルやベツェレムなどの人権団体が六七二件もの懲罰的取り壊しを報告している。[33] 負の連鎖は止まらず、双方の暴力行為はエスカレートする一方だ。二〇〇三年一月、アル＝アクサー殉教者旅団は、二人の自爆テロによりテルアビブのバスターミナルで二三人が死亡、一〇〇人以上が負傷した事件の犯行声明を出した。それによると、この自爆テロはパレスチナ人の住居取り壊しに対する報復だったという。[34] だが、イスラエル軍の懲罰的取り壊しは公正さに欠ける。一九九五年にイツハク・ラビン首相を暗殺したユダヤ人過激派イガール・アミルの実家は、いまもそのままだ。二〇〇五年二月、イスラエル軍は懲罰的取り壊し政策の廃止を発表した。表向きは、アラファトの死とマフムード・アッバースのパレスチナ指導者就任を受けた親善の一環とされているが、軍のあいだでは、取り壊しが抑止力になるどころか抵抗を強めているとの認識が広がっていた。

しかし軍によって破壊された一万二〇〇〇戸のパレスチナ人家屋のうち、活動家に関連したものはごくわずかにすぎない。装甲ブルドーザーのほか、戦闘機や武装ヘリコプターが占領地全域でパレスチナ人の建物を破壊している。こうした攻撃は壊滅的な被害をもたらし、いっそう無差別になる。たとえば、二〇〇二年一月一〇日、イスラエル軍はガザ地区のラファ難民キャンプで六〇戸の家を破壊し、約六〇〇人のパレスチナ人が家を失った。この事件は国際的な注目を集めた。とくに、取り壊しが多くの場合、住民のほとんどが眠っている夜間に警告もなくおこなわれたからである。ほかの場所でも同様で、軍はオリーブ園や果樹園を根こそぎにし、温室を破壊し、作物をだめにした。こうした攻撃でパレスチナの農業は大きなダメージをこうむった。人々の収入は途絶え、食料の備蓄もない。国連パレスチナ難民救済事業機関（ＵＮＲＷＡ）の計算によると（二〇〇二年二月時点）、アル＝アクサー・インティファーダの期間中、イスラエル軍はガザ地区だけで六五五戸の家屋を取り壊した。イスラエルは「緊急の軍事的必要性」があったこと、およびパレスチナ武装勢力が建物を攻撃拠点の隠れ蓑にしていたことを理由にあげ、この数字の半分（農家や壁を含め）を認めた。しかしほとんどの場合、取り壊しは戦闘の数週間後、あるいは別の場所でおこなわれており、人権団体から「戦時における文民の保護に関するジュネーヴ第四条約」の重大な違反や、国連拷問等禁止条約に反する違法な集団処罰であるとの非難を受けている。[35] イスラエル軍のガザ地区への破壊的攻撃はさらに続き、二〇〇三年一〇月の「ルートカナル作戦」では二〇〇戸の家屋が壊され、二〇〇四年五月にはまたも同様の攻撃が繰り返された。インティファーダがはじまった二〇〇〇年からこの時点までに、ガザ地区――世界でもっとも人口密度の高い街のひとつ――では合計二二〇〇の住居が破壊された[36]。二〇〇一年六月にラファのバラマ地区で、拡大家族七五人が住む一一戸の家を失った未亡人スハイラ・アフマド・サリム・バルフームは、アムネスティ・インターナショナルにこう語っている。

軍の銃声で目が覚め、子供たちと一緒にキャンプのなかに逃げこみました。これまでも銃声が聞こえたときは逃げ、音がしなくなってから戻っていました。ところが今回は、戦車とブルドーザーが家に向かって押しよせてきたんです。彼らが去ったあと、わたしたちの家の跡には瓦礫とほこりしか残っていませんでした。立派な家を持っていました。ひとり一部屋の四部屋、キッチン、バスルーム、ホールです。四年前に建てたものです。以前の家は、一九八二年に国境ができたときに取り壊されました。わたしの家があったところは、いま国境になっています。しばらくして補償金が出ましたが、じゅうぶんな額ではなく、長い時間をかけて新しい家を建てるためのお金をためました。そしてもう、新しい家は二度と建てられないでしょう[37]。

シャロンは悪びれることなく、長年にわたって自身の方針をつらぬいてきた。一九五三年には、イスラエル軍を指揮してパレスチナ人のキビヤ村を破壊した。これはあるユダヤ人女性とその子供たちが殺害されたことへの報復であり、六九人のパレスチナ人が死亡した。最近のユダヤ人入植地への攻撃に対して、シャロンはこの暗黙の方針をより明確に示すようになった。ヨルダン川西岸のユダヤ人入植地ギロには、パレスチナのベイトジャラからたびたび銃撃がくわえられており、そうしたパレスチナ人にどう対処するのか問われたシャロンは、こう答えた。「わたしはベイトジャラの最初の家の列をなくす……次は二列目の家も消す。そうしていくだけだ。わたしはアラブ人のことを知っている。彼らはヘリコプターやミサイルには恐れ入らない。彼らにとって家以上に重要なものはない[38]」

パレスチナ人テロリストによるイスラエル市民へのおそろしい攻撃にもかかわらず、イスラエルはレンガとモルタル、建設と破壊を闘争の中心に据えている。「来年はエルサレムで」というユダヤ人の夢を持ちながら世界に離散していた、かつての亡命コミュニティだけがこうした政策の効果を肌で実感できる。亡命したパレスチナ人の多くは、イスラエルにあった自分の家の鍵をいまだに大切にしており、故郷への帰還を強く夢みている。パレスチナ系アメリカ人の文学者エドワード・サイードは、「亡命とは、頭で考えているときは妙に説得力があるが、経験するとおそろしいものだ。亡命は人間とその母国、自己とその故郷のあいだに、癒やすことのできない亀裂をつくる」と述べた[39]。多くの場合、イスラエルは亡命中のパレスチナ人にさえ家を与えない。紛争が激化していくのも不思議ではない。

ヨルダン川西岸地区では二〇〇二年春に「砂漠の盾作戦」が開始され、破壊活動は頂点に達した。イスラエルは自爆テロ犯の掃討という名目で、西岸の主要都市を制圧したのである。その結果は壊滅的なものだった。二〇〇二年四月、西岸地区北端の町ジェニーンで起きた大規模破壊は、イスラエルが住宅の破壊を厭わないことを痛感させた。自爆テロ犯捜索のためにジェニーンに隣接する難民キャンプを攻撃したイスラエル軍は、兵士一三人の死亡を受け、住宅が密集する拠点の奥深くにはいるために一帯を撤去する戦術に出た。ブルドーザーが平らにした面積は四〇〇メートル×五〇〇メートルにおよぶ。国連の報告書——人権団体は過小評価であると批判した（また、イスラエルの拒否により徹底調査はおこなわれなかった）——によれば、全体の一割程度にあたる一〇〇戸以上が破壊されたという。少なくとも五〇人以上のパレスチナ人が虐殺されたり、瓦礫の下に生き埋めにされたりして死亡したと告発されている（立証はされていない）[40]。

ヨルダン川西岸地区では、ラマラ、ヘブロン、ベツレヘム、ナブルスの各都市が破壊された。この侵攻により、戦闘員と市民をあわせて四九〇人以上のパレスチナ人が死亡し、一四四七人が負傷した。国連の報告書によると、難民の家屋約二八〇〇戸が被害を受け、八七八戸が全壊した。家を失った人はおよそ一万七〇〇〇人にのぼる[41]。破壊されたのは家屋だけではなく、学校、病院、大学、テレビ局、警察署、ガザ空港のほか、ヤセル・アラファトがいるラマラのパレスチナ自治政府議長府までもが攻撃された。つまり新生パレスチナ国家の都市インフラ——国家の枠組みとなる建築を組織的に破壊したのである。ラマラのカリル・サカキニ文化センターも荒らされた。壁から絵画が引き剝がされ、詩の原稿が散乱し、踏みつけられた。ほかの文化施設も破壊されたり、備品が盗まれたり、占領中のイスラエル兵がトイレとして使用したりした。パレスチナの文化や国民性に対する蔑視は、その建物の扱いにもあらわれている。「住宅取り壊しに反対するイスラエル委員会」のコーディネーターであるジェフ・ハルパーは、キャタピラー社製のおそるべきD9装甲ブルドーザーをイスラエル軍の装備の中心に位置づけている。

ブルドーザーは戦車とならんで、イスラエルとパレスチナの関係を象徴するものとして筆頭に位置づけるべきである。これらふたつは国旗にも等しい。戦車はイスラエルがおのれの存在をかけて戦う戦場で、その強さを象徴するもの。そしてブルドーザーは、パレスチナ人を国から追いだすための闘争の象徴である。(42)

ブルドーザーのメッセージは、次のようなものだとハルパーはいう。「おまえたちはここの住人ではない。われわれは一九四八年におまえたちを家から追いだし、帰るのを許さなかった。今度はイスラエルの全土からおまえたちを追いだす決意だ(43)」。このような破壊のなかで、イスラエル軍があきらかに慎重に対処した建物があった。ベツレヘムの聖誕教会である。この要塞のような複合施設は、修道院、教会、そして四世紀にキリストの生誕地とされる場所に建てられた聖へレナ礼拝堂からなる。ここはキリスト教のアイコンとしてあまりにも目立っていたため、破壊することはできなかった——ベツレヘムへのイスラエル軍侵攻を受け、パレスチナ武装勢力と市民が避難所として聖職者とともに立てこもったあとも、である。バチカン、英国国教会、ギリシア正教会は、イスラエル軍に教会を襲撃しないよう強い圧力をかけた。両陣営とも、聖堂の一部が燃えた責任を頑強に否定した。その象徴性と神聖性のために、教会は大きな被害をまぬがれた。ブルドーザーてっとりばやい破壊のかわりに長期にわたる交渉がおこなわれ、包囲網は解かれた。ブルドーザーは休んでいた。

2002年4月、イスラエルはヨルダン川西岸の古都ナブルスを攻撃した。街の建築遺産は甚大な被害を受けた。写真は屋根が粉々に砕けたアル＝ハドラ・モスク。もともとは1600年前のビザンティン帝国時代の教会だった。通りに面した正面部分は装甲ブルドーザーによって削りとられている。モスクの古い部分は再建されたが、残りは壊れたままである。

一方、パレスチナの遺産はずっと軽んじられている。二〇〇二年四月の古都ナブルスへの侵攻は、イスラエル建国以来、単一の軍事行動によるパレスチナの遺産破壊としては最大規模のひとつに数えられる。ナブルスの歴史は紀元前七一年にさかのぼり、街をいろどる蜂蜜色の石造建築は、ローマ時代、ビザンティン時代、十字軍時代、マムルーク朝時代、オスマン帝国時代のものが入り交じっている。人口は一五万人。旧市街の中心部はスークと呼ばれるにぎやかな市場で、狭い路地が迷路のように入り組み、周辺にはモスクの光塔が建ちならぶ。イスラエル軍が侵攻する前は、ローマ時代の貯水槽から一九世紀のモスクまで、二五〇〇の歴史的建造物が登録されていた。[44] ヨルダン川西岸地区でもっとも重要な町のひとつであるにもかかわらず、ユダヤ人入植者用の新道路沿い（パレスチナ人は立ち入れない）の標識には、ナブルスという地名はない。そのかわり、聖書に登場する大昔の町シェケム――ナブルス郊外に遺跡がある――の標識が出ている。バビロン捕囚からはじまるディアスポラ以前の土地の歴史とつながろうとするイスラエル人の努力のなかでは、パレスチナ人の町の存在は認められない。ジェニーンと同じく迷路のようなナブルス旧市街は、イスラエルの軍事行動にとって物理的な障壁だった。聖誕教会とは異なり、ナブルス文化遺産の国際的な重要性は保護の対象にならなかった。二〇〇二年四月三日、イスラエル軍はブルドーザー、アパッチ攻撃ヘリ、F16戦闘機を使って侵入した。旧市街中心部の歴史的な石造建造物はいたるところで傷つき、穴が開き、瓦礫と化した。被害はジェニーンほどではなかったが、ある意味ではもっと悪い――少なくともパレスチナの文化財に関するかぎり、安心材料はないといっていい。

侵攻の数か月後にナブルスを訪問したわたしは、イスラエル軍の戦車のすさまじい砲撃に出くわした瞬間、思わずダッシュボードの下にもぐりこんだ。口々に叫びながら石を投げていた子供たちへの威嚇だったのかもしれないが、わたしが乗っていた車は「プレス」と明記されていたにもかかわらず、戦車は砲身をフロントガラスに向け、二台の装甲兵員輸送車がわたしたちの車を両側からはさみこんだ。それからようやく、縁石や瓦礫をがたがたと乗り越えながら、スークの上にあるホテルに行くことが許された。わたしがここに来たのは、『アート・ニュースペーパー』

誌と『インディペンデント・オン・サンデー』紙に被害の現状を報告するためである。というのも、イスラエルの著名人たちが被害を否定していたからだ。イスラエル博物館の前館長マルティン・ワイルは、侵攻がナブルスの歴史的建造物に与えた影響は「存在しない」と述べた。

外出禁止令が出ているナブルスの中心街は、ゴーストタウンだった。市中心部にはいるためには、イスラエル軍が設けた非友好的な検問所や土塁、砲弾で砕けた一九世紀のイギリス委任統治時代の建物を通り抜けていかなければならない。街路は戦車にこてんぱんにやられていて、人影はなく、瓦礫やごみ、なぎ倒されたヤシの木が散乱しているだけである。住民は一〇〇日以上も屋内に閉じこもっており、ごみは回収されず、祈祷時刻を知らせる呼び声にも反応はない。外を巡回するイスラエル軍がはいってこない古い市場（スーク）のなかにだけ、わずかな生活感があった。仮設の露店で野菜を買ったり、戸口でタバコを吸ったり、路地や爆撃の跡地でサッカーボールを蹴ったりしている住民が何人かいる。爆撃でえぐられたクレーターのなかで、小さな男の子が首から下げていた写真を見せてくれた。空爆で死んだ弟の写真だという。

一部の被害はすぐに修復されたものの、旧市街に入り組んで建つ石造りのホシュ（中庭のある住宅）は数十戸が全壊していた。旧市街全体はこうした建物の微妙なバランスで保たれているうえ、路地を横切って建物をつなぐ補強アーチが壊されたことで、ジグソーパズルのように連なった構造物のさらなる崩壊をまねくおそれがあった。また、およそ二〇〇戸が半壊していた。瓦礫の山のなかから、ねじれたベッドフレームやボロボロのソファが顔を出している。四月九日、イスラエル軍がスークに装甲車の通り道をつくっていたところ、ブルドーザーがアル＝シュビ家に突っこみ、家は隣に崩れ落ちて一家のうち八人が亡くなった。一週間後に外出禁止令が一時的に解除された際、家族ふたりが瓦礫のなかから救出された[45]。その模様はイスラエルのテレビで放映された。同じ通りにあるオカーシャ家には、アパッチ・ヘリコプターのミサイルが命中し、隣家のゾハとソハ・フレテフという教師姉妹が死亡した。アル＝ハドラ・モスクも被害を受けた。このモスクは一一世紀にビザンティン時代の教会を改築したもので、その後増築されていた。歴史ある正面部分とアーチ型屋根の一部は装甲ブルドーザーによって破壊され、歴史的価値の低い部分も取り壊された。約一六〇〇年前の由緒あるモスクふたつ（やはり初期キリスト教会を転用したもの）も、重火器で攻撃された。オスマン帝国時代の公衆浴場とギリシア正教の教会も被弾した。ユネスコの世界遺産委員会はナブルスでパレスチナの遺産が受けた被害を非難し、「パレスチナの文化遺産にもたらされた破壊と損傷を嘆く」と述べ、この遺産の「たぐいまれな普遍的価値」を強調した[46]。

ある意味では、少なくともモスクへの攻撃は驚くべきことだ。インティファーダの初期にパレスチナ人がナブルスの端にあるユダヤ教の聖地「ヨセフの墓」を破壊したり、イスラエルの過激派がイスラエル北部ティベリアのモスクを攻撃したりするなど、散発的な事件はあったものの、両陣営とも互いの宗教施設を標的にすることは避けてきた。これは、旧ユーゴスラヴィアなど他国家における民族浄化のパターンとはあきらかに異なる。ヤセル・アラファトは「ヨセフの墓」の再建を命じた。しかしイスラエルによるナブルス侵攻のあと、ふたたび冒涜されてしまった。

ナブルスでもっとも甚大な被害を受けたのは、F16戦闘機に爆撃された市場中心部（スーク）である。多

ナブルス旧市街の中心に位置する石造りの市場には、オスマン帝国時代の隊商宿や200年前の石鹸工場などがあった。歴史的建造物はイスラエル軍のアパッチ・ヘリとF16戦闘機による攻撃を受けたあと、ブルドーザーで破壊された。イスラエル軍は建物が爆弾製造工場だったと主張しているが、証拠はない。一方パレスチナ側は、建物はからっぽであり、EUが資金提供する修復プロジェクトの対象だったと述べている。

くの中庭式住宅、二〇〇年の歴史がある石鹸工場、古代の隊商宿などが破壊された。かつては歴史的な石造建築が密集していたのに、いまでは瓦礫になった地区を車で通り抜けて、壊滅した場所の反対側を走る道路へ行くことができる。ぼろぼろになった周辺には、まるでエッシャーの絵を破いたような、石造りの丸天井が残っているだけだ。

イスラエル軍は、証拠もないのに歴史的な石鹸工場が過激派に利用されていると主張し、空爆前に数百人の地元住民を近くの学校に避難させた。綿密に計画された空爆だったのである。しかし地元の保護活動家ナシール・アラファトによれば、建物内部はまったくのからっぽだったという。そして、なぜイスラエル軍は二か月後にふたたびやって来て、工場と隊商宿の瓦礫を念入りに潰していったのか、と疑問を呈する。アラファトは、欧州連合（EU）がこの建造物の修復プロジェクトに二二〇万ポンドの予算を組んでいたことをあげる。[47]「問題は」とアラファトはいう。「四月にイスラエル軍が「一時的に」撤退するわずか数時間前に、なぜ「これと」ふたつの石鹸工場、さらには隣接する七軒の家まで破壊していったのかということです」。ナブルスの場合、イスラエル軍が故意にパレスチナの遺産を破壊したと証明することはできない――ここはボスニアではないからだ。しかし、ハーグ条約に反して文化遺産を無視しているのはあきらかである。少なくともイスラエル軍にとっては、ここの遺産はどうでもいいものなのだろう。その後、BBC放送のドキュメンタリー制作チームがナブルスとエルサレムを訪れ、わたしの調査結果を確認した。ユダヤ教の遺産や、キリスト教の主要な教会遺産が、同じようにブルドーザーや砲撃で破壊されるとは考えにくい。

本書執筆時点で、パレスチナの建築家や保護活動家は、ヘブロン旧市街にある一一〇世帯の歴史的な家の撤去を求めるイスラエル軍の計画（軍事命令T／61／02）と戦っている。その計画とは、過激なユダヤ人入植地のひとつと、ヘブロン旧市街の宗教史跡「ハラム・アル＝ハリール」――ここにはユダヤ人にとっては「祖先の墓」、ムスリムにとってはイブラヒム・モスクがあり、双方の聖地となっている――をむすぶ道路を拡張し、壁で保護するというものだ。この聖地には、両宗教の預言者であるアブラハム、イサク、ヤコブが埋葬されているというが、その眠りはさほど安らかではあるまい。エルサレムの「ハラム・アッシャリーフ／神殿の丘」を除いて、イスラーム教徒とユダヤ教徒、パレスチナ人とイスラエル人の対立が、同じ屋根の下でこれほどまでに接近している場所はほかにない。ユダヤ人とパレスチナ人が使う入り口は、別々になっている。

この地域と宗教史跡は、長らく紛争の舞台となってきた。一九二九年、パレスチナ人による残忍な虐殺で六七人のユダヤ人が死亡し、多くのユダヤ人住民がこの街から逃げだした。一九九四年にユダヤ人入植者が復讐をはかり、イブラヒム・モスクで祈りを捧げていた二九人のイスラーム教徒が殺害され、建物はイスラエルによって八か月間閉鎖された。再開時には、イスラエル占領下の地元住民に占める違法ユダヤ人入植者はごく少数であったにもかかわらず、イスラーム教徒のスペースは九〇パーセントから四五パーセントに縮小されていた。(48)

その後も両陣営の暴力の応酬が続いており、市内の道路が封鎖されたり、ヘブロンのワクフ（イスラーム社会の寄進）機関が放火されたりしている。これもまた、移り変わる国境と占領の実態を示す縮図といえよう。現在、取り壊しが予定されているヘブロンのジャベール地区の建物は、一五世紀から一九世紀までのものである。これらの建物はイブラヒム・モスクの歴史的地区の重要な部分であり、街の南側の玄関口にあたる。(49) この撤去計画は、パレスチナの建築保護団体「リワーク」が、イスラエル併合後に過疎化した旧市街を復元するプロジェクトで大きな成功をおさめたあとに提出された。ジャベール地区の建築復元計画は、イスラエル軍によって阻止されてきた。現在、入植者たちは係争中の道路の端に一〇〇〇戸分のアパート地区を建設したがっている。[50] パレスチナ国家と文化的インフラの組織的破壊の現況と、ナブルスとヘブロンの建築遺産に対する無視を重ねあわせてみると、イスラエルは権利が競合する土地の建築物に無関心なだけでなく、積極的に敵対しているように見える。パレスチナの国家的大義を弱体化させるためなら、約二〇〇〇年の文化的歴史など取るにたりないものなのである。

一方、パレスチナ人がイスラエル国内で起こす爆弾攻撃は、国家や軍隊を象徴する建築物ではなく、カフェ、ナイトクラブ、ホテル、市場、商店などの一般市民生活に向けられているようだ。もちろん、これらは厳重に警備された施設よりもソフトで簡単なターゲットであり、傷つきやすい身体を最大限に傷つけることができる。しかし建築に仮託した代理戦争という観点からは、ほとんど意味をなさず、パレスチナ人テロリストは人々を殺傷するついでに建物を破損させているにすぎない。自爆テロによって、イスラエル建国以降に流入してきた移民を阻止し、追い返そうとしているのだろうか。テロ組織ハマスのイデオロギーはあきらかに悪質な反ユダヤ主義であり、その攻撃はパレスチナ国家建設や反シオニズムの推進といった目的を超えている。ハマスの声明を聞くと――パレスチナはイスラエルの国家を承認しているにもかかわらず――パレスチナ人は自分たちを海に追い落とそうとしているのではないか、とイスラエル人が不安に駆られるのは無理もない。ただ、ハマスに支持が集まるのは、占領地におけるイスラエルの行動の当然の帰結でもある。ユダヤ人と反ユダヤ主義の歴史に関する第一人者ロベルト・ヴィストリヒは、イスラエルの視点を次のように語る。

これはわれわれ一人ひとりの生存を賭けた戦いになった――つまり殺人的な爆破犯に吹き飛ばされることなく、道を歩いたり、ショッピングモールに行ったり、バスに乗ったり、バーやカフェ、ピザ店に座ったり、映画館や劇場、ディスコ、公共の場に行ったり、シナゴーグで祈ったり、キャンパスで勉強したりする権利のためである。(51)

エルサレムでは、攻撃されたカフェの数が多いことから、一部のカフェバーの住人たちはこれを「クロワッサン戦争」と呼ぶ。(52)これはイスラーム過激派の計算ずくの方針なのかもしれない。日常生活や楽しみを破壊することで、離散(ディアスポラ)していたユダヤ人がイスラエルに来ても魅力的な生活は送れない、と伝えようとしているのだろう。たとえセキュリティの問題があっても、ユダヤ人の永続性を示す、より象徴的な記念建造物に打撃を与える手段をテロリストたちは持っているはずだが、それを選択したことはほとんどない。昔からテロリストは、決意をにぶらせるために戦慄と恐怖を生みだす存在でしかなかった。ハマスとアル＝アクサー殉教者旅団も例外ではない。エルサレム新市街の商店街でバスが爆破され、無残な遺体が散らばる光景は、たしかに不確実性を醸しだす。ヨルダン川西岸地区の砲弾や銃撃とは異なり、ここでの脅威は予測がつかず、行き当たりばったりで、日常生活を不安にさせる。これは北アイルランドの独立をめざす武装組織IRA（アイルランド共和軍）の爆破作戦の最中にロンドン中心部を訪れたことのある人なら、よくわかる感情だろう。バスがエルサレム新市街のヤッファ通りを走ってくると、アーケード歩道の柱の陰に隠れて身を守りたくなる。

イスラエル以外の国では、個人としてのユダヤ人がめだちにくいため、逆の現象が起きている。国家という枠がない場合、ユダヤ人の存在を社会に示してアイデンティティの指標とするのは、往々にして宗教建造物となる。そのため、シナゴーグとユダヤ人墓地が中東危機の影響を受ける。ヨーロッパなどでは、イスラーム過激派や、中東情勢を口実にした白人ネオナチによる昔ながらの暴力的な反ユダヤ主義の攻撃が、近年急増している。どちらの集団に責任があるかは議論の分かれるところだが、反ユダヤ主義の暴力がエスカレートしているのはあきらかだ。たとえば、フランス、ベルギー、オランダ、ドイツ、イギリスでは、放火事件が発生している。二〇〇二年にイギリスで報告された反ユダヤ主義的事件は三五〇件で、放火、暴行、墓石の冒涜などが起きた。前年に比べると一三パーセントの増加にあたる。[53] アリエル・シャロンは、フランスのユダヤ人にイスラエルへの避難を呼びかけた。二〇〇二年四月にチュニジアのシナゴーグで爆発が起こり、観光客一〇人が死亡したのに続き、二〇〇三年一一月にはイスタンブルのシナゴーグ二か所で爆発が起きるなど、桁違いの規模の攻撃もある。同じ年、ドイツでは一〇人のネオナチが逮捕され、ミュンヘンの新シナゴーグ落成式の爆破を計画したかどで起訴された。警察が押収した爆破リストには、いくつかのモスクやギリシアの学校も含まれていた。[54]

過去にイスラエルと占領地の往来規制がもっと少なく、柔軟に運用されていた頃、それはイスラエルの利益にもなっていた。現在のイスラエルは解体工事や入植地の建設により、広大な土地を物理的に再構築し、永続的で変更不可能な国土をつくりだそうとしている。国際的な平和活動は、イスラエル政府に解体と建設をやめるよう繰り返し圧力をかけてきたが、成功していない。しかし自爆テロのためにイスラエル市民の日常性が不安と恐怖の狭間におかれていることから、境界の往来は有益性だけでなく、問題視もされるようになってきた。二〇〇〇年九月から二〇〇四年九月までのあいだに、少なくとも二七七八人のパレスチナ人（五五七人が一八歳未満）がイスラエルの治安部隊によって殺害され、六三二人のイスラエル市民（一一〇人が一八歳未満）がパレスチナ人武装勢力によって殺害された。[55] 解決策として、ベルリンやキプロスのように恒久的な壁を建設する――つまり七〇〇キロにおよぶ防護壁でふたつのコミュニティを分けるという案が出された。境界は固定化する様相を見せている。分離壁が引き起こす問題は、東側のパレスチナ人居住区がゲットー化することだけにとどまらない。壁の建設という決定は、「エレツ・イスラエル（イスラエルの地）」全体を領有したい（それと同時に、できればパレスチナ人にどこかへ行くよう奨励したい）強硬派シオニストの野望を阻止するかもしれない。

この修正主義シオニズム（ヨルダン川両岸にユダヤ人国家を建設することを第一義として領土は分割しないという主義）の祖は、ゼエヴ・ジャボティンスキー（一八八〇～一九四〇年）である。ジャーナリストかつシオニスト運動のパイオニアで、のちに地下軍事組織イルグン（ヘブライ語ではエツェル）の指導者になった。ジャボティンスキーは、旧イギリス委任統治領のパレスチナ全域にイスラエル国家を建設するという理想に向けて、妥協を許さなかった。彼の「鉄の壁」理論（一九二三年）の影響力は大きく、現在もイスラエルの右派（リクードなど）では、国連の分割案を絶対に認めない人々に支持されている。「われわれには、入植の努力を中止するか、先住民の感情を無視して入植を続けるかのどちらかしかない」と彼は述べた。「したがって入植は地元の住民とは無関係に、実力で防衛しながら、壊すことのできない鉄の壁の内側でのみ展開できる[56]」。初期の労働シオニズムの漸進主義者ダヴィド・ベングリオンらは、もっと臨機応変に動くほうを選んだ。「ただちにユダヤ人国家を建設するのだ。全土でなくてもかまわない。時間がたてば残りはついてくる[57]」

ジャボティンスキーの「鉄の壁」は比喩的表現、つまりイスラエルの軍事力のことをさしていた。本物の壁ができれば、このような構想は終わりになるかもしれない。二〇〇〇年一一月、労働党のバラク首相は、右派の反対を押し切ってヨルダン川西岸地区の北端にフェンスを設置することを決定し、分離壁を実現するプロセスを開始した。二〇〇二年四月、パレスチナ人を（内外から）囲う長い壁の本格的な建設作業がはじまった。この分離壁は、グリーンライン（国際的に認められた一九六七年以前の境界〔一九四九年の休戦協定によって設定〕）の両側にある帯状の継ぎ目地帯（シーム・ゾーン）に建設されている。この壁は実物があるかどうかはともかく、軍事的には何年も前から、検問所の設置や代替ルートの封鎖などの形で実施されてきた。イスラエル側は、新設した壁によって国内でのテロ攻撃が激減したと主張している。たしかにそうかもしれないが、ハマス指導者の暗殺も同時におこなわれているため、どちらの効果が大きいのかはわからない。これが壁の唯一の目的であれば、正当性があるだろう。バラクの後継者アリエル・シャロンは、彼の矛盾した「撤退計画」の一環としてバラクの方針を着実に実行しているが、壁は永久的なものではないと強調するのも忘れていない。「安全保障ラインはイスラエル国家の最終的な国境にはならない」とシャロンは述べており、大イスラエル構想の問題は未解決のままである[58]。

エルサレム周辺の短い距離のほか、北に向かう壁はすでに一五〇キロメートルが設置ずみだ。

分離壁のルートはグリーンラインの内側に大きくはいりこみ、ヨルダン川西岸地区にはエルサレム近郊にある人口三万人強のマアレ・アドゥンミームなど、違法なユダヤ人入植地が数多くできている。また、壁によって東エルサレムとその周辺のパレスチナの町や村は、分断が強化されてしまった。ベツレヘム（パレスチナ系キリスト教徒の多い町）の一角は、ラケルの墓をユダヤ人側に組みこむために囲われることになっている。この強制的な分断の結果、イスラエルによる領土の併合がおこなわれ、多くの地域でパレスチナ人農家とその畑、パレスチナ人の村とその後背地のあいだに通行不可能な障害物ができた――対戦車用の堀、有刺鉄線、電気柵、二車線の警備道路、幅三〇メートルの区画にそびえる高さ八メートルの巨大な壁。これは全面的な所有権の主張であり、平和的解決への不信感のあらわれである。西岸地区のすばらしい農地の四〇パーセント、井戸の三分の二、主要な水脈もパレスチナから取りあげた。[59]

　パレスチナ人の財産を取りあげる一方、取り壊しもはじまっている。イスラエルとの境界近くにあるナズラットイサ村は道路沿いの市場でにぎわっていたが、二〇〇三年一月、イスラエル軍は一七〇軒の店のうち六二軒をブルドーザーで破壊し、残りの一〇八軒に退去命令を出した。違法建築のせいだとイスラエル軍は解体を正当化しているが、軍が古い市場への通行を遮断したから違法に建てるしかなかったのである。ナズラットイサ村はグリーンラインから分離壁までの領域、いわゆる「継ぎ目地帯（シーム・ゾーン）」に位置するため、ほかの西岸地区とは切り離されることになる。また、やはりイスラエルに隣接する人口四万人の街カルキリヤは有刺鉄線で完全にかこまれてしまい、ほかの西岸地区に行くにはただ一か所の検問所を通るしかない。[60]パレスチナ人にしてみれば、分離壁は新ベルリンの壁というべきものだ。いや、もっとひどい。国連総会やハーグの国際司法裁判所も同意見であり、シャロンが「テロ防止フェンス」と呼ぶ分離壁を非難している。[61] 二〇〇四年七月、ハーグ裁判所は、このプロジェクトは国際法違法であり、「一九六七年以降イスラエルに占領された地域で自決しようとするパレスチナ人の希望を打ち砕くものである」と述べた。[62] エフード・バラク首相は、アメリカの詩人ロバート・フロストの詩「石垣の修理」の〝よい垣根はよい隣人を生む〟という一節を繰り返し述べ、分離壁への支持を訴えた。残念ながら、バラクの頭にはフロストの疑問――〝垣を好いていないものがいる〟――は浮かばない。それはシャロンにしても同様だ。ブルドーザーと建設業者は、イスラエルの戦いに挑み続ける。

歴史的には境界の行く末が袋小路であり、どちらの主張も完遂できないのだとしたら、往来の自由度と不自由度は一方もしくは双方の安全感に左右される。歴史学者メロン・ベンベニスティによれば、イスラエル人にはグリーンラインを「こちら側の〝家〟とあちら側の混沌や野蛮を隔てる境界線にしておきたいという基本的欲求」があり、それに基づいた運用法を支持するのだという。現在、イスラエルの分離壁はイスラエルからあちら側へと、一方通行でしか通れない。[63] ベルリンの場合、グリーンライン――すなわち壁――はほぼ最初から透過性がなく、すぐに世界を覆う冷戦の象徴になった。袋小路におちいった対立軸はスターリン主義と資本主義、全体主義と自由、西と東、二〇世紀の二大イデオロギーである。壁は「鉄のカーテン」という比喩表現と双子の関係にあり、分断されたヨーロッパを物理的に体現するものだった。建設にともない多くの

初期の急進的シオニストの「鉄の壁」政策は、現在、イスラエルとヨルダン川西岸地区をへだてるコンクリート製の「分離壁」として実現した。壁構築を正当化するために、イスラエル政府は国民を自爆テロから守る効果があると主張するが、その建設（およびそれにともなう取り壊し）は、土地をめぐる衝突の激化や、壁の外側にいる「他者」パレスチナ人を支配する手段にもなっている。

地域が壊され、ベルリンはふたつに引き裂かれた。のちに壁が崩壊したとき、その両側で記念碑性と記憶の問題が持ちあがった。しかし現在では、二キロにも満たない区間のところどころに崩れた状態で少し残っているだけにすぎない。崩壊から一〇年も経たないうちに、都心部の壁のほとんどが消滅した。とはいえ、建設のほうは、もっとすみやかにおこなわれた。一九六一年八月一三日、ドイツ民主共和国（東ドイツ）は市民をかこいはじめた。包囲された——封鎖されている年月もあった——のは西ベルリンだが、実際の対象は「壁の外側」の東ドイツの首都、小さな島のような東ベルリンだった。壁は、東ドイツ人がソヴィエト圏から西側の自由主義陣営へ移住するのを防ぐために構築されたのである。外貨をたずさえた無害な東欧の観光客以外、どちらの側からも壁を通過するのは不可能だった。

当初、ベルリンの壁は仮設の鉄条網だったが、さまざまな改造を経て、大規模な構造物に変わっていく。東ドイツは、この壁は平和を守るための「反ファシズム防壁」であるとした。しかし実際には、一九四九年の東西ドイツ成立以降、東から西へ、おもに西ベルリンへ脱出した約二五〇万人の市民をこれ以上増やさないための最前線として機能した。経済的にも心理的にも、東側市民は苦難を強いられた。壁によってUバーン（地下鉄）や鉄道は寸断され、川や運河は分断された。検問所は一か月のうちに八一箇所から七か所に減った。一九八〇年代には、幅五〇メートルの緩衝地帯の両側に高さ三・五〜四・二メートルの壁がそびえる、総延長一五五キロメートルの要塞システムが完成する。このうち、約一〇六キロメートルが一般的イメージのコンクリート製である。[64] 東ベルリン市民を守るためという考えは、壁の構造からしてすぐに建前だとわかった。

防御壁や土台の向きを見れば、西からの攻撃にそなえるためではなく、逃亡を防ぐためであるのは一目瞭然だった。壁沿いにあるアパートは、まず西向きのドアと階下の窓が塞がれ（ヴェネツィア・ゲットーのつくりのようだ）、その後に取り壊された。ベルリン中心部のベルナウアー通りは、ちょうど東西の国境に位置していたため、通りの南側はまさに建物が最前線そのものになった。住人が逃げだしたあと、玄関や窓はすぐに封鎖され、建物は最終的に取り壊された。ときには正面部分がそっくり残され、壁そのものに組みこまれることもあった。また、ヘートヴィヒ墓地の墓石を壁の「死の地帯（デス・ストリップ）」（無人地帯）の道路舗装に使うなど、遺跡も転用された。資本主義世界にきれいな顔を向けておかなければならない地域では、たとえ建物の後ろや横が取り壊されていても、西向きの正面が改修された。東ドイツ側の壁付近には、鉄道操車場やVEBベルクマン・ボルジッヒ社の工場などの重要施設しか存在を許されなかった。[65]

密集した都市部での壁建設は、深い爪痕を残した。大都市の中心部が五〇メートルの幅で刈りとられていき、ベルリンは真っ二つになった。壁の両側のいたるところで、戦争被害の跡が何十年も放置されていた。冷戦時代の三〇年間、ここを訪れた観光客を魅了し、また嫌悪させたのは、この分断の力だった。

壁の建設にともなう破壊がだいたいにおいて実利的なものだったとしても、一九八五年に、ベルナウアー通りの和解教会——なんとも皮肉な名前だったことになるが——を爆破したのはその範疇にはいらないだろう。東ドイツの最後のあがきともいえるこの象徴的な破壊は、世界中でニュースになった。一九世紀末に完成したネオゴシック様式の宣教教会は、かなりの貧困地区にあった。世紀が変わると、教会はこのヴェディング地区に住むホームレスや失業者の支援に力をそそいだ。左派に属している住民も多く、かつてこの地区は「赤いヴェディング」と呼ばれたものである。しかしそのプロレタリアの資格も、断固たる無神論の国家から教会を救うことはできなかった。壁が建設されたとき、教会は教区から断たれただけでなく、「死の地帯」——すなわち無人の緩衝地帯に取り残され、隣の聖ソフィア教会墓地とも切り離された。教会は壁のあいだで二四年間を生き延びたのち、まず建物の主要部分が、次に尖塔が爆破された。理由は安全のため——狙撃のための視野の確保——だったが、すでに内部から崩壊しつつあった当時の東ドイツが、教会の破壊をとおして壁と政治体制の永続を表明したと見ていいだろう。東ドイツのキリスト教系反対勢力が教会の行く末を注視していたが、それでも未来をくつがえすことはできなかった。西ドイツのヘルムート・コール首相は翌月の国民への演説で教会についてふれ、次のように述べている。「この出来事は象徴なのです。教会の破壊は、ヨーロッパの分断とドイツの分断を克服するための道のりが、いかに長く、困難で、不確かなものであるかを示しています[66]」。教区牧師のマンフレート・フィッシャーは、神学的見地からは教会建築はすべて象徴だが、それにくわえて「あの塔がみずからの上に崩れ落ちたとき、なにか重要なことが起こった。負けたのか、それとも慣れ親しんだものにむりやり別れを告げさせられたのか？[67]」緩衝地帯の教会は「和解というよりは和解の不可能性の象徴」だったと彼はいう。東ドイツによる教会爆破は、壁のメッセージに対抗する希望のイメージを奪った。しかし希望をぬぐい去るこの行為そのものが、じつは別のイメージを世界の人々に示したのだとフィッシャーは指摘する。繰り返し流された、土台から

19世紀にベルリンの労働者階級が住むヴェディング地区に宣教教会として建てられた和解教会は、ベルリンの壁の犠牲となった。ネオゴシック様式の教会は壁の緩衝地帯で24年間存続したが、1985年1月に東ドイツによって破壊された。安全対策（狙撃用の射線の確保もそのひとつ）が理由だったが、一般には揺らぎつつある体制の政治声明と受け止められた。壁崩壊後、跡地には小さな礼拝堂が建てられている。

崩れる尖塔の映像は、東ドイツ体制の本質をあらわしていたのだと。[68]

一九九〇年六月一三日から公式にはじまった壁の解体は、やはり象徴的な意味をこめて、この地区が開始地点に選ばれた。壁はすでに相当な部分が壊されていた。一九八九年一一月九日、歓喜につつまれながら国境検問所が開放されてから、市民はあらゆる場所で壁をよじ登り、胸壁の上で踊り、壁を削ったりハンマーで砕いたりした。壁の崩壊はすなわち自由の到来であり、物理的な分離の終焉を意味した。地域から抑圧者の銅像が撤去されたのとならんで、それはスターリン主義の東ヨーロッパが崩壊したことを世界に告げていた。市民は先を争うように破壊に参加した。ハンマーで武装した「壁破り」たちは、壁を鉄筋まで剝がしていった。壁の構造物や、監視塔などの付属施設は、驚くべき速さで消滅していった。

一九九〇年の春には、ドイツ歴史博物館が壁の一部を国定記念物にすることを提案した。元連邦首相のヴィリー・ブラントは、「歴史的な怪物を記憶するために……あのおぞましい建築物の一部を残しておこう」と主張した。[69]ベルナウアー通りの壁はとりわけ重要な意味があるとされていたが、この地区の壁さえ無秩序な破壊の渦に巻きこまれ、保存が決定されたときにはわずかな部分が残っているだけだった。結局、二〇〇メートルだけを公式記念物として残すことになったが、分断の痕跡を消去したい人々と、ベルリンの二〇世紀史の重要な遺構として保存を願う人々のあいだには、火花を散らすような論争が繰り広げられた。ほかの地区では、壁はまばらにしか残っていない。大部分は持ち去られ、粉砕後に道路用の埋め立て材として販売された。ごく一部の区間、たとえば国会議事堂裏などでは、道路に石や金属の帯をはめこんで壁があった場所を示している。そのほかの場所では、都市を再統一したい、そうすることで過去を忘れたいという願望が、いっさいの痕跡をぬぐい去っている。すべては忘却の彼方。

地図を片手に、歩いて壁のコースをたどるのは容易なことではない。昔の西ベルリンでは当たり前の存在だったものが消えてしまったのには、驚かされる。壁は道の端に現れて視界をさえぎったものだ。あるいは、クロイツベルク地区――壁建設前は市の中心部で、建設後は必然的に町はずれになった地域――のように、突然鋭角に曲がり、行く手をはばんだものだ。現在、この地区の近隣には再開発されたポツダム広場があり、レンゾ・ピアノやリチャード・ロジャーズなどの国際的な建築家チームによって設計された気鋭の商業地区となっている。壁沿いのここは第二次世界大戦後、無人地帯の空き地だった。西ベルリンは何年もかけて、路面電車や街灯、歩道、Uバーンの駅の入り口などを撤去した。市中心部に新しい国際的アイデンティティを構築するために、この場所の過去のアイデンティティをほとんど、あるいはまったく参照しないで、「白紙の場所（タブラ・ラサ）」をつくったのである。近くのニーダーキルヒナー通りは、かつてプリンツ・アルブレヒト通りと呼ばれ、悪名高いゲシュタポ本部があった。ある程度の長さで中心部に残っている壁はここしかない。やはり「壁破り」に荒らされ、錆びた鉄骨が剥き出しになっている。

中心部をはずれたところに残る最長規模の壁は、イーストサイド・ギャラリーとして知られる。壁崩壊後の一九九〇年に世界各国からアーティストが集まり、一キロ以上の壁に思い思いの作品を描いて埋めつくした。壁が機能していた頃、西ベルリン側の壁に市民が落書きをしたように、壁は巨大なキャンバスに変化して、存在を否定したくなるものではなく、表現の場となった。そ

1989年11月9日にベルリンの壁が崩壊したあと、東西ドイツの国境警備員が共同で壁を破壊した。壁はまたたくまに失われてゆき、一部の保存を求める声が高まった。今日では、実際に壁があった跡をたどるのはむずかしい。壁の破片は記念品になり、フランス革命でバスティーユが陥落したときの瓦礫の運命を思い起こさせる。

れは壁の東側では許されない自由だった。

西ベルリンのアプローチとは対照的に、エルサレム近郊のユダヤ人入植地ギロと隣接するパレスチナ人村ベイトジャラを隔てる分離壁は、存在を隠しているのが特徴だ。ここの入植者側の壁には、実際にはさえぎられているパレスチナ側の風景がていねいに描かれている。その絵からは実在であれ代表例であれ、パレスチナ住民の姿は完全に排除されており、壁の、ある意味では紛争自体の存在を否定するものとなっている[70]。同様に、レバノンで一五年間続いた紛争の痕跡も、イスラエルから数百キロ北に離れたベイルートの再建で、きれいにぬぐい去られている。戦時中、ベイルートは「グリーンライン」をはさんで西のムスリム地区と東のキリスト教地区のふたつに分かれ、境界線は植物が繁茂する荒れ果てた無人地帯になった。境界は現在、政府と民間企業のソリデール社が共同で実施している急速な再建計画で消えつつある。それとならんで、多様な歴史的建造物で構成されていた中心街の姿も様変わりしている。一八〇ヘクタールの再建プロジェクトは、いまだに政治的に落ち着かない多元的な国家の現実よりも、遠いフェニキア時代やレバントとの共有遺産を想起させる抽象的な統一感をめざしている。[71]

ベルリンの壁は破壊にともない、不思議なプロセスで商品化が進んだ。記念品にして売ろうと考えていた市民をがっかりさせたことに、壁の破片の販売は一九八九年一二月に旧東ドイツ国営企業だったリメックス＝バン社にゆだねられた。バスティーユ牢獄の破片も売られたし、ドレスデン爆撃で崩壊した聖母教会が東西ドイツ統一後に再建されたときも、破片を組みこんだ時計などの記念品がつくられており、時代を問わずこの種のことは起こるらしい。この商品化については、ポリー・フィーバーシャムとレオ・シュミットが名著『今日のベルリンの壁 *The Berlin Wall Today*』で検討し、「真の十字架」の破片との類似性を指摘している（キリストの磔刑に使われたとされる十字架の破片は聖遺物として各地の教会に納められている）。崩壊したイデオロギーの遺物は、いまではかなりの額で取引されており、とくに上手な落書きが描かれている大型の断片には最大三〇万ドルの値がつくこともある。「壁が消えたのは、ひとつには神秘性をなくした邪悪なもののかけらを家に持ち帰りたいという市民の願望が続いているためである」とフィーバーシャムとシュミットはいう。「壁の破片には、真の十字架の破片と同じく、その構造物が象徴するすべてに対してのアンチテーゼの意味があった」[72]。また、歴史的記念物を手に入れたいという願望や、公共物の私有化という側面もある（バスティーユや聖母教会の破片でも同じことがいえる）。思想家ヴァルター・ベンヤミンは、記念品には「消滅した経験」の容器の役割があると述べた。記念品としての「壁」は、在りし日の構造物の巨大さを思いだす手段というよりも、小さくして手元においておくことが主眼といえるだろう。その恐ろしさを減衰させていくために。

記憶と忘却の戦いでは、忘却のほうが優勢のようにみえるが、記念品の場合、記憶は集合的な経験としてではなく、個人的なきれぎれの思いとしてきざまれる。共同体の現実は、無害なコンクリート製の小物に刺激されたノスタルジアのなかで変容していく。商業主義とイデオロギー修正主義は、死と分断の象徴に人々がくわえた攻撃と同じく、壁が持っていた本質的な場所の力も、ありのままの記憶も、そのほとんどを葬り去った。資本主義はたしかに勝利した。

その一方、監獄都市だった東ベルリンで見られたうつ病や自殺などの「壁の病」とは対照的に、壁がなくなったことによる喪失感も広まった。旧東ドイツでの生活や、分断されていた当時の西ベルリンでの若々しいアナーキーな生活への郷愁——「オスタルジア（東（オスト）へのノスタルジア）」が、その空虚感を埋めている。一九九〇年五月におこなわれた世論調査では、西ベルリン市民の二五パーセント、東ベルリン市民の二〇パーセントが、壁のある統一前の都市になんらかの郷愁を抱いていた[73]。

同様の「壁の病」は、キプロスの首都ニコシアで分断線をパトロールするトルコ系キプロス人兵士にも見られている。ニコシアは、ギリシア系とトルコ系の対立を緩和するためにまず一九六三年に分かれ、トルコ軍の侵攻を受けて一九七四年に完全分割された。ここでも再統一を求める声が高まっており、とくに分割以来経済的な停滞が続くトルコ側でその傾向が強い。ギリシア側がEU加盟を果たしたことで、この差はますます大きくなるだろう。

一九六〇年にキプロスがイギリスから独立したあと、島内のトルコ人とギリシア人の対立が激化した。壁で囲まれた旧市街に最初のグリーンラインを（緑のペンで地図上に）引いたのはイギリス軍である。ギリシアの支援を受けてキプロスのギリシア併合（エノシス）を求める強硬派が起こしたクーデターはトルコの侵攻をまねき、島の北部三七パーセントがトルコに占領され、ニコシアのグリーンラインは海岸から海岸まで一八〇キロ延長された。すぐさま深刻な民族浄化と強制移住、そして文化浄化がはじまった。トルコ側が島の北部で村ごとに民族浄化をおこなう一方、ギリシア側はトルコ系キプロス人の北への脱出をはばんだ（つまり民族の分断を強化した）。その後、ギリシア人の南側への移住が終わるのと引き換えに、数千人のトルコ人が北側に行くのを認められた。新たにできた北キプロス・トルコ共和国（一九八三年に独立宣言をしたが承認しているのはトルコのみ）には、トルコ本土から大勢のトルコ人農民が連れてこられ、いなくなったギリシア人のかわりを務めた。

トルコは当初、キプロス侵攻は島の少数派のトルコ人を保護するための一時的な介入と主張していたが、北部のギリシアの物質文化への攻撃を見れば、永続的に駐留する意図があるのはあきらかだった。ギリシアの遺産を破壊することは、将来のエノシスに対する保険であり、北部地域

1974年のトルコ軍のキプロス侵攻により島は完全に分割され、北部に設立された北キプロス・トルコ共和国ではギリシアの遺産が大規模に破壊された。モルフォウ（トルコ名ギュゼルユルト）の村にある12世紀の聖ママス教会は、稀な生き残りだ。モルフォウのギリシア系住民が逃げたあと、教会は被害を受け、羊小屋になっていたが、その芸術性の高さからのちにイコン博物館として再開された。しかし2004年、30年ぶりに正教会の礼拝がおこなわれる予定だったところ、爆弾によって損傷した。トルコ系キプロス人ナショナリストの犯行と思われる。

からはすぐにギリシア色がなくなった。一方、ギリシア側ではイスラーム教の記念建造物が保護され、修復もされている――ギリシア系キプロス人は、破壊による領土的主張はおこなっていない。分割後の数か月から数年のあいだに、ビザンティン様式の教会をはじめ、北キプロスにあった五〇二のギリシア正教の教会は一部を除いて破壊や略奪、撤去されたほか、モスクや厩舎、便所、店舗、映画館などに転用された。島のアルメニア教会も、トルコ本土の教会と同じような末路をたどった。ギリシア語の地名はほとんどがトルコ語に置き換えられた。ギリシアの世俗的な記念物や遺跡、墓地なども、順番に壊された。世界の美術市場には、六世紀にさかのぼる聖像、モザイク、その他の工芸品が大量に出まわっている。

一九七六年にロンドンの『タイムズ』紙と『ガーディアン』紙がおこなった調査により、その被害がたんなる破壊や放置によるものではなく、組織的なものであることがあきらかになった。『タイムズ』はこう書いている。

> 夜遊びの酔っぱらいがつけたような無造作な破損と、数百キロもある十字架や墓石、重い大理石の板など、ハンマーを持った人間でなければ不可能な破壊を区別することが重要だ。最初のカテゴリーにあてはまるものはなにもなかった……ギリシアのものをことごとく消し去るプロセスは、整然とおこなわれている。(74)

『ガーディアン』は、「北キプロスのレイプ」という記事でこれに同じ意見を述べている。

破壊行為や冒涜行為は非常に組織的で広範囲にわたっており、ギリシア人にとって神聖なものすべてを組織的に抹殺しているようなものだ……たとえば、五〇以上の墓がある墓地全体がマッチ箱ほどの大きさの瓦礫になっていた……アルダナのアギオス・ディミトリオス礼拝堂は、祭壇の台座の残骸のほかはなにもなく、人間の排泄物で汚れていた……シングラシスでは、壊れた十字架が小便で濡れていた。どこに行っても墓があばかれていた……埋葬されている人々の写真が貼られた十字架は……倒されて破壊されていた。[75]

ただ、この被害や破壊は、トルコ化と同時に復讐の行為だったともいえる。分割前の紛争では、かつては隣同士に暮らしていたトルコ系とギリシア系の住民が、互いに殺しあったり残虐行為をおこなったりした。以来、数十年にわたってトルコ人居住区ではギリシアの建築遺産の破壊が続いている。[76] 一九九〇年、『フランクフルター・アルゲマイネ・マガツィーン』誌は、アルメニア人のスルプ・マガル修道院（一〇〇〇年頃建立）が廃墟となり、被害を与えた「勝利の処刑人」を称える落書きがされているのを発見した。[77] 二〇〇一年には、スルプ・マガルのホテル化計画阻止のために欧州評議会が動いた。[78]

こうした傾向とは逆に、最近の再統一に向けた気運のなかで、少なくともニコシアではキプロス島の文化遺産に目が向けられている。ギリシア側とトルコ側が共同で進めるニコシア基本計画がめざしているのは、歴史的中心部の再生だ。分割以降、南側は新市街の開発がどんどん進み、

トルコ側キプロスのコマ・トゥ・ジャロの村で破壊されたギリシア正教の聖ゲオルギウス教会。1974年から76年にかけてギリシア系住民は激しい民族浄化にさらされ、村にはアナトリア系トルコ人が再定住した。

ビル街や新興住宅地ができたが、グリーンライン周辺や北側の旧市街は一九七四年からほとんど変わっていない。シンクに洗い物が残ったままの家や、とっくに廃れたブランドの広告を出したままの空き店舗が、逃げだしたときの切羽詰まった状況と無人地帯の荒廃を物語る。国連キプロス平和維持軍の兵士たちが、一九七四年に輸入されてからショールームを出たことのないトヨタ・カローラの車列を守っている。また、グリーンラインの雑草に埋もれたまま錆びついた黄色のモーリス・マイナー（イギリス産の小型車）は、国連の停戦協定の目印になった。トルコ政府は、グリーンラインの起点はリアバンパーだと主張しているが、国連の見

キプロスの首都ニコシアは民族間の暴力を減らすために1963年に分割、その後1974年のトルコ軍侵攻により、島の残りの部分も分割された。首都のグリーンラインは国連軍兵士がパトロールしている。検問所が開かれて両側の島民の往来が可能になったのは2004年になってからである。北側の建物は30年前から誰も住んでおらず、朽ちかけている。

解ではフロントバンパーからだという。緩衝地帯にあるカトリック教会は緩衝地帯の両側から入れるようになっており、どちらに帰属するかまだ決まっていない。一八世紀の住宅や古代の教会、モスクなどが残る地域全体が、崩れかけている。豊かなギリシア側では修復が急速に進んでいるが、北側でも数十年におよぶ国際的な通商停止措置がようやく終了したので、勢いが増してきた。国連と欧州委員会は、物理的な再統合と再統一に向けた動きとして、この再生計画を支持している。それを象徴するプロジェクトとして、ギリシア側におけるオスマン帝国時代の公衆浴場の修復、北側における市場の修復に資金が提供された。両共同体計画にのっとり、両陣営の専門家が参加している。

最近、再統一への議論がふたたび暗礁に乗りあげたことに、トルコ系キプロス人の多くは困惑した。というのも、再統一の是非を問う二〇〇四年の国民投票でトルコ系住民の大多数が「イエス」と答えていたからである。このままの状態が続くなら「ベルリンの壁」式に境界へ押しよせる、と彼らは当局を脅した。[79] ギリシア・キプロスがEUに加盟した一週間後、トルコ系政府は分裂以来、初めて緩衝地帯の検問所を開き、自国民の脅しに応えた。現在、EU圏内での居住や労働を可能にするため、約二万人のトルコ系キプロス人がキプロスのパスポートを申請している。国際化が進むヨーロッパでは、島の些細な分断は取るにたりない問題になりつつあるのだ。しかし合意に反対するトルコ系強硬派は、自分たちの考えを表明するのをやめようとしない。二〇〇四年八月、北キプロスの町ギュゼルユルト（ギリシア名モルフォウ）にあるギリシア正教の聖ママス教会で、三〇年ぶりに予定されていた礼拝の数日前に、爆弾の爆発で窓ガラスが割られた。南のギリシア側では、ただちにモスク周辺に警備体制が敷かれた。[80] 統一されていた頃の記憶は、ギリシア側では絶えず再生されている。夜のテレビニュースがはじまる前に、いまは占領地の北にあるギリシア系の村や教会の在りし日の映像が、「わたしは忘れない」の文字と一緒に流される。それでもギリシア系キプロス人の大半は、再統一に関する二〇〇四年の国民投票で「ノー」をつきつけた。提案は二国家のゆるやかな連合という内容だったが、長年にわたるギリシア系キプロス人の悲しみは癒えていなかったのである。[81]

もちろん、革命的なバリケードからアフマダーバードの集合住宅地（ポル）まで、内部のコミュニティの防衛のためにみずからつくった障壁も多い。だからといって、その分断を積極的に選択したとはいいきれない。ただ、必要に迫られてのことである。とくに北アイルランドのベルファストはその好例だろう。アイルランド島の分割は植民地時代の負の遺産だ。この地域の境界は、対立するコミュニティ自身（大半はカトリック系ナショナリスト）が築いたものが起源であることが多いが、その分断を維持・強化したいという願望は、両方のコミュニティ（カトリック系とプロテスタント系）と国家に存在する。また、イスラエルや占領地と同様に、市内で攻撃の対象にされるのは記念建造物ではなく一般家屋である。

ベルファストの起源は一二世紀にさかのぼるが、一九世紀初頭のベルファストはイギリスのプロテスタントが支配する植民地都市だった。一六〇三年にイギリスがおこなった植民政策により、大勢のイングランド人とスコットランド人が入植し、それがイギリス支配に抵抗した「反乱」地域の人口構成を変えていく。田舎のカトリック教徒は、産業革命の波に乗って綿や亜麻の工場で働くために、のちには大飢饉から逃れるために、この街に移り住んだ。一八三〇年には労働人口の三分の一をカトリック教徒が占めている。しかし造船業などの職種はプロテスタント限定であり、カトリックを排除していたため、ベルファストのカトリック居住区はおのずと職業に沿うものとなった。一九世紀後半でさえ、市内のカトリック地区とプロテスタント地区の境界には、宗派間の緊張が高まるとバリケードが設置された。一八七〇年代から一九三〇年代まで、一〇年ごとに宗派間の暴動が起きている。今日のキューパー通りの平和の壁は、一八八〇年代のバリケードとほぼ同じコースをたどる。[82]

二〇世紀末までに、コミュニティ間の壁やフェンス、「インターフェイス・ゾーン（接触地帯）」の多くが恒久的なものとなった。この傾向を大幅に加速させたのが、一九六〇年代に勃発した「厄介ごと（ザ・トラブルズ）」――北アイルランド紛争の婉曲表現――である。[83] ベルファストの壁はベルリンやニコシアとは異なり、市民の往来が不可能な長い壁が張りめぐらされているわけではないが、長さと高さは依然としてのび続けている。この都市独特の分離は過去三〇年間に激化し、市内の労働者階級地区では事実上完了（九八パーセント）した。[84] 西ベルファストは昔からカトリックが多数を占め、東ベルファストはプロテスタントの拠点である。北側の地区には両者が混在しており、対立する居住区があちらこちらに点在している。しかし分離前の暴力や破壊は、分離後に比べれば最小限のものだった。

和平合意が成立したあとのベルファストは、不思議な場所である。待ちきれない犬のように期待に震える一方で、低いうなり声程度の暴力的衝突が宗派間で続いている。これまで、ベルファストを訪れるときはクイーンズ大学の先の郊外に滞在していた。住民には講師やソーシャルワーカーが多く、緑ゆたかで、宗派にとらわれない中流階級の居住区であり、いくつかあるイギリス風の赤レンガ造りの大学との距離も近い。ベルファスト市内では例外的な場所だ。前回の訪問は、ロイヤリスト地区である東ベルファストのテラスハウスが建ちならぶ中心街を滞在先に選んだ。ここには機関銃の壁画がある。店でなにか買い物をしていると、シェルスーツを着た武闘派らしき男たちが、こちらの訛りに聞き耳を立てている。その雰囲気は、ヨルダン川西岸の緊張感というよりも、西モスタルの警戒心に近い。滞在先の友人のキッチンで紛争について話していたところ、彼女は不意に「シッ」といって立ちあがり、窓を閉めてからふたたび低い声で話を続けた。ここでは壁に耳がある。自宅の安全がどれほど簡単に脅かされるか、容易に想像がつく。

北アイルランド紛争は、西側諸国で公民権運動がさかんになった時代にはじまる。当初はアイルランドの再統一を求めるＩＲＡ（アイルランド共和軍）が、ロイヤリスト（プロテスタント）の準軍事組織とイギリスを相手に繰り広げた武力闘争だったが、やがてプロテスタントの一般市民を巻きこむ形で拡大することになる。当時、北アイルランドでは少数派のカトリック住民に対する差別が長年にわたって構造化していた。それに不満を募らせたナショナリストが平等を求める抗議行動を起こすと、反発したプロテスタント側は暴力で応酬し、ついにイギリス軍が介入する事態となった。イギリス軍は、表向きにはカトリック住民の保護を目的に派遣された。しかし到着したのは、一九六九年にデリー市ボグサイド地区で激烈な暴動が発生し、カトリック系住民がバリケードを築いてプロテスタントと警察の攻撃を撃退したあとだったのである。「厄介ごと（ザ・トラブルズ）」の本格的なはじまりとされるこの「ボグサイドの戦い」でも、現在まで続く衝突のなかでも、いたるところで住宅が爆破され、石を投げられ、焼きはらわれた。住宅問題は昔から重大な争点だった。最底辺にいたのはカトリックだが、この地方はいまも双方ともに不名誉なほど低い住宅水準に悩まされている。しかしカトリック系住民は一九七一年にイギリス政府の関与によって独立した住宅機関が設置されるまで、公営住宅の割り当てに関して、ロイヤリストが主導する北アイルランド議会から組織的な差別を受けていたのである。[85] 地方選挙で投票権を持つのは納税者にかぎられていたこともあり、かつて住宅問題は選挙に直結していた。一九六八年八月におこなわれた最初の公民権行進は、住宅割り当ての差別に抗議するデモだった。

ベルファストの住宅破壊は、国家の利益のためではない（それどころか疑問の多い事件もある）。一九六九年にデリーのボグサイド地区、ベルファストのフォールズ地区とアードイン地区（いずれもカトリック居住区）で起きた初期の大規模衝突では、何百もの住宅に火がつけられた。一九六九年から一九七三年にかけて隣接するコミュニティの宗派間暴力が激化し、約六万人が家を追われた。放火、投打、爆弾、殺人、脅迫により、何千戸もの住宅が壊されたり、無人になったり、撤去されたりした。ベルファストのカトリック人口の約五パーセントが引っ越しを余儀なくされた。被害を受けた財産の八〇パーセントはカトリックのものである。[86] 一九七一年八月に導入された裁判なしの拘禁制度（インターンメント）は被害の拡大をまねき、二〇〇〇戸以上が立ち退かされた。翌年も暴力の応酬は続き、一万四〇〇〇戸以上が被害を受け、その後に多くが取り壊された。そして、仮設の自衛壁が恒久的な「平和」の線として定着していく。のちに陸軍の地図が、ベルファストの市街を流れるラガン川をはさんで「西」のカトリック地区（緑）と「東」のプロテスタント地区（オレンジ）に色分けされたことから、分断はイギリス政府が意図的にたくらんだのではないかという声が高まった。一九八四年、イギリスの保守党大会開催中のブライトンでＩＲＡがグランド・ホテルを爆破したことを受けて、からくも暗殺をまぬがれたサッチャー首相が、カトリック教徒をアルスター（北アイルランドを含むアイルランド島北部の地方名）からアイルランド共和国へ大規模に移転させ、ベルファストを分割し、南との国境線を引きなおそうと提案したことを考えると、そんな陰謀論も荒唐無稽だと一蹴しきれないのかもしれない。しかしサッチャーはすぐにクロムウェル的な発想を引っこめ、それは約二〇年間秘密にされたままだった。[87]

イスラエル国内と同様、それぞれのコミュニティの宗教施設はほとんどねらわれていない。オレンジ・ホール（プロテスタントの集会所）やカトリック教会、学校などは被害を受けているものの、宗派や信仰に基づいた殺害の証拠はありあまるほどあるにもかかわらず、両陣営とも闘争を政治的なものに見せたがっている。そうしたなかで、一九七〇年代に多発したロイヤリストによるパブ襲撃事件（どちらのコミュニティでも経営者は伝統的にカトリック教徒が多い）は、宗派と居住地がどれほど入り組んでいるかの好例だろう。ＩＲＡが北アイルランドで展開する大規模な爆弾攻撃は、敵対するコミュニティの象徴的建造物ではなく、おもに軍、警察、経済地区を標的にしている。ベルファストの商業中心地に対するＩＲＡの爆弾攻撃の影響は甚大だった。ベルファスト市庁舎などの公共施設は大英帝国の遺産のため、建築的な中立性はなかったが、市中心部の数少ない市民共有空間は、誰にとっても危険な場所になってしまった。全商業店舗の四分の一にあたる三〇〇店以上が破壊された。停戦協定後、市の中心部を囲んでいた鉄製フェンス「リング・オブ・スティール」や検問所は撤去されたが、不安や緊張をぬぐいきれない市民は多い。たとえば広いキャッスルコート・ショッピングセンターにしろ、入り口がいくつかあり、それが自分の家の方向、すなわちどの宗派の地区に通じるかの目印になる。

一九九四年にＩＲＡが停戦に踏み切ってから一〇年たったあとも、両コミュニティが接するベルファストでは、パイプ爆弾や火炎瓶などが日常の脅威となっている。両者を隔てる高さ三メートル以上の平和の壁は、いまも建設が続く。一方の居住区から他方へ行く道路は数が減らされたり、ゲートが設けられたりして、緊張が高まったときは閉鎖される。北アイルランド問題にくわしい歴史学者アンソニー・ヘップバーンは、分離プロセスによって生じる結果を経済学用語の「ラチェット（歯止め）効果」を用いて説明し、「紛争が激化したときに進んだ分離は、情勢が落ち着いても解除されない傾向がある」という。[88] これがもっともあてはまるのは公営住宅地区で、中流階級地区はさほどではないため、貧困層の対立コミュニティ間の恐怖と富の奪い合いが問題の根っこにあるといえるだろう。必然的に、紛争の起こりやすい地域には単一宗派の地区がパッチワークのように入り組んでいる。そのような二七の地域では、キューパー通りの巨大なコンクリートの要塞から、レンガの壁に描かれた装飾的な「環境的障壁」、アレクサンダー・パークをプロテスタント用とカトリック用に仕切る大型フェンスまで、恒久的な障壁がいたるところにある。大規模な道路計画もコミュニティの分断を強化する。プロテスタントの東ベルファストにあるカトリックの「飛び地」ショート・ストランド地区では、両宗派が接する住宅地の裏庭を巨大な障壁が隔てている。この地区はつねに包囲されているような感じだ。東ベルファストで弱者の立場になるのには、敵対する宗派に属している必要はない。たんによそ者であればいい――わたしが前回訪問する数週間前、ふたりのオーストラリア人観光客がさしたる理由もなく路上で暴行を受けた。

とはいえ多くの場合、平和の壁は裏庭のあいだではなく、住宅や会社が破壊されたあとに放置されて空き地となり、新しくなにかを建てるには安全ではない場所に設置される。最近の調査

キューパー通りの「平和の壁」は、1880 年代の対立初期にできた障壁と同じコースに建つ。市内にある分離壁の素材や高さはさまざまで、和平協議がおこなわれているにもかかわらず、その数は増え続けている。現在、ベルファスト市内は、ほぼ完全にふたつの宗派の居住区に分かれる。

によると、市の七パーセントが建物のない空き地に相当するという。四〇〇メートルから六〇〇メートルにわたる範囲が空き地になっている場所もある。[89] 都市の広大な地域が物理的に分断されており、両派が共存する住宅地建設の試みはほとんど成功していない。物理的にも、文化的にも、精神的にも、この街はバラバラだ。カトリック側では、平和の壁に向かって住宅開発が進みはじめているが、これは安全な自分たちのコミュニティに住みたいという人口が増えたせいである。一方、プロテスタント側では、街から離れてプロテスタントのヒンターランド（後背地）に移ることを選ぶ人が多い。平和の壁の近くで開発をおこなう場合、双方の合意を得るのは非常にむずかしい。提案が住宅の場合はなおさらである。双方ともに、安全保障上の理由から新しい住宅地の建設に疑念を抱いている。つまり、改造後のパリのように防衛しにくくなっては困る、というわけだ。緩衝地帯の役割を果たす工業団地や商業施設ができているものの、ほとんどの土地は放置されたままである。リバプール、ニューカッスル、グラスゴーなどのイギリス本土の都市にも廃墟はあるが、ベルファストのような規模ではなく、ここでのビジネス投資は市の中心部に限定されている。貧困層や立ち退かされた人々は互いに争うしかない。きれいに塗装された家であれ、朽ちかけた家であれ、どの家もすべての窓に、細板をつないだベネチアン・ブラインドがかけられている。爆発被害を防ぐためなのか、外からはわからないように治安の悪い街を監視するためなのか？　分離壁はいったん建てられてしまうと、敵対的な環境に立ち向かうための内向的な要塞になってしまうことが多い。

新興住宅建設によってカトリック居住区が拡大するようすは、隣接するロイヤリストのコミュニティには攻撃的に映り、しばしば暴力的衝突に発展する。二一世紀なかばには北アイルランド人口の過半数をカトリックが占めるようになると予測する統計のせいで、プロテスタントはすでに不安に駆られており、カトリック居住区の拡大は「圧倒されるのではないか」という不安をいやが上にも煽るのである。ロイヤリストの集会で叫ばれる「一インチもだめだ」「われわれのものは渡さない」という言葉に、その恐怖がにじむ。公式に和平合意がなされたが、いまもコミュニティの境界線に沿って激しい衝突が続く。北ベルファストのトレンス・エステートやマナー・エステートのように、経営が悪化して大部分が廃墟となった公営住宅からロイヤリストの住民を退去させる方針は、再開発された団地に平和の壁の向こうにいるカトリック教徒が住むのではないかという懸念を生み、民族浄化という非難をまねいた。プロテスタントが引っ越したり引っ越しを余儀なくさせられたりする一方、北ベルファストの住宅待機者リスト（二〇〇四年）ではカトリックが八三パーセントを占める。

北ベルファストの現状について、デイヴィッド・マキタリックは「市の北部は軽微な戦闘が日常的に続く場となっており、通りや個人の住宅が一進一退の前線となっている」と述べた[90]。平和の壁がない場所でも、地元の住人は境界線をわきまえている。旗、政治的な壁画、色を塗った敷石などが自分たちの領土をはっきりと主張し、ナショナリスト地区とロイヤリスト地区の移行部を示す。二〇〇二年にパレスチナとイスラエルの旗がひるがえったのも、その延長線上だ。それらは文字どおり、警告のサインなのである。最近では、カトリックが増えているアードイン地区のホーリークロス・カトリック校に通う小学生がロイヤリストに威嚇されるなど、侵食への恐怖がひしひしと伝わってくる。一九九四年の停戦以来、四つ目となる平和の壁をアードイン通りに設置することが、憂鬱な解決策として提案されている（また、ロイヤリストが保持しきれなかった飛び地をカトリックに渡すという話もある）。

ベルファストの障壁は三〇年以上にわたって両陣営に地盤を確保させてきたが、その周辺では微細な移動がおこなわれており、都心部はほぼ完全に隔離された状態になっている。小規模な破壊が続いているものの、少なくとも闘争手段として住宅を徹底的に攻撃する段階は終わったのかもしれない。しかし解体と隔離は、ロイヤリストにとって、都市への支配力を確保するという点ではなんの成果ももたらさなかった。彼らは、人口的にも政治的にも優位性を失いつつある。さらなる平和の壁の必要性は、空間だけでも彼らの存在を守ろうとする最後の努力と見ることができる。一方カトリックのほうは、過去には自分たちを守るために壁を歓迎していたかもしれないが、その構造物が彼らの拡大の障害になるおそれがある。昨今のインターフェイス・ゾーンでの紛争は、このバランスの変化を示している。しかしバランスの変化は、勝利や平和を意味するものではない。つねに身近な敵でありながら、共有できる空間がないのでは、コミュニケーションも理解も得られない。最近ベルファストでおこなった調査で、約七〇パーセントの若者が他宗派の人たちと「有意義な会話」をしたことがないという結果が出ている(ベルファストの教育は宗派に基づいておこなわれる)。また、停戦後にコミュニケーションが悪化したと答えた人は六〇パーセント以上にのぼる。袋小路の終わりは見えない。[91]

分断と「他者」の近さが組み合わさると、文化的な自己定義が高まり、客観的に見ればわずかでしかない違いを誇張するようになる。つまり、小さな差異へのナルシシズムが生まれる。ベルファストでのパレード、旗、切妻屋根の家の壁に描かれた絵は、実際のところ、この街のプロテスタントとカトリックの文化にはわずかな違いしかないことを示している。これらふたつの文化は、根本的にはほとんど違いがない――とくに建築に関してはそうだ。住環境の相違に基づいて分離を進めることができないため、文字どおり建物の表面に威圧的な戦化粧(いくさげしょう)を塗り重ねて、違いを際だたせていくことになる。これはモスクの光塔と教会の尖塔の不和ではない。こうした状況下では、教会は象徴としても標的としても、さほど大きな役には立たない。

北アイルランドと同じく、国民文化を持つという点では比較的初心者のイスラエル（これはユダヤ教ではなく国家という意味）にも、その国土で競合する人々との違いを強調したいという願望がある。イスラエルのアイデンティティの創造は、パレスチナ人のアイデンティティ追求の犠牲の上に成り立っている。それは北アイルランドでのカトリックの拡張主義が、ロイヤリストの集団的自意識を脅かす構造と似ていなくもない。イスラエルでは、土地に根ざす記憶がぶつかり合い、紛争を生む。継ぎ目地帯（シーム・ゾーン）とその周辺では、新生パレスチナ国家誕生の可能性が深く脅かされている。パレスチナ人には、土地とむすびついた文化的アイデンティティの記憶は長く残っているが、イスラエル人とは異なり、独立国家としての最近の歴史はない。つまり、パレスチナの土地に根ざした「民族としての記憶」が存在するだけで、「国家としての集合的記憶」がないのである。したがってイスラエルがパレスチナ人の住宅、遺産、インフラを攻撃するのは、たんに「地上の事実」をつくりだすだけでなく、パレスチナ人の集合的記憶や国家としての歴史が誕生する芽を摘もうとする行為、すなわちパレスチナ人の国民的アイデンティティの出現を阻止しようとする動きと見ることもできる。確定しない国境はイスラエル人に安全保障上の問題をもたらすかもしれないが、そのかわり自分たちのアイデンティティを一定の境界内に固定し、パレスチナ人にもそうさせておくことができる。

イスラエルは国境線上では賭けに出ているのかもしれないが、国内では非ユダヤ人の建築遺産の取り壊しをおこなっている。ベルリンの和解教会の爆破や、北キプロスの教会の破壊や冒涜のように、これは国家の「後戻りしない」という宣言である。皮肉にも、ヨルダン川西岸地区のユダヤ人入植地は、この土地の建築の伝統とはかけ離れている。丘の上に建っていることも、ヨーロッパの住宅様式を採用していることも、この土地の風土や固有性とは相容れない。聖書の遺産を取り戻そうとするあまり、イスラエル人はこの土地特有の建築物や都市の形態を消す危険をおかそうとしている。イスラエルの新たなアイデンティティを確立するなかで、アラブ人とともに(支配とはいわないまでも)ここにいたという歴史的事実、それ以前の数千年におよぶ歴史が消え去ろうとしている。ふたつのセム語系民族(ユダヤ人や西アジアのアラブ人など)の違いを維持し続けるほうが、ずっと重要なのである。

イスラエルの分離壁の寿命を判断するのは難しいが、当面のあいだ、その最大の役割はパレスチナ人の生活をコントロールすることだ。それはパレスチナ人をイスラエルから締めだす一方で、彼らを檻のなかに閉じこめておこうとしている。さまざまな意味で、これはキプロスやベルファスト、ベルリンの壁よりも大胆な計画といえる。しかし壁があるにもかかわらず、キプロスやイスラエル、北アイルランドでは建築物への攻撃が続いており、不安は解消されていないため、インドと同様に、他集団との分裂を促進したい勢力によって冷酷に利用されている。インドのアヨーディヤは宗教問題としてはじまったが、北アイルランドと同じく、すでに政治闘争の手段となって久しい。政治家が権力欲と領土拡大を煽り、力も財産もない民衆同士が戦いを繰り広げている。亜大陸がパキスタンとインドに分割されたことで、互いの玄関口に敵ができ、その結果、内部にも敵ができてしまった。二国間の戦争の脅威は、殺人的な暴動に反映され、人々だけでなく、その象徴的な建造物や一般建築にも被害がおよんでいる。さらなる分離の試みは、インドをボスニアのような道に導くのか、あるいはベルファストのように、向こう側の「親密な敵」を警戒しながら併存していくようになるのか。もしかしたらベルファストはアフマダーバードの「集合住宅地（ポル）」に学び、平和の壁のなかの「飛び地」は何世紀にもわたって存続することになるのだろうか？

分断が克服されたとしたら、ベルファスト、キプロス、イスラエルにある分断の物理的な痕跡は、ベルリンのように消失するのだろうか――新たな統合と隣人の利益のために忘却を強制されるのだろうか？　少なくとも戦争よりはましだが、過去の失敗の教訓が目に見える形で残っていなければ、その教訓も失われてしまうのではないだろうか。いずれにしても、分割は不自然で本質的に不安定な状態であり、障壁が強調されればされるほど、未完成のプロセスを示す。分断の線は、市民生活の醜い傷痕となる。そのかさぶたは、境界線に沿った物理的環境で繰り返される紛争によって引きむしられ、傷痕はどんどん広がっていく。よい垣根はよい隣人をつくることはない。垣根は防御心、恐怖、異質さを助長する。このような状況下では、攻撃が最大の防御とみなされていくだろう。

# 第六章　記憶と警告Ⅰ　再建と記念

歴史は繰り返す。だが、すたれてしまった
独特の芸の魅力は、二度とよみがえらない。
それは絶滅した野鳥の鳴き声のように、もはやこの世から消え失せている。
――ジョセフ・コンラッド『海の鏡』（一九〇六年）

バニャ・ルカのセルビア人に怒りの炎を焚きつけたのは、酒場でふたたび勢いよく歌われるようになったセルビアのナショナリストたちの歌だった。二〇〇一年夏、かつてバニャ・ルカから民族浄化されたムスリムが、ブルドーザーで整地されたモスク跡地に戻ってきた。モスク再建のために礎石をすえる式典をおこなうためだったが、セルビア人はこの象徴的な行為を阻止しようとしていた。酒場で流れた歌をきっかけにセルビア人は暴徒化し、年配のムスリムに石や瓶、卵を投げつけたばかりか、豚を放ってモスク再建地を汚した。暴徒から逃れるために近くのコミュニティセンターへの避難を余儀なくされた人々のなかには、イギリス大使の姿もあった。広場の反対側の市庁舎近くでは、ボスニア最大のセルビア正教教会が建設中である。

一九九五年のデイトン合意によって内戦が公式に終結して以来、モスクを再建しようとする試みに対して、ボスニア全土の反ムスリム勢力や官僚が抵抗している。ストラッツでは、クロアチア人主導の自治体でモスク再建案を議題にした会議が予定されていたが、突然、議決に必要な定数に満たない事態が相次ぐようになった。デイトン合意後のボスニアは、自治領のスルプスカ共和国（セルビア人主体）とボスニア・ヘルツェゴビナ本国に分断され、さらに民族単位で県に分割されている。記念建造物によって再統一をめざすことは、はかない望みのように思える。このような敵意が、民族浄化された難民たちを町や村に戻そうとする外部のコミュニティの努力を幾度となくはばんできた。かつて自分たちを拷問し、家族を殺した者たちに囲まれ、家も仕事もなく、自分たちの存在や文化を想起させる懐かしい風景が消し去られた場所には戻りたくない、と考える難民は多い。その一方で、バニャ・ルカのムスリムのように、記念建造物を再建することによって自分たちの存在感や認知度を再確認しようとする人々もいる。しかし、その建物を日常的に使うコミュニティが存在しなければ、このような行動は絶望的に脆弱なものになる。かといって、それを試みなければ敗北を認めることになり、もはやそこにいる権利はなく、所属していないことになってしまう。そのような状況のなか、モスクとムスリムは、ストラッツなどクロアチア人強硬派が多い敵対的な地域に戻りつつある。

かつて二万五〇〇〇人のムスリム（彼らは残酷な民族浄化を受け、家を焼かれた）が住んでいたコザラッツ村には、現在六〇〇〇人のムスリムが戻っている。セルビア人に光塔（ミナレット）を爆破されたモスクも再建した。帰還したムスリムといまも居住しているセルビア人迫害者のあいだに起きる衝突によって、不安定な平和はしばしば破られる。ボスニア系の新しい酒場に爆弾が投げこまれたりするが、店主は動じていない。「このカフェは、われわれがここにいることを望まなかったセルビア人に突きつけたわたしの指だ。あの光塔だってそうだ。誰も行かないモスクの光塔は、セルビア人に対して突きたてた指なんだ[1]」

破壊のあと、必然的に生じる再建は象徴になりうる。建設は、暴力的に分断された建築環境を強化するためにも使えるし、以前の生活環境を少しずつ取り戻していく手段にもなる。どのようにするかが、新たな集合的記憶に向けての試金石となる。かつては特段の意味のなかった記念建造物――日常生活の一部だった礼拝所、図書館、泉など――は再建されることにより、破壊をもたらした出来事を記念する新たな建造物に変わる。歴史は、肩越しに振り返りながら前に進んでいく。内外の平和のために、どれだけのことを追悼し、記憶し、どれだけのことを許し、忘れなければならないのか。苦しみの記憶を永久に記念すれば、物語はひとつに収斂していくおそれがある。加害者と被害者のどちらがおこなうにしろ、再建は過去を覆い隠す役目も果たすからだ。歴史の証人である裂け目、空洞、破滅の痕跡を消し去る働きも。そして誰がやるにせよ、再建は破壊後の状況を反映した力関係のもとでおこなわれる[2]。記憶と忘却は永遠に分かちがたいものであり、両者のあいだの緊張がこのもつれを解くことはない。忘れるのは当たり前のことだ。わたしたちの人生のほとんどは忘却の彼方に消えていく。個人的にも集団的にも、記憶されるのは全体の一部であり、意味のある首尾一貫した物語やアイデンティティをつくりだそうとしても、その記憶はかならずしも正確ではない。物質文化の破壊によって忘れることを強制された状況では、再建の落とし穴はとくに危険なものになる。しかし再建しなければ、絶望が待ち受けているだろう。生活を再開するための現実的な再建だけでなく、記憶し、責任を問う必要が、そして破壊が繰り返されることを防ぐ必要がある。そしてなによりも、建設された建物には真実が表現されることが求められる。だが、誰の真実が構築されるのか？ 誤った記憶が築かれることはないのだろうか？

サラエヴォはボスニア紛争前とはまったく異なる都市になっている。修復された物理的な構造はさほど変わっていないが、ムスリムが人口の八〇パーセントを占め、紛争以前の二倍に増加した。夕方のチトー通りでは、丈の短いTシャツにへそピアスという今どきのムスリムの少女たちが、ローブを着た夫の後ろに付きしたがうベール姿の女性に落ち着かない視線を走らせる。これは紛争後の現象だ。多民族主義の都市らしく建築物の多くは修復されているが、その陰では、住宅地は単一民族でまとまりつつあり、通りの向こうのコミュニティを敵視しているという現実がある。ボスニアの国民性は、いまもコスモポリタンの寛容さという概念の上に成り立っている。政府はこの理想を強化するために、あたりさわりのない中世ボスニアの考古学的遺産を描いた紙幣や切手を発行したり、再開された国立博物館で国内の全民族のルーツを強調したりしている。だが、街からはキリル文字の道路標識が消えた。かつての複雑さと矛盾にかわって、新たな複雑さと矛盾が生じている。

モスタルはいまもカトリックのクロアチア人が住む西モスタルと、ムスリムが住む東モスタル

1866年に建てられた、モスタルのフランシスコ会の聖ペテロ聖パウロ教会（写真はボスニア紛争前）。1992年4月にセルビア人主導のユーゴスラヴィア人民軍によって砲撃され、焼きはらわれたが、隣接する修道院は難を逃れた。モスタルでは最初、セルビア軍がカトリックやイスラーム教の記念建造物に攻撃をくわえた。その後、クロアチア人が東モスタルのムスリムを包囲し、おもにイスラーム教の建築物を攻撃したが、セルビア正教会の一部も標的にされた。

に分断されたままだ。二〇〇四年には国際支援を受けてスタリ・モストの再建が完了し、大きな話題となった。もとどおりに復元された優美な橋ではあるものの、東西を連結する新しいアーチは、モスタルの現実よりも、分断のない未来への希望がこめられているといっていい。最前線のアレクセ・シャンティカ通りには廃墟が残り、その将来をめぐって利害関係者が争っている。ある団地で危険な廃墟を撤去しようとした際には、そこに戻る最後の希望が失われることをおそれた元住人たちが銃を持って現れ、撤去作業は中止になった。その近くの学校は、カトリックとムスリムの生徒が同じ屋根の下で学んでいることから、大きな前進と見なされている。しかし、学校は物理的には真っ二つに分かれている。使う階段も別々なら、教室もクロアチア人とムスリムで分れている。運動場もふたつ、校長もふたり、カリキュラムも二種類、鐘もふたつ。[3] モスタルのカトリック居住区では、セルビア人に破壊された、歴史あるフランシスコ会の聖ペテロ聖パウロ教会がコンクリート製のバシリカ式教会に建て替えられ、屹立する巨大な鐘楼が街を見おろしている。モスタルの丘に建てられた巨大な白い十字架と同じように、この鐘楼もムスリムに向かって指を突きたてるジェスチャーなのだ。しかし残念ながら、噂によると、教会の地下に広大な防空壕があるため、鐘楼は予定されているカリヨン（組み鐘）の重さを支えられるほど頑丈ではないという。

希望の兆しもある。二〇〇四年、ボスニアのパディ・アッシュダウン上級代表は民族ごとに分かれて対立していたモスタルの議会を統合し、単一の予算と救急医療サービスを持つ単一の自治体を設立するように命じた。救急車や市バスが、ふたたび東西モスタルの分断を越える日も近い

ボスニア紛争後、フランシスコ会の質素な教会は、カトリック教会の支援によって巨大なコンクリート製の新教会に建て替えられた。その巨大な鐘楼は、フム丘の頂上の高さ33メートルの十字架と同様に、モスタルに住み続けるムスリムに対して指を突きたてたジェスチャーである。この十字架と鐘楼は、旧市街の光塔を見下ろすようにそびえ立っている。

かもしれない。モスタルのムスリム側では、オスマン帝国時代の歴史地区が着実に、概して細心の注意をはらって修復されている。しかし現在、ムスリムの割合はモスタルの全人口の三分の二ではなく、三分の一にとどまっており、あくまでも少数派である。西モスタルにモスクは残っていない。

かつての前線の近くでEU主催の若者向けの野外コンサートが開催され、無事に終了した。ボスニア人の歌手がスタリ・モストの有名な歌を歌ったときには、観客席のクロアチア人とムスリムがそろって合唱した。だが、モスタルに住むムスリム、とくに男性にとっては、被害を受けていない西

サラエヴォ包囲戦でセルビア軍の砲撃にさらされたが、市内のガーズィー・フスレヴ＝ベグ・モスクはボスニア紛争を生き延びた。このモスクを中心とする複合施設群はバルカン半島で最大規模を誇る。写真は1980年代に撮影されたモスク内部。1530年に建築家アジェム・エシール・アリによって建てられ、内部にはバルカン半島のオスマン帝国の宗教建築に特有の絢爛豪華な装飾がほどこされていた。モスクのほか、隊商宿、学校、トルコ風呂、バザールなどが建設された。モスクは旧市街の中心に位置し、近くにセルビア正教会とカトリックの大聖堂、シナゴーグがある。

側地区を訪れることはまだ安全とはいえない。カフェのなかには、内戦の大量虐殺で利益を得た軍事指導者が経営する店もある。土曜の夜、東モスタルの若者たちは、メインストリートの廃墟となった邸宅や壊れた店で浮かれ騒ぐ。しかし市の東西を問わず、かつてのコスモポリタン的な隣人にかわって流入してきた農民たちの反動的な態度に不満を抱き、永久に街を離れようとしているモスタル市民は多い。そして、世俗的な若いムスリムは宗教に答えを求めている。

モスタルとは異なり、ボスニアの他の地域やコソヴォでは、紛争で傷ついたイスラーム建築遺産の修復に際し、それほど細心の注意をはらっているわけではない。モスクのなかには、相当なコストをかけて再建されているものもある。サウジアラビアから資金が提供される場合には、たいてい条件がついている。バルカン半島のイスラーム建築は内装の装飾性が大きな特徴だったが、サウジアラビアの資金提供者の要求に応じて、ワッハーブ派の質素な白塗りに変わった。サラエヴォにあるガーズィー・フスレヴ=ベグ・モスクは、この宗派の計画の犠牲となったモスクのひとつである。このモスクの再建、白塗り、装飾の除去は、ある意味、セルビア軍の砲撃よりも甚大な被害をもたらした。その後、より歴史に忠実な内装に変更されたが、極端なイスラーム主義は社会のなかに根をおろしている。

現代の批評家たちは、このモスクに別の不愉快な真実が表現されているとしても、損傷したり破壊されたりした歴史的建造物を無批判にレプリカの形で再建するよりはずっとましだ、と考えるだろう。歴史学者のデイヴィッド・ローウェンサールが主張するように、文化遺産こそ真実を語る歴史だとする例があまりに多い。文化遺産とは「過去に対する信頼の表明なのである——

1996年におこなわれたガーズィー・フスレヴ＝ベグ・モスクの修復工事（紛争前夜に合意された工事が継続された）は、建物をさらに傷つけることになった。ワッハーブ派のサウジアラビア政府が資金を提供したために、内部表面の装飾が可能な限り取り除かれたのである。モスタルやコソヴォで修復された建造物もまた、サウジアラビアの資金提供によって傷つけられた。その後、ガーズィー・フスレヴ＝ベグ・モスクは地元の保護団体によってふたたび修復され、かつての姿に近づいている。

偏った過去に対する自尊心は、文化遺産の悲しい結末ではなく、文化遺産の本質的な目的である」。ローウェンサールによれば、文化遺産は歪んだ歴史なのだ。[4] これは、再建された建築記録の利用と悪用に対する重要な警告である。

ワルシャワ市民が廃墟となった首都の旧市街を完全に復元することを選んだとき、文化遺産は歴史に置きかわったのだろうか？ 純粋主義者はその決定を偽造やディズニー関連事業と批判するかもしれないが、ワルシャワ市民にとっては（ボスニアのムスリムにとってそうであるように）誇りと抵抗の問題だった。首都は国家の「頭脳」と規定したヒムラーが目論んだようにはならないと、断頭された彫像とともにポーランドの文化が消え去ったわけではないと、示したかったのだ。

ポーランドは何世紀にもわたって幾度となく征服、分割され、一九一八年にようやく独立を勝ち取った。第一次世界大戦と第二次世界大戦のあいだに、ポーランドの建築遺産の確認と保存に対する関心が高まり、残された歴史的建造物を保護する計画と法律が制定された。ドイツの占領下においても、ポーランドの建築家や美術史家たちは、再建にそなえて建築物の記録作成に奔走した。ワルシャワ王宮の内部の扉、暖炉、柱、羽目板など、約一万点の遺物は、夜間に回収され、秘密裡に保管された。ワルシャワ工科大学の建築学部やピョートルクフ・トルィブナルスキの修道院の僧侶の墓には、街の建築物に関する膨大な記録が隠された。ワルシャワ蜂起で約八〇万人の市民が死亡し、街の八五パーセントが（慎重に照合された建築記録の多くとともに）破壊されたが、一九四五年にソ連が街を占領した直後、ただちに再建が開始された。多数の市民が困窮し、飢え、家を失ったにもかかわらず、一九四五年四月には、旧市街広場の錫屋根の宮殿、司教の宮殿、レスノ通りの教会の再建工事がはじまった。ジグムント三世の像は瓦礫のなかから救出され、七月にはコペルニクスの像がふたたび除幕された（コペルニクスの像はナチスによって「偉大なるドイツ人」と書きかえられたが、ワルシャワ蜂起で破壊された）[5]。それから数十年のあいだに、城、教会、宮殿、通りなどの市中心部は、スターリン時代の建物やポーランドとソヴィエトの兄弟関

ワルシャワの聖アレクサンデル教会は、ワルシャワ蜂起の失敗後、1944年に街の大部分とともにナチスによって破壊された。新古典主義のロタンダ（円屋根のある円形建物）は1818年から1826年にかけて建築家クリスチャン・ピョートル・アイグナーによって建設されたもの。旧市街中心部の多くと同様に戦後に再建されたが、オリジナルの繊細さはない。再建されたワルシャワは「ディズニー関連事業」とも呼ばれる。

係を示す怪しげな記念建造物を除いて、戦前の姿に忠実に復元された。ワルシャワの再創造にかけるそのひたむきな姿勢は、世界を驚かせた。

その選択は、ポーランド人が自分たちの歴史を忘却の淵から救いだすための正当な判断だったことは認めざるを得ないが、新たな旧市街が事実に基づいたファンタジーであることもまちがいない。またワルシャワを再創造するとき、たしかに歴史の一時期を抹消しており、再建のプロセス自体にも問題がなかったわけではない。再建のための材料の一部は、シレジア地方のブレスラウ（現在のポーランド領ヴロツワフ）から調達された。ポーランドが解放されたあと、ここでは長年住んでいたドイツ系住民が民族浄化され、ドイツ系の記念建造物の多くが取り壊された。これはポーランドをはじめ、ドイツ占領下から解放された国々が、何百万人ものドイツ人を自国の領土から追放するという復讐運動の一部だった。[6] 東ヨーロッパでは百万人単位のドイツ人が殺害された（正確な数字は論争中である）。強制移住による犠牲者だけでも数万人にのぼり、ドレスデンにたどり着いたドイツ系難民の多くはイギリスによる絨毯爆撃で命を落とした。ワルシャワの再建を「ディズニー関連事業」と評したフレドリック・ジェイムソンは、このような状況では「歴史性と真正性のカテゴリーを慎重に切り離す」必要があると主張しているが、たしかにそのとおりだろう。[7] 何百万人ものドイツ人の死とポーランドが有していたドイツの遺産は、ワルシャワの再建を祝う物語のなかで失われていった。

ワルシャワの再建には、戦時中の経験がすべて表現されているわけではない。一九四四年のワ

旧市街の市場広場は中世ワルシャワの中心地で、周囲には商人の家がならんでいた。1944年にナチスによって破壊されたが、戦後、精密に再建された。ポーランド人は、ナチスの占領下にあっても、建物を記録し、建築要素を保存することで都市の再建にそなえていた。

ルシャワ蜂起の物語は、ソ連軍のよからぬかかわりのせいで、モスクワの指示の下に隠蔽された（ソ連軍はワルシャワ市内を貫流する川の対岸で進軍を停止し蜂起軍を助けなかった）。共産主義とイデオロギーの利害関係のもと、ワルシャワのユダヤ人の苦しみは、ファシズムの犠牲者すべてを追悼する包括的な記念建造物のなかに埋没した。ポーランド人には、消滅の危機に瀕していた自分たちのアイデンティティを強化したいという切実な願いがあった。歴史から抹消されかけた恐怖から、多大な犠牲をはらってでも歴史を取りもどしたいという意志が生まれたのだ。存在していたものに関する記憶だけでは不十分だった。ワルシャワの再建は、たとえそれが人工物であっても、在りし日の都市の姿をよみがえらせることによって記憶を顕在化する取り組みだった。そんな安らぎの儚さは破壊という行為が証明ずみだとはいえ、再建すれば新たなよりどころが得られると信じているのである。

ソ連崩壊後のロシアにはやはり時計を巻き戻して、ロシア正教を含めた新しい国家アイデンティティを見いだそうとする動きがある。スターリンが破壊した救世主ハリストス大聖堂をはじめ、赤の広場のヴァスクレセンスキー門、一七世紀初頭に建てられたカザン聖堂など、失われた記念建造物の再建がそれにあたる。しかし、政治利用が透けて見えるイコン再建の裏で、真の歴史的意味を持つモスクワが驚くべきスピードで消滅している。開発業者たちは、有力者であるユーリ・ルシコフ市長の後ろ盾を得て古いビルをどんどん取り壊し、そこに富裕層向けのフラットを建てている。国立美術研究所所長のアレクセイ・コメックは「歴史的価値のある中心部が、スターリンのモスクワ再生と同じ速度で消えつつある。一九九〇年代以降、少なくとも五〇〇の歴史的

ソ連のスターリンは新しい無神論体制を打ち出し、宗教的建築物の放逐を要求した。何千もの教会が閉鎖や転用、破壊の憂き目にあった。帝政時代のモスクワにあった巨大な救世主ハリストス大聖堂（1883 年竣工）も例外ではない。1931 年 12 月に爆破され、ソ連崩壊後に再建されたのち、2000 年に聖別された。

建造物がこわされ、そのうち五〇は文化遺産だった」と述べた[8]。光り輝く新しい遺跡を前面に押しだすかたわらで、建築環境のより広い真理がこれらの巨大なものの陰に追いやられている。

　ウクライナでも独立にともない、ソヴィエト時代に破壊された重要な記念建造物を組織的に再建する計画が持ちあがった。「ウクライナの重要歴史遺産と重要文化遺産の再建に関する計画および手順」には、該当する建物が五六種類載っている[9]。まず聖ミハイルの黄金ドーム修道院の金色に輝くコサック帽がキエフの空高くよみがえり、続いて生神女（しょうしんじょ）就寝大聖堂が再建された。リストの宗教的、非宗教的、軍事的建造物の多くは、ウクライナのコサック遺産の復活が目的である。聖ミハイル修道院の場合、一九世紀に手を加えられた部分は復元されなかったが、ウクライナにはいまも歴史が脈打っていると観光客に印象づけるために、二〇世紀の模造レンガ壁で代用した。高所の片蓋柱（ピラスター）は忠実な復元ではなく、塗装で本物のように見せている。安っぽく、つくりもの感があるのは否めない。そのほか、コサックのアタマン（首領）の宮殿や、アタマンだったパヴロ・ドロシェンコが埋葬されている教会などが復元されている。

こうした中世ウクライナの復元について研究しているオレンカ・ペヴニーは、これらの記念建造物や旗、コサックの歴史的英雄の肖像画、軍事力を示す陳列品、キエフの独立広場（以前は赤の広場で巨大なレーニン像が立っていた）に新設された独立記念碑は、経験を共有し、集合的記憶――新しいものも古いものも――を刺激する新たな場となったと指摘する。「われわれになじみ深い普遍的なものをつくりだして日々の生活に組みこむ行為が、過去と現在に橋をかける。先人の早すぎる破壊によって失われたものを取り戻しているのだと実感させてくれる」[10]。ワルシャワと同様に、これは建築を通した伝統の改革であり、アイデンティティの再主張だが、見ている方向は不確かな未来ではなく確かな過去である。

新しく構築されたナショナル・アイデンティティも往々にして、多元性に対して排他的だったり不寛容だったりする。というのも、一貫性のあるまとまりをつくることに急ぐあまり、実際の歴史を取捨選択しているからだ。これは旧ソヴィエト連邦を構成していた共和国や、東欧の衛星諸国に見られるパターンである。ウクライナ政府は、再建計画にフェオドシアのセリム・モスク

1931年、モスクワのハリストス大聖堂の破壊。

やリヴィウのゴールデン・ローズ・シナゴーグを含め、少なくとも多元主義を採用している姿勢を見せているが、建設時期は発表されていない。こうした救出活動には、破壊後の道徳観や歴史の公式見解に合致する偽りの記憶を植えつける危険性がある。再構築された歴史が偽りであっても、過去の公正証書になってしまう可能性があるからだ。とくに高額のビジネスとなり、往々にして富と権力を持つ者の手で外観が決まる建築にそれがあてはまる。一見永続性があるように感じられる建築は、とりわけそういった目的に利用されやすい。

継続性への欲求は、たとえそれが模造であっても再建の原動力になるが、ドイツの場合、第二次世界大戦やホロコーストの遺産は過去との断絶にかかわってくる。ドイツはいまでも、記憶か忘却かの相反する思いのあいだで揺れている。このため、建築記録に対するドイツの葛藤は深い。そのもがきは、連合国の爆撃が止んだときからはじまった。

W・G・ゼーバルトは、一九九七年のチューリッヒ大学における講演「空襲と文学」で、ドイツの町が連合国の無差別爆撃で瓦礫の山と化したことについてドイツ文学は沈黙したままだ、と指摘する。[11] 約六〇万人のドイツ国民が殺され、三五〇万戸の家屋が破壊されたにもかかわらず、ドイツは自国の非戦闘員や文化遺産を襲った恐怖の記憶に蓋をしてきた。ドレスデンやハンブルクの大量殺戮は、死の収容所の残虐行為への報いであると考える者もいる。また、あまりにも悲惨だったため、理解することや心に留めおくことをやめてしまった者もいるのかもしれない。ゼーバルトによれば、戦後のドイツは再建と未来だけを見つめる作業——「振り返ることを禁じられた自国の過去の歴史に続く、第二の清算ともいえる再建」――に邁進してきた。そして、あるエピソードを紹介している。一九四六年、「月面のような」ドイツ都市部を走る汽車に、スウェーデンの若いジャーナリストが乗っていた。「車内は混んでいましたが、窓の外を見る者は誰もいませんでした。だから、外を見ているという理由で外国人だとわかったのです」。これは敗北した人間が抱く恥の感情なのか、あるいは、同胞が他国民におそろしい苦しみを与えたという連帯責任感なのか？　ゼーバルトのテーマは、もっと前の一九五〇年にハンナ・アーレントが論じている。

この破壊という悪夢について……ドイツほど感じられず、口にされていない国はない……瓦礫のなかにいながら、ドイツ人は互いに、大聖堂や市場や、もはや存在していない公共施設が描かれた絵ハガキを送りあう……フランス人やイギリス人は、戦争で破壊された史跡が比較的少なくても嘆き悲しむのに、ドイツ人の嘆きの程度は、失った宝すべてを合わせてもそこまでいかない。[12]

ゼーバルトとアーレントが言及した、破壊直後に優勢だった心理的反応はそのとおりなのだろう。しかしドイツ国内には、都市復興計画の核心にふれる批判も生まれていた。議論も多く、再建はけっして前を向くだけのプロセスではなかった。過去を受け入れる、もしくは過去を「征服する」という意味の「過去の克服」は、とくに第三帝国の遺産を念頭に、一九五〇年代に登場した考え方だ。『ミュンヘンと記憶――建築、モニュメント、第三帝国の遺産 *Munich and Memory: Architecture, Monuments, and the Legacy of the Third Reich*』でゲイブリエル・ローゼンフェルドは、一都市の再建過程でこのプロセスが展開されるようすを詳細に分析している。[13] ミュンヘンはナチ党発祥の地であり、ドイツ芸術の首都、党運動の首都だった。かつては「総統市(フューラーシュタット)」のひとつとして抜本的な改造が予定されており、改造案は断片的にしかわかっていないものの、ベルリン以外では、これほど多くナチ党の建築と空間が残っている都市はほかになかった。

ローゼンフェルドは、戦後都市の未来について意見を異にする三つのグループがあるという。第三帝国の反近代的過去との完全な断絶を望むモダニスト、第三帝国を浮草のような近代性の産物と見なし、ヒトラー以前の歴史的都市の再生を熱望するトラディショナリスト、再建はナチ党時代と旧市街(アルシュタット)の六〇パーセントを破壊した連合国の爆撃の両方の記憶を取り入れたものでなければならないと主張する批判的保存論者の三者である。三つ目のグループ、批判的保存論者は、損失を認め、都市の集団的アイデンティティに傷痕を統合することが、哀悼行為の核になると主張した。多くの場合、とくに初期においては、トラディショナリストが優勢を占めていた。ミュンヘンの破壊の責任を「ヒトラーの戦争」に帰し、自分たちは被害者だと考えることにより、直近の過去と自分たちを切り離した。ナチ党の建物は非難の対象となり、歴史的建造物は全面的に修復された。

「聖ペテロ教会の塔が戻ってきた。頼もしいシルエットが……何事もなかったように空にそびえている」。[14] 一二世紀に起源がさかのぼる教会の復元を見た人の言葉が残っている。ミュンヘンの聖母教会(フラウエンキルヒエ)の司祭は、驚くべき無神経さで、自分の教会の再建の必要性を、バビロン捕囚後のエルサレムの神殿の再興になぞらえた[15]。ナチ党時代をベールで覆ってしまいたいというミュンヘン市民の願望は、アメリカ軍の占領と非ナチ化プロセスに後押しされた。一九四五年六月、連合国管理理事会は、指令第三〇「ドイツ軍とナチスの記念碑と博物館の清算」を発令する。これにより、直接関連する建物はすべて一九四七年一月一日までに「完全に破壊し解体しなくてはならない」ことになった。

　実際のところは、空襲で損壊したナチ党の建造物の多くはそのあと完全に解体されたが、ミュンヘンでもほかの場所でも、鉤十字や鷲などの記章をはずすだけの表面的な非ナチ化に向かう傾向が見られた。この指令に基づき、損傷していないのに土台から取り壊されることになった数少ない建物のなかに、ミュンヘンの古典様式の栄誉神殿ふたつがある。ナチ党の殉教者をまつるために由緒あるケーニヒスプラッツ（王の広場）に建てられた英霊廟だ。広場は花崗岩を敷き詰めたプラッテンゼー練兵場に変えられ、ナチズムの式典センターになっていた。戦後、実用的な駐車場に転用されたあと、敷石を引きはがして、ナチ党以前の芝地に戻された。総統官邸(フューラーバウ)、芸術の家(ハウス・デア・クンスト)（一九三七年に落成したナチ党の文化政策の目玉）のように、再建ではなく、若干の変更を加えて保存され、正規に使われ続けたものもある。党の建物は前面にシナノキを植えて目隠ししただけだった。だが、ヒトラー自身がデザインした街灯は撤去されている。瓦礫から復興した戦後のミュンヘンには、ナチス時代を思いださせるものや批判的解釈を匂わせるものはほとんどといっていいほどなく、戦前の姿がそっくりそのままよみがえっている。ヒトラーのビアホール一揆の舞台となったビュルガーブロイケラーは、一九七九年に、とくに反対の声もなく解体され、ガスタイク複合文化センターに生まれ変わった。この意図的な忘却をきっぱりと拒否した数少ない建物のひとつが、一九世紀のルネサンス復興様式の荘厳な美術館アルテ・ピナコテークだ。美術館の南正面は、戦争の「傷跡を組みこむ」形で改装され、砕けた石の壁に簡素なレンガをはめただけで弾痕はあえて見えるように残している。一九六〇年代後半、ここは、修復された建物正面が戦争の現実の記憶を呼びおこす批判的保存の見本となり、建てなおされてこぎれいな復元物になるのをかろうじてまぬがれた[16]。つまるところ、なにを保存し、なにを復元し、なにを解体するかについて激しい論争がかわされたにもかかわらず——それは現在も続いているが——ミュンヘンの文化都市としての自己意識が勝利をおさめ、暗黒のナチス時代を都合よく飛び越えて、一九世紀の平和な過去との偽りの連続性を築いたのである。

「歴史的に重要な」ミュンヘン、ワルシャワ、モスクワ、キエフの再建には、真正性がほとんどない。全面戦争や、いまも続く軽度な紛争による破壊は世界中で起き続けており、国際的な保全コミュニティはこの問題について懸念を強めている。歴史的建造物の復元における真正性の必要は一九六四年以降、保護に関するヴェネツィア憲章に組みこまれたが、一九九四年、ボスニア紛争中に保全の専門家をまねいて開催された国際会議で、ふたたび真正性についての議論が深められた。そのときに採択された奈良文書には、次のように記されている。

グローバル化と均一化の波に押されつつある世界で、また、文化的アイデンティティの追求がときには攻撃的なナショナリズムや少数民族の文化の抑圧をまねいたりする世界で、保全活動において真正性を考慮することは、人類の集合的記憶の明確化と解明に深く寄与する。

これは建築における真実を求める叫びだ。

このアプローチの原則にもとづき、ユネスコは、バーミヤンの大仏を復元した場合、世界遺産リストからただちに抹消すると宣言した。しかし、爆破された仏龕（ぶつがん）を安定させるための費用はかかっている。アフガニスタン国内でも、石像の復元に対する考え方はさまざまだ。地方政府は支持しているが、国の有力な考古学者は「ディズニー風の焼きなおしだ」と非難してはばからない[17]。バーミヤン大仏遺跡の責任者も同様である。「復元すれば歴史的価値はなくなるでしょう。タリバンが破壊したという事実もまた、われわれの歴史の一部なのです。復元はその歴史を洗い流してしまうことになります[18]」。バーミヤンの人々も、仏像の復元（技術的に可能だとしても）がもたらす意味合いをやはり承知している。地元のイスラーム宗教指導者ハジ・アブドゥッラーは見解こそ表明していないが、「仏像は寛容の象徴」であることに異議はない。アブドゥッラーの息子は仏像が戻ることを希望する。「破壊されたままでは、空っぽになった仏龕を見て胸が痛むだけです……復元されれば、タリバンに村を焼きはらわれた苦しみを忘れることができるかもしれません」。仏像のまわりに爆弾を置くことを強いられたバーミヤンの捕虜のひとり、ザーヒル・モハメディも同意する。「そう［復元］すれば名誉を取り戻せるかもしれません。われわれは自分たちの歴史に誇りを持っています[19]」

科学的な合理性や適切な保全活動より感傷が優先されるべきか？　これは、たとえこの地域から消えてひさしい信仰だったとしても、やはり宗教的なモニュメントなのだ。地元から提案された解決策は、大仏を一体だけ復元するというものだった。「その場合、失ってしまったという感覚はぬぐいきれないでしょう」とハジ・フェダはいう。「けれども、空の仏龕も残すことで、われわれの文化の歴史が攻撃されたということを世界に伝えられます[20]」。批判的保存でないなら、ある種の批判的復元と呼んでもいいかもしれない。たとえ、ユネスコの承認を得られないとしても。この考え方には、少なくとも過去を全面的に覆い隠してしまうことなく、失ったものを悼みつつ寛容のイコンを復活させられるというメリットがある――それを切実に必要とする土地で。それでも、模造であるという事実は残るだろう。

ボスニアには、破壊されてしまい、もとの姿を取り戻すために基礎から復元すべきモスクはどのくらいあるのだろう？　戦争の傷をそのまま組みこむにしろ、あるいは組みこまないにしろ、修復が必要なモスクはいくつあるのか？　抹消されそうになっている歴史を再建するにあたり、ワルシャワ人のように大胆でありたいと願うボスニア人の思いを、頭から否定することはむずかしいだろう。たとえ、復元された建造物に歴史の真実が覆い隠されてしまうとしても。答えは簡単に出ない。しかし可能なら、もっとも偽りのない方法は、石材の記憶や、そこで生きた、そしてこれからも生きていく人々の記憶を組み入れた、ひびや亀裂や、過去の出来事の積み重ねのある批判的保存や復元である。

ほかの、おそらく消滅の危機に瀕したことのない国や民族にとっては、複製を建てるよりも再開発をしたほうが安心した生活につながるかもしれない――そこに破壊の爪痕を残したとしても、それは争いを克服したシンボルとなる。建築の歴史的記録に被害があっても、それは消滅とはいちじるしく異なる。第二次世界大戦後のイギリスは、都市再建の際、過去に対する感傷をまったくといっていいほど見せていない。深刻な空襲被害のなかった第一次世界大戦後でも「英雄にふさわしい住宅」建設が社会再生の結節点になったように、第二次世界大戦後も勝利の熱気に包まれながら、公営住宅の大量建設（戦前にモダニストや進歩主義者がすでにめざしていた）がはじまった。

一九四五年以降、いくつかの主要記念建造物（下院やバッキンガム宮殿など）は復元の形で再建されたが、戦争で被害を受けた建物が廃墟のまま残されたものもある――その好例が教会だ。ロンドンにあった都市型教会の多くが、壁の残骸や塔の修理跡をそのままにした記念庭園となっている。塔だけが立っている場所もある。一九四四年八月、『タイムズ』紙に複数の廃墟の保存を求める手紙が送られ、そこにはケネス・クラーク、T・S・エリオット、ジョン・メイナード・ケインズらが名を連ねた。[21]『戦争記念碑としての爆撃された教会 *Bombed Churches as War Memorials*』はこの計画促進のために書かれたものである。[22] 地方では、リバプールの聖ルカ教会がこの動向をあらわす例だろう。ロマン主義時代のイギリスには、廃墟を崇拝する長い伝統があり、それは都市部にも広まっていた。最初のうちは、グランドツアーで見学するような古代ギリシア・ローマ時代の廃墟が対象だったが、次第にヘンリー八世の修道院解散で生まれた廃墟や、一八世紀、一九世紀に新たにつくられた廃墟——フォリー（人工廃墟）——も含まれるようになった。建築家で古物収集家のサー・ジョン・ソーンは、イングランド銀行設計の際、完成する前から廃墟のような図にしている。イングランド中西部のコベントリー大聖堂は、このピクチャレスクな趣をそなえた戦後建築の最大の例だろう。この地にもともとあった大聖堂は、ベネディクト会小修道院の一部で、一五三九年の修道院解散後朽ち果てたままになった。一九一八年、その近くの一三世紀の聖ミカエル教会の教区教会が大聖堂に昇格する。一九四〇年一一月一四日のドイツ軍による爆撃で破壊されたが、翌日には再建が決定された。しかし戦後に新設された大聖堂は、廃墟と化したもとの建物に隣接する形で建てられ、あたかもふたつの聖堂が対話しているような雰囲気がある。再建は抵抗の表明ではなく、苦難の記憶と赦しをうながす機会と捉えられた。大聖堂は、紛争を調停する「平和と和解」の職を新設し、廃墟から回収した釘の十字架がそのシンボルになった。不死鳥（フェニックス）のイメージ——復活と火のなかからの再生——も、建物に綿密に組み入れられている。

惨劇の記録としての廃墟の保存はイギリスにかぎらない。フランスのオラドゥール＝シュル＝グラヌ村も、時が止まったような廃墟として残されており、メインストリートには焼け焦げてつぶれたシトロエンがぽつんと止まっている。ここは一九四四年六月一〇日、ナチスの「ダス・ライヒ（第二ＳＳ装甲師団）」に虐殺された六四三人の村人を祭る聖地である。何百人もの女性や子供が教会に閉じこめられ、生きたまま火をつけられた。襲撃の理由はいまもはっきりしていない。広島（おそらく爆撃が降伏につながった数少ない例のひとつ）の場合は、再建以外の選択肢はなかった。だが、やはり、廃墟になった展示ホールのドームが町の中心に残されている――核兵器による破壊の爆心地として。破壊の物理的痕跡を残さないということは、トラウマも放棄することになる。学んだ教訓の証拠が必要なのだ――加害者ではなく被害者が学んだ教訓だとしても。そしてもちろん、犠牲者は記憶される必要がある。恐怖の跡地には、その場所の意味を維持するために出来事を物理的に示すものが必要らしい。建築の記憶を忘れるよう強制されることへの抵抗は、過去を避けるのではなく、記録し説明しようとする記念物をつくる試みにつながっていく。去る者は日々に疎しなのだから。

イギリスのコベントリー大聖堂やそのほかの教会遺跡のように、ベルリンでは、戦争で損壊して廃墟となったカイザー・ヴィルヘルム記念教会を、建築家エゴン・アイアーマン設計の新教会と並置することに決めた。ヨーロッパ・センターの最上部につけられたメルセデス・ベンツのロゴとともに、教会は西ベルリンの新しい信仰と資本主義の中心地を象徴する存在となった――東ベルリンの無神論と計画経済の対極に位置するものである。さらに最近では、ベルナウアー通りのベルリンの壁記念館がある地域に、現代的な設計の新しい「和解の礼拝堂」が建てられた。爆破された古い教会の鐘も使用されている。

しかしベルリンの場合、こうした試み以外では過去を受け入れるのに比較的時間がかかっている。その種の問いは、長いあいだ壁の存在によって脇に押しやられていたのだ。デザインや歴史からナチスの「洗礼」を受けていたとみられる建物の多くはベルリン攻略時に破壊されたが、占領後に積極的に標的にされたものもある。たとえば、ソ連軍はヒトラーお気に入りのシュペーアが設計した新総統官邸を破壊した。そのほか、国会議事堂（ヒトラーの政権獲得時に炎上して半壊し、ソ連がベルリンに大攻勢をかけたときには最大の攻撃目標になった）などの記念建造物は、長いあいだ廃墟のまま放置されていた。後年になってから、ナチスの戦犯を収容していたシュパンダウ戦犯刑務所をはじめ、ネオナチの聖地になることを防ぐために解体されたものもある。ナチスの犯罪を物理的に思いださせる建物は数か所で保存されている。ゲシュタポや親衛隊の本部跡地に設置された「テロのトポグラフィー」の屋外展示施設も、そのひとつである。これが実現したのは、道路計画のためにここを更地にする計画を阻止しようとした若い活動家グループの直接行動のおかげだった。一九八五年五月八日、彼らはずっと放置されて雑草のはびこる瓦礫の山に集まり、地面を掘りはじめ、「ナチスの恐怖」の中心にあった地下牢を発掘した。この場所は現在、ファシズムの犠牲者の博物館に変わり、「瞑想の地」になっている。ピーター・ズントー設計による常設博物館にする計画もあったが、それは二〇〇四年に白紙になった。一九九三年以降に完成した部分は、別の建築コンペが検討されているあいだに解体される予定である。

記憶と忘却の綱引きを再開させたのは、統一ドイツの首都を活気のないボンからベルリンに戻すという決定とベルリンの壁の崩壊だった。新しい首都は、戦争中のナチスの遺物だけでなく、抑圧的な東側の遺産をどう扱うかの決断にも迫られた。ドイツの政治家たちは新首都のイメージが連想によってそこなわれることに非常に敏感になっていた——とくに新生ドイツが強大になり、ふたたび周辺国を脅かすのではないかという警戒感を刺激することをおそれた。しかしヒトラーの巨大なドイツ帝国銀行(ライヒスバンク)や航空省といった建物を消し去りたいという当初の願望に、実用主義が勝利をおさめた。いずれの建物も現在、連邦政府が使用している。航空省は連邦財務省に転用されたが、ある高官はこの決定を擁護するため、なかば期待をこめて、ここはドイツ空軍内でヒトラー暗殺の計画が練られた場所であり、したがって「第三帝国時代のレジスタンスの建物」なのだと主張した。[23] 首都の政府管区にできたそのほかの新庁舎は、過去とは袂を分かった。ウンターデンリンデン通りや南北をつらぬく勝利の道――ヒトラーのベルリン改造計画「世界首都ゲルマニア」の背骨――沿いは選ばず、東西にまたがるシュプレー川沿いに建てられた。ベルリンも批判的保存の潮流を受け、新しいドイツ連邦議会の場所として、無残な姿のままの旧国会議事堂が選ばれた。改修を担当したのはイギリスの建築家ノーマン・フォスターである。内装はかなり現代的で中立的だが、当時の壁を保存した場所にはソ連兵の落書きが残されている。破壊されて空洞になったドームにはガラスがはめられており、見学者は内部の螺旋状のスロープで屋上までのぼって、議場の議員たちをながめることができる。新しい構築物は透明性と民主主義の象徴そのものであり、古い部分は歴史の重荷を背負っている。

一方、東ベルリン市民は、自分たちの最近の建築史がブルドーザーで壊されるのをかならずしも快く思っていなかった。統一は異なる伝統の融合というよりも、征服による分断の終結だったからである。ただ、嫌われ者の東ドイツ外務省が一九九五年に壊されたときは、こうした疑念を呼ばなかった。とはいえ、マイケル・ワイズが著書『首都のジレンマ *Capital Dilemma*』で指摘したように、新当局はかなり用心深くこの種の問題にあたっていた。「同様の行為をした共産主義者が歴史を消し去ったと非難されたことを意識して、政府は奇妙な歪曲表現を用いた。つまりこれは〝アプリス〟（取り壊し）ではなく、〝リュークバウ〟……意味は〝建物の回帰〟である[24]」。少なくとも大半の東ベルリン市民は、共和国宮殿（人民議会の議場や市民のレクリエーション施設がはいっていた）を取り壊して、以前のベルリン王宮（少なくともファサード）を再建するというドイツ連邦議会の二〇〇二年の決定を歓迎しなかった[25]。それはベルリンの六〇年以上におよぶ現代史を消し去る試みのようにも思える。かつてベルリンの中央に鎮座していた、一二〇〇の部屋数を誇り、一八世紀初頭の改築を経たホーエンツォレルン家の居城は、第二次世界大戦で大きな被害を受けた。プロイセン国王のバロック様式の城は廃墟となり、プロイセン軍国主義と「不名誉な過去」の証である残骸は一九五〇年に解体された。ベルリン近郊のポツダムにあった衛戍（えいじゅ）教会と宮殿も同様の理由で壊されている。東ドイツの指導者ヴァルター・ウルブリヒトは、「われわれの首都の中心部……そして現在の宮殿跡地は、人民の再建への闘志と意志を示しうる偉大な式典会場にしなければならない」と述べた[26]。この計画には東ドイツ国内でも反対意見があったが、数百人のFDJ（自由ドイツ青年同盟）の「ボランティア建築家集団」の助けを借りて、取り壊しが進められた。王宮広場と王宮跡地はマルクス・エンゲルス広場に改称され、実際に東ドイツの軍事パレードなどが催された[27]。王宮で唯一残されたのは、一九一八年一一月にカール・リープクネヒトがドイツ社会主義共和国の樹立を宣言したバルコニー部分で、それは新東ドイツの国家評議会の建物外観に取り付けられた。

現在、王宮再建プロジェクトの民間支援者たちは、歴史地区の都市計画における城の重要性を指摘する。彼らはゲアハルト・シュレーダー首相、建築家のI・M・ペイや故フィリップ・ジョンソンなど強力な支持者を集め、少なくとも三面は王宮の外観を復元するよう訴えているが[28]、いまだ必要資金のすべては整っていない。新しい建物の片方の棟は高級ホテルに、もう片方の棟には店舗や美術館、「特別なイベント」会場を入れるという話もあり、使用目的も定まらないままだ。いかなる基準で見ても共和国宮殿は醜い建築だが、破壊されてから半世紀が経過してほとんどなにも残っていない王宮を再建するというのは、共和国としては異例の決断である。感傷以外に確固たる目的もない。ミュンヘンと同じく、保守派が求めているのはヒトラー以前のドイツの面影であり、ナチズムや共産主義の建築記録ではないのである。再建支持者は、モスタルの「古い橋（スタリ・モスト）」やワルシャワなど、破壊された記念建造物を紛争後に全面的に再建した例をあげているが、そのなかには過去を再構築するために既存の建造物を撤去した例はない。地元の建築家たちは、共和国宮殿を完全解体する方針に反対している。ベルリン建築協会の会長コルネリウス・ヘルトリングは、進行中の記憶の破壊について次のように警鐘を鳴らす。「都市の歴史の一部となった建築物が、歴史的な重荷を背負っているという理由で記憶から消されることは受け入れがたい。歴史とアイデンティティは、それゆえに根絶されるのです[29]」

ベルリンにつくられた新しい記念建造物のなかで、ダニエル・リベスキンドのユダヤ博物館ほど存在感を放つものはない。リベスキンドによれば、設計の意図は「ふたつの怪物――郷愁を誘う歴史主義というスキュラ（六つの頭と一二本の足を持つ）と、無味乾燥な全体主義というカリブディス（大渦潮）がひそむ海峡を水先案内する、新たな対話型の都市主義」の追求だという[30]。二〇〇五年に完成したホロコースト記念碑「虐殺されたヨーロッパのユダヤ人のための記念碑」は、ブランデンブルク門近くにある。設計したのは建築家ピーター・アイゼンマンと彫刻家リチャード・セラ。広大な敷地には、高低のある二七〇〇本の柱がマトリクス状にならぶ。いつまで、そしてどこまで記念したらじゅうぶんなのか、という疑問の声も多い。

元ベルリン市長のエーベルハルト・ディープゲンは、記念碑の「壮大なスケール」に反対し、規模の縮小を求めた。ベルリンの中心部はホロコーストとは歴史的なつながりはないと、あり得ないような主張まで展開した[31]。王宮再建を支持するベルリン歴史協会会長のアンネット・アーメは、こう訴えた。

博物館や強制収容所、記念館などで国家社会主義の歴史を教え、記憶にとどめることは非常に重要です。しかし、このような教育的なもので街を埋め尽くし、すべての建物や空間が永遠に「あなた方は邪悪なドイツ人だ」と宣言するのは意味がありません。人々が幸せになり、このような過ちを繰り返さないように、街は美しくなければなりません[32]。

美しい都市が醜い行為を防ぐというのは、奇妙な論理である。政策を決定し戦争を起こすのは建設者と破壊者であり、建物そのものではないのだから。アーメのコメントは、全体的に中立の環境のなかで、記念碑を特定の場所にとどめておきたいという虚しい願望を示している。

ドイツが一九六〇年代に自省のプロセスをきちんと開始してから、三〇年近くの年月が流れた。

一部の人々が主張するように、もう記念の終着点(シュルスシュトリッヒ)に到達したのだろうか？　ミュンヘンには戦争にかかわる記念碑が一〇〇以上存在するが、ガブリエル・ローゼンフェルドは「犠牲者を追悼する記念碑と、加害者の行為を記録した記念碑とのあいだには、大きな格差がある」[33]と指摘する。ローゼンフェルドによれば、真に加害者の犯罪現場を記念しているのはひとつ（ゲシュタポ本部跡地）しかない。また、いつになればもうじゅうぶんになるのだろう？　ネオナチはいまだにドイツ国内で、ユダヤ人の歴史遺産への攻撃を続けている。それでも、現代のドイツはみずからの歴史的犯罪を記念し、不完全ではあっても、それを記録するための建築物をつくる準備のある国として、独自の姿勢を示していることに変わりはない。ドイツ系アイルランド人の小説家ヒューゴー・ハミルトンは、「ドイツの記念碑は、新しい種類の神聖さを提供し、公正で人種的に寛容な社会へと導く宗教的な場所になった」と述べる。「もし赦免というものがあるとすれば、それはこれらの場所を記憶し、再訪することによってのみ可能となる」[34]

赦免。ハミルトンが選んだこの言葉は、まちがいなく悔恨、再生、罪の払拭を示唆している。それは哲学者テオドール・アドルノが一九五九年に論じた「過去の克服」に通じる。過去の克服とは、ページをめくって記憶をぬぐい去るために、心理学的意味で記憶に取り組むことを意味するのだろうか？[35]　記念碑への訪問を求めるハミルトンの場合、そう考えていないのはたしかだが、最近の批評家たちは、伝統的記念建造物はまさにその危険性をはらんでいると主張する。記念建造物は、固定された物体として建てられたあと、実際の記憶が薄れていくにつれ、記憶することを完全にやめてしまう。やがてそれは、街の風景のなかにあるただの人工物になる。

ドレスデン空襲前の聖母教会

ドレスデンの聖母教会は1945年2月に破壊された。上は再建前、下は再建中の写真。ゲオルク・ベーアが設計したこの教会は、1726年から1743年にかけて建てられた。1760年にプロイセン軍の攻撃を受けたときは岩のドームが砲弾を跳ね返し、教会は生きのびた。しかし市街の3700エーカーを破壊した連合軍の爆撃による火災旋風に熱せられ、2月15日に倒壊した。東ドイツ政府は戦争記念碑として瓦礫のまま放置していたが、ドイツ統一後に再建がはじまった。新しい外観は2005年に完成した。

こうした考え方から、この数十年のあいだに、アーティストたちは「対抗的記念碑」を提案するようになった。一九八〇年代、ドイツ人アーティストのホルスト・ホーハイゼルは、ドイツ中部の都市カッセルに、この街から強制収容所へ送られたユダヤ人のための記念碑を「負の形」でつくったことで有名になった。ホーハイゼルはナチスに破壊された噴水（ユダヤ人実業家が寄贈したもの）の跡地を用い、その地中深くに漏斗をつくって、水が暗闇に流れこむようにしたのである。それは失われた噴水の鏡像だった。ホーハイゼルは次のように語っている。「沈んだ噴水は記念碑ではありません。歴史が台座になっているだけです。その上に立つ通行人に、自分の頭のなかにある記念碑を探すよう促しているのです[36]」。ハンブルク＝ハールブルクには一九八六年、ホロコースト記念碑が建てられた。制作者はドイツ人のヨッヘン・ゲルツ。この作品は表面が亜鉛に覆われた高さ一二メートルの巨大な四角柱で、人々に自由に落書きをしてもらう形式だったが、しだいに地中に沈んでいく仕掛けになっており、七年後には落書きもろともすっぽり地中に没して、現在は柱の頂部しか目には見えない。これらの作品は、記念に対する興味深く痛烈な反応といえる。しかしそれと同時に、たとえ素材が地中に埋もれていたとしても、その物質性を利用して望ましい「認識」の効果を生みだしている。

しかし、そうした力を持つのは「存在」する建物――全体であれ廃墟であれ――だけではなく、ホーハイゼルが述べたように、「不在」や「空白」も同様に強力な刺激となりうる。ただその力を最大限に発揮するためには、リベスキンドのユダヤ博物館のように建物の内部や、あるいは建物と建物のあいだに空白をおさめる必要がある。存在しないものは、存在するものと対比したとき、もっとも強く認識されるからだ。ドレスデンの聖母教会は、第二次世界大戦後、瓦礫の山として放置されていたが、「戦争を好む資本主義」の証――都市の空洞――として強力な発信力があった。また、東ドイツ体制への抗議行動の場にもなった。東ドイツ崩壊後の教会再建は、東ドイツの記憶を消し去り、第二次世界大戦の記憶を排除する試みだという批判もある。[37] この場合は、建物の破壊ではなく、空洞を満たしたことが忘却を促進する例といえるのかもしれない。

二〇〇一年九月一一日以降、マンハッタンに残された巨大な空白の将来について、多くの人が考えをめぐらせている。再建は、ある人にとっては抵抗の行為となるが、ほかの人にとっては、これほど多くの人命が失われた場所を乱すことは冒涜となる。米国政府はただちにペンタゴンの再建に着手して一年以内に完成させ、テロリストに米国の軍事力を思い知らせる強烈なメッセージとしたが、世界貿易センタービルの将来については、再建派と追悼派が対立している。数千人の人々が亡くなった場所は、非常に資産価値の高い不動産の上だった。当初の案では、ツインタワーをレプリカで再建するというものから、惨状を目に見える形で残し、集団墓地として永久に廃墟のままにしておくというものまであった。ペンタゴンと異なり、これをニューヨーカーの意見を聞かずに決定することはできない。すぐに支持されたのは、ねじ曲がりながらも残っている南タワーの一五階分をそのまま残し、周囲を記念公園にするという案だった。しかし、この案にもリスクがあった。アメリカのジャーナリスト、エリック・フレデリクセンはこう主張する。「これだと人命よりも建築が上位になり、死の道具に使われたものを見世物にしてしまう。個人がもっとも重要視される時代と場所において、死は集団化される。そして殺人を美化することになりかねない[38]」。こうした指摘に例をあげて反論することはできる——たとえば崩れかけた墓石がならぶ一九世紀の共同墓地のように、人々は死を記念する廃墟を見慣れている。しかし、殺人を美化する危険は実際にあった。メトロポリタン美術館の館長は、この廃墟は「傑作」だと述べたという。ニューヨークの建築評論家ハーバート・マスチャンプは、穴の開いた金属製の廃墟はフランク・ゲーリーや三宅一生の作品を彷彿とさせると懸念した[39]。とはいえ、マンハッタンは一二五万平方メートルの一等地のオフィススペースとそのスカイラインの一部を失い、敷地の所有者にとっては数十億ドルの損失であることはいうまでもない。妥協点は、敷地の一部を再構築し（建築家のベルナール・チュミは「より大きく、よりよく」、ジュリアーニ市長は「より美しく」と要求した）、残りのスペースを記念碑にあてることだった。徹底的なコンペの結果、ダニエル・リベスキンド率いる設計チームが選ばれた。

世界貿易センタービル跡地のコンペで優勝したリベスキンドのオリジナル案には——大きな変更をくわえられているものの——なにかしら大きな問題がある。この再建計画は天に向かってそびえ、地にもぐる記念公園ではなかった（どちらも空白を想起させるに違いない）。驚くべきことにリベスキンドにとっては、この計画は伝統的な記念建造物の範疇にはいるらしい。重要なのは、かならずしもフォルムだけではなかった。うまくいけば、上空ではマンハッタンのスカイラインと調和した歌声を奏で（かつてのツインタワーはなしえなかった）、地上レベルではこの地区の都市デザインを大きく改善しただろう。切片をつなぎ合わせたような外壁や、多角的な構造は、リベスキンドが得意とする手法である。彼がデンバー美術館の新館や、ロンドン・メトロポリタン大学の実用棟を手がけたときと同じように、ここでもその手腕を発揮すべきだったのかもしれない。

気になるのは、建築物が発するメッセージである。リベスキンドは、記憶と記憶の象徴をあつかうにふさわしい建築家だ。ベルリンのユダヤ博物館では引き裂かれたダビデの星を、サルフォードの帝国戦争博物館では砕けた地球をモチーフとし、腕の悪い建築家の手にかかればただの冗談になりかねないところで、うまく効果をだしている。とくにユダヤ博物館はすばらしい。博物館のクライマックスを飾る「大きく口を開けた部屋」は、監禁、全体主義、恐怖、喪失感をまざまざと心に呼び起こす。しかし、ごく一部にホロコーストを否定する言説を弄する人々がいるにせよ、ナチスの惨劇の意味は人々の集合的記憶に根づいてきた。それとは対照的に、グラウンド・ゼロの意味ははるかに議論を呼んでいる。いや、少なくともそうあるべきだろう。二〇年ぶりにベルリンからニューヨークに戻ってきたリベスキンドは、九月一一日の出来事の意味を解釈する際に、アメリカの支配者層の覇権に疑問を抱くことはなかったようだ。その結果、複雑さはいちじるしく欠如しており、計画の進展にともなって開発者が経済効果を主張するにつれ、複雑さはますます失われていった。

リベスキンドは計画を説明するにあたり、九・一一のテロ攻撃で露出したものの壊れずに残った「スラリー壁」——ハドソン川からの浸水を防ぐための基礎部分——の内部に記念館をつくると述べた。リベスキンドは、この「エンジニアリングの驚異」は「アメリカの民主主義の強さと耐久性の象徴」であるという。そして自身が一〇代の頃に船でニューヨークに到着し、自由の女神像やマンハッタンの摩天楼を目のあたりにしたときのことにふれ、世界貿易センタービルの基礎部分は「憲法そのもののように雄弁で、民主主義の永続性と個人の生命の価値を主張している」と語った。また、提案したタワーは「卓越した自由と美をふたたび宣言する」。その設計には自由の女神像のたいまつも反映されている。[40] 世界貿易センタービルの基礎構造に関するおおげさな修辞はさておき、リベスキンドがいまニューヨークに構築しようとしている物語は、希望の勝利、アメリカの民主主義と自由の勝利である。この恐怖を記念し、その解決を願うのはじゅうぶんに理解できるし、必要なことではあるが、なぜこのような事件が起こったのか、そして将来的に同じような残虐行為を防ぐにはどうすればよいのかを理解しなければ、この計画は死者にふさわしい記念碑ではなく、アメリカのプロパガンダと誤った記憶の無難な記念碑となってしまう。自由と民主主義は、そうした価値観を世界中に広めようとするアメリカがみじめな失敗を重ねているとしても、記念するにふさわしい概念だ。ニューヨークの建築評論家ハーバート・マスチャンプはリベスキンドの設計を「感情を操作するもの」と酷評したが、そもそも追悼記念碑とはそういうものなのではないだろうか？[41] 問題は、建築によって感情ではなく歴史を操作することだ。歴史が理解されなければ、繰り返される可能性が高くなる。

「もう二度と」という言葉は、当然ながら、現代のユダヤ人のアイデンティティの重要な一角を占める。ホロコーストを二度と繰り返さないという決意は、ユダヤ人の建築史家たちが以前のシナゴーグや（とくに）離散ユダヤ人墓地を特定しようとひたむきな努力を続けている理由のひとつだろう——いまも続くユダヤ歴史遺産の破壊をはじめ、世界にはまだ反ユダヤ主義が残っている。とくに東ヨーロッパでその傾向が強く、戦後の共産主義体制下では、宗教や反対勢力になりうるものはすべて敵視していたため、この地域のユダヤ人の建築遺産は戦後長いあいだ、無視され続けてきた。ナチスに苦しめられたユダヤ人は、ファシズムとの戦いで命を落とした人々の記念碑にまとめられ、その特異な悲劇はかえりみられることなく忘れ去られた。焼きはらわれたり転用されたりしたシナゴーグや、冒涜された墓地はたいてい国有化され、人口が激減したユダヤ人社会にはほぼ手が届かなかった。まだ残る建造物は証言と警告を兼ねる記念碑となった。

東欧圏の共産主義体制が崩壊したことにより、こうしたユダヤ人の遺産を保護する動きが加速している。政治体制の変化は遺産の調査や修復を可能にしたが、熱狂的なナショナリズムの復活や、露骨な人種差別と反ユダヤ主義の台頭の脅威にもさらされるようになった。ユダヤ遺産評議会の活動家サミュエル・グルーバーは、ホロコーストを生きのびた数少ないユダヤ人になぞらえて、「これらの建造物は生存者なのである。記憶という壊れやすい鎖をつなぐ重要な輪——そのどれもが、かつて東ヨーロッパに栄えたユダヤ文明の証である」と述べた。[42] また墓地の保存は、「ユダヤ人の墓は王宮よりも尊い」とするタルムードの教えを守ることにつながる。

多くのシナゴーグや墓地が少しずつ修復されている一方で、新たな攻撃対象にされているものもある。たとえば、ユダヤ遺産評議会の四半期報告書の一九九八年春夏号には、前年にリガとモスクワで爆弾攻撃されたシナゴーグ、ルーマニアとエストニアで襲撃や放火をされたシナゴーグ、イルクーツク、モスクワ、ワルシャワで破壊された墓地のリストが掲載されている。[43] このような状況は、全土で昔のシナゴーグやユダヤ文化センターが建設されたり再建されたりしている最近のドイツでも変わらない。ダルムシュタット工科大学は、水晶の夜に破壊されたすべてのシナゴーグを再建するプロジェクトを着実に進めている――ただし、コンピュータ支援設計を用いた仮想空間で。このプロジェクトは、一九九四年にネオナチがリューベックのシナゴーグを放火した事件を受けてはじまった。[44] ベルリンでも、東側のオラーニエンブルガー通りで何十年も廃墟のまま放置されていた、金色のドームを持つ壮麗なノイエ・シナゴーグがユダヤ博物館として再建された。しかし通りを歩いていて、この建物がいまだに武装した警備員を必要としているのを見ると、ショックを受ける。

このように離散ユダヤ人の記念建造物が脅かされ続けていることが、世界中に壊れた神殿があることが、神殿の丘をつかむイスラエルの手をいっそう強く、切実なものとしている。自分たちの遺産や生活を無慈悲に破壊され続けてきた民族の避難所としてつくられた国家の中心には、廃墟となった神殿がある。過去の破壊の名残である「嘆きの壁」は、いかなる第三神殿よりもユダヤ人の軌跡を深く、いかんなく伝える象徴的建造物だ。建築物を再建してもけっして紛争を解決することはできないが、犯罪の記憶がなければ、和解の第一歩となる罪の認識や償いがどうして生まれるだろう？

一方、ボスニアは、ヨーロッパ諸国の援助を受けて、首都中心部のサラエヴォ国立図書館の再建に着手した。これにあわせて、歴史的記録のはかりしれない損失を少しでもおぎなうために、写本の収集を支援する国際的プログラムが進められている。ボスニアの人々が喪失の証としての廃墟をどこまで許容できるかは未知数だが、図書館の再建は批判的保存の視点を失ってはならないだろう。現在、廃墟となった図書館の壁につけられた銘板には、こう記されている。「記憶して警告せよ」

# 第七章　記憶と警告Ⅱ

## 保護と訴追

……こんなふうに描かれた歴史の天使の絵がある。
彼の顔は過去に向けられている。わたしたちが出来事の流れを俯瞰しているのに対し、
彼はひとつの大惨事を見ており、
それは残骸を山のように積んで、彼の足元に瓦礫を投げつけている。
天使はできることならそこにとどまり、死者をよみがえらせ、
打ち砕かれたものをもとどおりにしたかったであろう。
しかし天国から一陣の風が吹いてくる。
天使は翼を風に激しくあおられ、もはや閉じておくこともかなわない。
風は天使が背を向けている未来へ彼を連れ去り、
その目の前を瓦礫が空へと吸いこまれていく。
――ヴァルター・ベンヤミン『歴史哲学のテーゼⅨ』

「バスラからここまでの砂漠地帯はよく知っていますがね」と、スプレイグ軍曹はいった。彼は八〇〇〇年前の古代都市ウルの遺跡から数キロ北に行ったところで任務についている。「ショッピングモールやファストフード店ひとつない。ここにゃなにもないんです[1]」。イラクの物質文化遺産について、ウェストバージニア州ホワイトサルファースプリングズ出身のスプレイグ軍曹の知識がとくに欠けている可能性はあるにせよ、彼の発言に見られる文化的近視眼は、「武力紛争の際の文化財の保護に関する条約（一九五四年ハーグ条約）」の批准を半世紀にわたって拒否してきた国の軍隊としては驚くべきことではない。イギリスとならんで、アメリカは世界でも数少ない未批准国のひとつである（アメリカは二〇〇九年、イギリスは二〇一七年に批准した）。この条約は「絶対的な軍事上の必要性に迫られた場合」を除き、文化的に重要な場所への攻撃を禁じているため、安全保障理事会常任理事国のアメリカとイギリスは批准をためらっている。世界遺産よりも軍事行動の自由を優先しているのだ。

もしアメリカがハーグ条約に加盟していれば、そのような標的を避ける義務にくわえて、占領下のイラクの記念建造物や文化財を保護する法的責任を負っただろう（いずれにしろ国際慣習法上の義務がある）。アメリカ軍が条約を遵守して、石油省ではなくバグダードの貴重な博物館やコーラン図書館を守ったかどうかは、また別の問題である。アメリカのイラク侵攻前夜の二〇〇三年二月、アメリカ空軍協会の『エアフォース』誌に掲載された記事「合法的な標的の見つけ方」には、一九五四年のハーグ条約も一九七七年のジュネーヴ条約追加議定書も言及されていない。ジュネーヴ条約追加議定書は、「軍事的必要性」の権利放棄を含まず、「国民の文化的または精神的遺産を構成する」歴史的建造物、芸術作品、礼拝所に対するすべての敵対行為を禁止している。また、この追加議定書では、軍事目的以外に文化財を攻撃することは戦争犯罪となった。アメリカは、この重要な国際人道法も締約していない[2]。

文化財を保護する国際法が実質的に機能していない現状に照らせば、それもさほどの問題ではないといえるだろう。本書の各章では、ナイジェリアからインドネシア、ロシアからスーダンまで、世界の建築文化がさまざまな暴力行為で破壊されてきた例を見てきた（これらの国はすべてハーグ条約に加盟している）。一九五四年ハーグ条約は、第二次世界大戦の空爆による文化財破壊を受けて生まれた。その前提には、文化財保護に向けての準備や軍隊の教育など、この条約議定書が各国に課している義務が道徳的な圧力をかけ、被害の減少に役立つだろうとの期待が、多少なりともあったのだと考えられる。しかし、それは失敗した。ハーグ条約の措置は、多くの締約国軍隊の軍事マニュアルに組みこまれているが、意味のある実効性の保証にはなっていない。前線の部隊が法的規定を理解して動くことは、おそらくもっとはかない希望だろう。

それどころか、トルコからはじまった特定の建造物――住宅や宮殿、聖廟や大聖堂など――の積極的破壊は、二〇世紀の紛争の特徴となっていった。ここで重要なのは、たんなる軍事的必要性というより、政治的必要性に基づく破壊が多いということである。両大戦、冷戦、東欧圏の崩壊にともなう大国の攻防は、その都度、民族や宗教のアイデンティティをめまぐるしく変化させながら、ナショナリズムを生み、あるいは再構築してきた。そして過去の建築遺産の保存や破壊、将来的な意義についての衝突、再建や移転をめぐる争いが繰り返された。またハーグ条約は、とくに第二次世界大戦後の民族戦争や準民族戦争でしばしば攻撃の先頭に立ってきた一般市民や非正規軍、民兵、テロリストではなく、国家の正規軍による戦闘を前提にしている。イデオロギーがかかわる重要建造物へのテロの脅威や爆弾攻撃は、非国際的武力紛争にジュネーヴ条約を適用したとしても、ハーグ条約のセーフティネットに大きな穴を開けてしまう。

こうした失敗にもかかわらず、ボスニア紛争の教訓を踏まえて、外交関係者や保護活動家は文化財保護の強化に積極的に取り組んできた。一九九九年にハーグで開催された外交会議では、一九五四年の条約を拡充するための第二議定書が合意された。この議定書では、一九七七年のジュネーヴ条約（攻撃を軍事目標のみに制限）をより直接的にハーグ条約に取り入れ、文化遺産への損害に対する個人の刑事責任をより明確に規定するなどの措置がとられている。締約している国は、まだそれほど多くない。[3]実際の現場では、国連はイラク侵攻後の被害や略奪に対応するため、（当面は）イタリア軍を使った「文化のブルーベレー」と呼ばれる緊急対応部隊の創設を発表し、戦争や災害で文化が危険にさらされている場所に配備している。[4]構想としてはすばらしいが、このような特別捜査班が効果を発揮するかどうかは未知数だ。コソヴォ紛争時に派遣された四万人の平和維持軍の任務には、記念建造物の保護も含まれていたが、ほとんど機能しなかった。紛争中にコソヴォ人やＮＡＴＯ空爆によって文化財が破壊されたというセルビア側の主張には、プロパガンダの誇張がかなりはいっていた可能性が高いが、国連管理下におかれてからもセルビア人文化遺産の被害が多発している。二〇〇四年に発生した民族暴動では、プレズリンをはじめとする各地でセルビア正教会の教会や修道院がいちじるしい被害をこうむった。暴動は国名変更した

旧ユーゴスラヴィアでは記念建造物の破壊が続いている。2004年3月、セルビア南部の都市ニシュでセルビア人の若者が暴徒化し、歴史的なイスラーム時代のモスクに放火した。これとベオグラードのバイラクル・モスクへの攻撃は、その前日にコソヴォのナショナリストたちが、コソヴォで正教会の教会や修道院を何十となく破壊したことへの報復だった。セルビアに残るオスマン帝国時代のモスクは、これらが最後のふたつだった。

ばかりのセルビア・モンテネグロ（二〇〇三～〇六年に存在した国家連合）に波及し、ベオグラードに唯一残っていたモスクが報復のために燃やされた[5]。ユネスコの松浦晃一郎事務局長は、今回の民族浄化の動きについて、「記念碑や遺産を超えて、記憶や文化的アイデンティティが破壊されている」と述べた[6]。

　まさにそのとおりである。しかし、国際的な非難や国際法が敬虔な意図以上の意味を持つためには、実効性がなくてはならない。そのために必要なのは、法律に違反して破壊行為をおこなった犯罪者を起訴することだ。最近まで、そうした行動は非常にまれだった。

二〇世紀初頭、記念建造物の破壊については、戦争賠償という形で対処していた。一九一九年のヴェルサイユ条約では、一八二一年にベルリンの王室博物館が購入したファン・エイクの祭壇画のパネル六枚をヘントの聖バーフ大聖堂に返還することが明記された。またドイツは、第一次世界大戦初期の一九一四年にヨーロッパでもっとも重要な図書館のひとつ、ルーヴェンの大学図書館を故意に破壊したと非難され、再建のための賠償金を科せられた。[7] 再建された図書館には、ドイツによる破壊があったこと、アメリカが再建資金を援助したことを記した銘板が取り付けられたが、第二次世界大戦でまたも甚大な被害を受けた。ドイツ軍による一九四〇年の攻撃が大きな非難を巻き起こしたが、被害の一部には、一九四四年のイギリス軍の爆撃によるものもあったらしい。いずれの大戦でも、野蛮なドイツ人が文明の価値を攻撃したという告発がなされた。[8]

第二次世界大戦におけるドイツの戦争犯罪を裁くニュルンベルク裁判では、ゲーリング、ローゼンベルク、リッベントロップらが、一九〇七年ハーグ条約に定められた「文化に対する罪」で初めて訴追された。ローゼンベルクの部下による東部戦線での略奪と破壊は、ソ連の主任検事ルデンコ将軍が法廷で語ったものである。

> 文化に対する罪は、それ自体が明確な位置を占めています。これらの犯罪は、ドイツのファシズムの醜悪さと破壊主義をあますところなく伝えるものです……国の記念建造物、学校、

文学が破壊され、ドイツ占領下の地域ではどこであれ強制的なドイツ化が進められました。その後に起こった略奪、レイプ、放火、大量殺人は同じ犯罪原理にしたがったものです。[9]

ソ連の発表によると、モスクワ地域だけでもナチスは一一二の図書館、四つの博物館、五四の劇場と映画館を破壊したという。レニングラードでは郊外のペテルゴフ宮殿のほか、市内外で数多くの記念建造物の破壊と略奪をおこなった。起訴状によれば、ソ連全土では、オデッサ国立図書館をはじめ四万三〇〇〇の図書館、八万四〇〇〇の学校と大学の建物、一六七〇の正教会、二三七のカトリック教会、六九の礼拝堂、五三二のシナゴーグ、二三七のその他の宗教施設が破壊された。また、チェルニヒウの一二世紀建立のボリソグレブスキー大聖堂、ポラツクの聖エヴフロシニア修道院の大聖堂、ノヴゴロド周辺のアントニエフ、フチンスキー、ズヴェリン、デレヴィアンイツキー修道院なども失われた。合計すると、ドイツ軍は一七一〇の町や都市、七万の村の全部または一部を破壊した罪を問われた——建造物の被害総数は六〇〇万におよぶ。[10]

ゲーリングは、この種の問題からすぐに解放された。ゲーリングもドイツ空軍の爆撃で文化財をねらった罪に問われていたが、追及されずに終わった。なんとなれば、それをいうならイギリスの「爆撃屋(ボンバー)ハリス」も同じ罪で裁判にかけられるだろうし、連合軍もそれを承知していたからである。ドレスデン、ハンブルク、広島、東京、さらにはベトナムやカンボジアを空爆した者たちは、一度も裁判にかけられていない。

もちろん、約六〇〇万人のユダヤ人に対する迫害と虐殺はニュルンベルク裁判のかなめであり、戦時中のシナゴーグ破壊もその文脈のなかで言及された。しかし裁判では、物質文化の破壊と、ユダヤ人やポーランド人、ロシア人らに対する「ジェノサイド」と名づけられた行為の関連性は、暗示される程度（「同じ犯罪原理」）にとどまった。

ニュルンベルク裁判以降、建築物への攻撃も、そうした行為と戦争犯罪や人道に対する罪との関連性もほとんど注目されず、ましてや起訴されることもなかった。しかし旧ユーゴスラヴィアでの紛争がはじまると、その関連性を見過ごすわけにはいかなくなった。ハーグに設置された旧ユーゴスラヴィア国際刑事裁判所（ＩＣＴＹ）の設立規程には、ジェノサイドなどの人道に対する罪の告発にくわえて、一九五四年ハーグ条約とその後のジュネーヴ条約追加議定書に基づき、次の戦争法規または慣例の違反に対する告発をおこなう権限が含まれた。

・都市、町、村の無慈悲な破壊、あるいは軍事的必要性で正当化されない破壊
・いかなる理由であれ、無防備な町村、住宅、建造物への攻撃や砲撃
・宗教、慈善、教育、芸術および科学、歴史的建造物、芸術および科学作品のための施設の押収、破壊、故意の損傷
・公共および私有財産の略奪[11]

多くのクロアチア人、セルビア人、ムスリム人がこうした文化財攻撃で起訴された。たとえばラトコ・ムラディッチとラドヴァン・カラジッチは、聖地の破壊を含めたさまざまな犯罪容疑を

かけられている。モスタルの橋「スタリ・モスト」の破壊を命じたクロアチア人のスロボダン・プラリャク将軍も、自身の行為の責任を問われている。通常、文化や財産に対する罪の告発は、文化が裁判の争点になるというよりも、迫害や追放、レイプ、拷問、身体損傷、大量殺人、そして最終的なジェノサイドなどの幅広い起訴内容の一部になる。しかしドゥブロヴニクの旧市街とその周辺地域への砲撃は、ある種のテストケースになっているらしく、砲撃の責任者であるセルビア陸軍と海軍の司令官ストルガー、ヨキッチ、ゼック、コヴァチェヴィチの進行中の裁判（本書執筆時）では、一〇から一二の訴因があげられた。[12] 検察側は、ドゥブロヴニクのユネスコ世界遺産指定、クロアチア人がこの地域の軍事化を放棄していたこと、建造物に文化的地位を示すハーグ条約の（保護のための）エンブレムを表示していたことなど、具体例を示して追及している。また、ストラツのモスク破壊者も訴追された。

最大の被告である元セルビア大統領スロボダン・ミロシェヴィチは、クロアチア紛争時のヴコヴァルからコソヴォ紛争まで、さまざまな犯罪容疑でハーグ法廷に起訴されている。おもな訴因は大量虐殺、ジュネーヴ条約の重大な違反、宗教迫害や戦争法規または慣例の違反などの人道に対する罪である。「ボスニアのムスリム人ならびにボスニアのクロアチア人コミュニティの宗教的および文化的建造物、すなわちモスク、教会、図書館、教育施設、文化センターなどに対する意図的かつ無慈悲な破壊[13]」もそのなかに含まれる。ジェノサイドに関する訴因は、ボスニアや文化遺産の破壊にはとくに言及していないが、その運命を示す証拠が裁判で争われている。ボスニアのモスクや図書館の組織的破壊について、世界的な注意喚起につとめてきたハーバード大学のアンドラーシュ・リードルマイアーは、裁判所の要請を受けて調査をおこなった。建造物が攻撃される前と後の写真を何十枚とそろえ、目撃者の証言を網羅したリードルマイアーの調査は、サラエヴォの図書館から田舎のモスクと泉にいたるまで、記念建造物への攻撃パターンを容赦なくあぶりだした。

この証人に対するミロシェヴィチ側の反対尋問がわかっている。おそらくジェノサイドの罪から逃れるためと思われるが、ミロシェヴィチは文化遺産と宗教遺産を区別し、破壊を内戦の一環に位置づけ、紛争中のセルビア人記念建造物に対する破壊を強調した。「わたしはこの点が重要だと考えます」とミロシェヴィチは主張した。「みなさんはよくご存じでしょうが、宗教建造物に対する相互の破壊は、内戦の宗教的要素です。その一方、文化的記念建造物の破壊は、ジェノサイドに等しいといえるかもしれません」。リードルマイアーはそれに答えて、ボスニアのセルビア人支配地域では「非セルビア人の宗教建造物がほぼ完全に根絶されている」こと、ボスニア政府支配地域ではセルビア人記念建造物の多くが残っていることを指摘し、それぞれのコミュニティの遺産破壊が同等であるという提案に反論した。[14]

建築物の運命は、スレブレニツァでのジェノサイドの罪に問われたラディスラフ・クルスティチ将軍の裁判でも、そこでの大量殺人がジェノサイドの意図のもとにおこなわれたことを示す指標として、証拠採用された。有罪判決に対する控訴審では、シャハブディーン判事の一部反対意見（判決ではなく、刑事責任の程度についての反対）で次のように述べられている。

強制移送は、単独ではジェノサイドではありません。しかしこの事件では、強制移送は単独ではありませんでした……それはほかならぬジェノサイドという計画の一部――欠くことのできない一部――だったのです。そこには殺害、強制移送、家屋の破壊が含まれます……ある集団の文化を破壊しただけではジェノサイドにあたらない、ということは証明されています……しかし注意が必要です。文化の破壊は、そのほかの状況と照らしあわせれば、その集団を破壊する意図を立証するための証拠になるかもしれません。この事件の場合、主要なモスクの破壊は、ボスニアのスレブレニツァに住むムスリム人集団を破壊する意図を裏付けるものです[15]。

ついに文化の破壊とそれを創造した民族の破壊とのつながりが、法廷で完全にあきらかにされた――部分的には、ミロシェヴィチ自身によって。

中国がチベットの建築遺産を破壊しているのも、そのような意図の証拠と見るべきだろう。推定では一九五〇年以降、約一二〇万人のチベット人が中国人に殺されたといわれている。中国人による殺害、拷問、宗教迫害、監禁、チベット人の移住などがおこなわれたにもかかわらず、これは国際法上のジェノサイドと公式に認められたことはない。民族の肉体的抹梢の意図は証明されていないのである。しかし、そこでおこなわれている文化破壊の重要性に照らせば、その構図は異なってくる。集団としてのチベット人は、肉体は残っていても、集団としての文化的独自性は消滅の危機に瀕しており――文化とアイデンティティを剝奪された民族なのだ。これは、民族としての民族の消去――彼らの歴史的な生活環境の消滅である。チベットの建築物や文化の抹殺を論拠にくわえることで、ジェノサイドの罪をより強く問えるようになるだろう。

また、旧ユーゴスラヴィア国際刑事裁判所の裁判は、紛争の本質をあきらかにして警報を鳴らすためには、戦争における破壊のパターンと方法に関する証拠を詳細に集める重要性を示している。水晶の夜で廃墟にされたシナゴーグも、粉々になったワルシャワ王宮も、まちがいなく、来るべきことの警告だった。それはたんなる建築物の破壊ではなく、差し迫った民族浄化やジェノサイドの徴候だった。アヨーディヤのバーブリー・モスクの破壊も、それに続くグジャラートのモスク破壊も、やはり民族浄化をともなう文化浄化の事例であり、この状況ではすぐにジェノサイドに発展してもおかしくないだろう。国際社会は、文化遺産の破壊を目の当たりにしたとき、その民族の大量虐殺を警戒すべきである。

シャハブディーン判事は、自分の意見は「文化的ジェノサイドを人類に対する特定かつ独立した犯罪として認識しようと主張しているのではない」と明言した。だが、そうだろうか？一九九七年九月にイスラエルを訪問したアメリカ国務長官マデレーン・オルブライトは、イスラエルによるパレスチナ人住宅の取り壊しを「挑発的」と表現しながらも、イスラーム過激派によるイスラエル民間人への攻撃に言及して、「人を殺すことと家を建てることに道徳的な同等性はない」と付けくわえた[16]（なお、わたしのイスラエル批判は、パレスチナ人爆破犯よりもイスラエル軍の行為のほうが悪い、といっているわけではない――ただ戦争やナショナリストの目的遂行のために建築環境を悪用しているという点で、本書のテーマに強い関連性を認めている）。しかしながら、オルブライトの発言は的はずれである。文化遺産を守ること、いや、たんなる一般市民の家を爆弾や放火、爆破から守ることであっても、それは紛争や正義から切り離された問題ではない。それが本質部分であることは、爆破犯も放火犯も、装甲ブルドーザーの運転手も、政治や軍事の指導者も知っている。

「蛮行の背後にある断固たる意図[17]」を特徴とする「人類に対するもっとも重く大きな犯罪」のジェノサイドの特異な性質を薄めるつもりはないし、「文化的ジェノサイド」を組織的な大量殺人と同列にあつかうつもりもない。ただ、排除しようとする側の行動から判断すれば、集団を破壊するという作業は肉体のみならず、共同体組織や、言語、習慣、芸術、そしてまた建築をとおして表現される集団生活やアイデンティティにまでおよぶことはあきらかだ。一九四八年にジェノサイド条約を国連に採択させた弁護士ラファエル・レムキンは、一九四四年に発表した論文「占領下のヨーロッパにおける枢軸国の統治」のなかで、文化について言及している。レムキンはここでジェノサイドという言葉を造語し、その条件を設定した。レムキンは、この言葉が意図することを次のように説明する。

［それは］国民集団そのものの絶滅をめざし、その集団に必要不可欠な生活基盤を破壊するための種々の行動を統括する計画である。その第一段階は、「被抑圧集団の国民パターンの破壊」……こうした計画の目的は、文化、言語、民族の健康、尊厳、さらにはその集団に属

する個人の生活の政治的かつ社会的制度を崩壊させることである。ジェノサイドは実体としての国民集団に向けられたものであり、それを完遂するための行動は個人に向けられる。それは個人の能力に対してではなく、国民集団の構成員に対するものである。[18]

レムキンの母国ポーランドにおける記念建造物とユダヤ歴史遺産の破壊が、証拠として述べられた。

レムキンはこれに先立つ一一年前、アルメニア人大量殺戮を念頭に、マドリードで開催された国際法会議に論文を提出して、集団の身体と文化の完全性をわけへだてなく保護する必要性についてくわしく論じた。[19] レムキンは、「国家的、人種的、宗教的、社会的な集団を計画的に破壊すること」と位置づけた「蛮行」と、「それらの集団に固有の才能の表現である芸術作品や文化作品を破壊すること」である「破壊」を直接むすびつけていた。[20] レムキンは、集団のアイデンティティが失われれば、集団が消滅する可能性があることを理解していた。「独自の文化を創造するには何世紀も、ときには何千年もかかるが、ジェノサイドは文化を瞬時に破壊することができる。たとえば炎が建物を一時間で破壊するように[21]」。レムキンの示すジェノサイドの概念は個人の肉体を超えて、あきらかに物質文化の運命とむすびついていたが、残念ながら国連のジェノサイド条約に反映されずに終わった。必要不可欠な生活基盤、ある集団の国民パターン、集団に固有の才能表現の破壊は、たんなる立証のための指標ではなく、文化的ジェノサイドである。それはチベット人が直面している危険であり——ほかの手段によるジェノサイドなのだ。

レムキンを再検討し、一九四八年のジェノサイド条約を改正するか、「文化的ジェノサイド」という特定の犯罪項目を新たに追加すべきである――少なくとも大量殺人（たとえそれがジェノサイドに該当しなくても）と文化破壊が本質的に連動している状況においては。このような犯罪は、常設が検討されている国際刑事裁判所が管轄すべき問題だ。ただし、大規模な殺害は発生していないが人口の移動があり、追放された集団が築いた建築記録が抹消されているような場合――たとえば北キプロスの例など――を文化的ジェノサイドの罪に含めようという主張が出るかもしれないが、それはジェノサイドという特異な概念をそこなう危険がある。おそらく、「文化浄化」という別の犯罪が適切だろう。都市環境破壊（アービサイド）――都市と、そこで共存を可能にする異質性をすべて根絶するというあきらかな意図を持った行為――も法的救済に値する現象として検討すべきだろうが、これの立証はいっそうむずかしいだろう[22]。

二〇世紀の建築は、戦争の円滑な遂行を妨げるものではなく、ますます戦争の武器となっていった。建築は銃撃戦で傷つくだけでなく、暗殺や大量殺人のための標的とされる。この雄弁な行為には目的がある。それは道徳的な同等性を築くことではなく、紛争において建築の運命を支配する力、そして建築と民族――個人的にも集団的にも――の運命の相互関係を支配する力を手中にしているという感覚を生みだすことなのだ。ある文化の芸術作品は、その創造者たる人々の集団的アイデンティティの一部であり、彼らの歴史をあらわす――彼らが自分たちをどのように理解しているのか、彼らはどこから来て、どこへ行こうとしているのか。

作者の立場を補強するためにジョージ・オーウェルの作品を参照するのはありきたりの手法に

なった感があるが、偽りの過去の創造という問題においては、やはりオーウェルは有益な示唆を与えてくれる。小説『一九八四年』には、ロンドンのセント・クレメント・デーンズ教会の銅版画が登場する。古道具屋の壁にかけられていたその絵を見て、主人公のウィンストン・スミスは、党が建物を用いて記憶を操作していることに思いをめぐらす。

ロンドンの建物の年代を特定するのはいつもむずかしい。大きくて壮麗で、外観がかなり新しいものであれば、革命以降に建てられたと機械的に判断できるが、あきらかにもっと前の時代の建物だとわかる場合は、どれも「中世」という漠とした時代の枠に入れられる。資本主義の時代はなんらかの価値のあるものはひとつも生みださなかった、とされているのだ。歴史は書物から学べないのと同様に、建築からも学べない。彫像、碑文、記念碑、通りの名前など――過去に光をあてかねないものはすべて組織的に変更されていた。[23]

そう、忘却の強制。そしてこれと同じ教会を背景に、あの第二次世界大戦中の都市の恐怖にして破壊者である「爆撃屋（ボンバー）ハリス」の銅像が建てられ、一九九二年に除幕された。ハリスを台座に乗せることは、当然ながら（とりわけドレスデン市長の）反発をまねいた。銅像の建立とそれに対する反応は、記憶と忘却、真実とプロパガンダのパワーゲームがいまも続いていることを物語る。もしもフロイトのいうように、真に忘れ去られる記憶はなく抑圧されているだけならば、わたしたちが自発的に記憶を思いだしたり捨てたりする自由を得るために、建築記録の操作による記憶の強制的な抑圧と戦わなくてはならない。本書は、昔の建築遺物に取りかこまれながら過去に生きよと主張しているわけではない。ただ、自由意志で選ばれた記念物とともに、また社会に存在する異質性を前向きに反映する多様な記念物とともに生きることをめざしたいのだ。差異は他者である必要はない。過去の過ちの記憶もまた、共存する未来の希望を害する排外主義におちいることなく、生かされなくてはならない。

それを建設した人々がいなくても、死んだ建物は、滅びた言語のように、雄弁に悲しみを物語る。それはアルメニア人やユダヤ人の苦しみを、またボスニアのフォチャの集団埋葬地で、かつて彫刻がほどこされていた石壁や美しく加工された木材の破片に埋もれて骨となったムスリムの思いを代弁する。

平等、公正、理性、客観的な歴史の希求といった啓蒙主義の価値観が危機に瀕している。フランス革命の遺産から発展した集合的な世界遺産の概念はいうまでもない。二〇世紀の紛争中は簡単に反故にされた保護の約束が、二一世紀にはなんらかの意味を持つのかどうか、これからの数年間が大切となろう。旧ユーゴスラヴィア国際刑事裁判所の裁判の結果と、地域社会の建築遺産の破壊を目的とした行為を犯罪と認定して、その実行者にきびしい判決を下すことで得られる抑止効果は、そうした行為は許されないという潮流を生むためには不可欠だ。

希望を持つことは重要だが、楽観はできない状況にある。二〇〇三年のイラク戦争前、国連安全保障理事会の記者会見は、ニューヨークの国連本部にかけられた、ピカソの「ゲルニカ」を再現したタペストリーを背景におこなわれた。しかし二〇〇三年二月にアメリカの国務長官コリン・パウエルが戦争の必要性を訴えたとき、「ゲルニカ」の恐怖は文字どおり、そして比喩的にも、覆い隠されていた。

# 謝辞

本書執筆にあたり、その助力にお礼を述べなければならない人は非常に多く、残念ながらここでは紹介しきれない。すべての皆さんにただ「ありがとう」と伝えたい。しかし義務や助力、助言、友情を超えた貢献をしてくれた方々の名前をここに記す。アリソン・カニンガム、サミュエル・グルーバー、オーリー・ハルパーン、フェリス・キール、ジョージ・ノット、タイマ・カート、アンドラーシュ・リードルマイアー、クリスティナ・ルイス、テレサ・スミス、アイシャ・テラロヴィチ、ヘレン・ワラセック。

また、本書図版の掲載費用を援助してくれたオーストラリア人文科学アカデミーに心より感謝する。

## 図版クレジット

The author and publishers wish to express their thanks to the following sources of illustrative material and/or permission to reproduce it.

Photo ap/Kostadin Kamenov: p. 345; photos Archiwum Dokumentacji Mechanicznej, Warsaw: pp. 308, 310; photo courtesy of Avotaynu Inc.: p. 187; photos courtesy of the Bosnian Institute, London: pp. 75, 76, 79, 81, 83, 85; photo Exeter Express & Echo: p. 133; photos Dinu C. Giurescu: pp. 221, 222, 223; photo © Reha Gunay/Aga Khan Trust for Culture: p. 21 (top); photo Kemal Hadzic: p. 29; photos Imperial War Museum, London: pp. 119 (q107742), 130 (c2387), 135 (hu646), 139 (photo Herbert Mason/Imperial War Museum, hu36220a), 332 top (hu3318); photo Israel Ministry of Tourism: p. 190; photo Ahmed Jadallah, Reuters/ Picture Media: p. 239; photos courtesy David King Collection, London: p. 314; photo Landesarchiv, Berlin: p. 271; photo © Sunil Malhotra, Reuters/Picture Media: p. 230; photo Josef Mueller (courtesy Tibetan Heritage Fund): p. 173; photos National Library of Ireland: pp. 122 (photo Elinor Wiltshire/National Library of Ireland, wil 18 [8]), 125 (photo W. D. Hogan/National Library of Ireland, hog57); photos from private collections (including that of the author): pp. 91, 104, 105; photo Ciril Ciro Rajic, Mostar Institute for the Protection of Monuments: p. 301; photos courtesy of the Republic of Cyprus Press and Information Office: pp. 278, 281; photos Rex Features: pp. 110 (Rex Features/smm, 389739e), 151 (Rex Features/ Sipa Press, 455056c), 159 (Rex Features/Sipa Press, 413101m), 216 (Rex Features/ Sipa Press, 333871c), 217 (Rex Features/Sipa Press, 334355a), 267 (Rex Features/Sipa Press, 442131d), 274 (Rex Features/Sipa Press, 165228d), 282 (Rex Features/Sipa Press, 287827b), 290 (Rex Features/Brendan Beirne, 208643a), 312 (Rex Features/Sipa Press, 239865D), 332 foot (photo Rex Features/Action Press, 458189l); photos Roger-Viollet, courtesy Rex Features: pp. 212 (© Collection Roger-Viollet, rvb-04763: in the Musée du Louvre, Paris), 331(photo © ll/Roger-Viollet, 13058-5); photos András Riedlmayer: pp. 33, 38, 303; photos courtesy of Shaml Palestinian Diaspora and Refugee Centre: pp. 253, 257; photo Tibet Information Network: p. 171; photo from the Tourist Association of the City of Sarajevo: p. 304 (pre-war photograph); photo www.vakuf-gazi.ba: p. 306.

*Forgetting, Materializing Culture* (Oxford, 2001), p. 9.

38 *Architectural Record* (January 2002).

39 Cited ibid.

40 Daniel Libeskind, World Trade Center Design Study, February 2003.

41 *Architectural Record* (January 2002).

42 Samuel Gruber, *Jewish Monuments in Eastern Europe: The Legacy of the Holocaust and Preservation Today*, paper delivered at the College Art Association Annual Meeting, Chicago, February 1992.

43 *Jewish Heritage Report* (spring/summer 1998).

44 Darmstadt University of Technology, Department of CAD in Architecture, and others, eds, *Synagogues in Germany: A Virtual Reconstruction* (Basel, 2004).

第7章

1 *The Guardian Weekly*, 27 March 2003.

2 Rebecca Grant, 'In Search of Lawful Targets', *Airforce*, LXXXVI/2 (February 2003).

3 Second Protocol to the Hague Convention of 1954 for the Protection of Cultural Property in the Event of Armed Conflict, The Hague, 29 March 1999.

4 *Sydney Morning Herald*, 29 October 2004.

5 *Le Monde Diplomatique*, February 2003, and *Sydney Morning Herald*, 20 March 2004.

6 UNESCO press statement, 22 March 2004.

7 Treaty of Versailles, Part VIII, Section 2, Special Provisions.

8 Lambourne, *War Damage in Western Europe*, pp. 24–7.

9 International Military Tribunal Nuremberg, Transcripts and Documents in Evidence, Trials of Major War Criminals, Transcripts of days 54 and 64.

10 Ibid.

11 Article 3 of the Statutes: available at: www.un.org/icty/legaldoc/index.

12 Struger case (IT-01-42), ICTY.

13 Milošević (IT-02-54), ICTY, counts 19–22.

14 Ibid., trial transcript for 8 July 2003.

15 Partial dissenting opinion of Judge Mohamed Shahabuddeen, Appeals Chamber hearing in the trial of General Radislav Krstić, ICTY, 19 April 2004.

16 Cited in Avi Shlaim, *The Iron Wall* (New York, 2000), p. 585.［前掲］

17 Alain Destexhe, *Rwanda and Genocide in the Twentieth Century* (New York, 1995), p. 4.

18 Raphael Lemkin, *Axis Rule in Occupied Europe* (Washington, DC, 1944), p. 79.

19 Raphael Lemkin, *The Evolution of the Genocide Convention*, Lemkin Papers, New York Public Library.

20 Ibid., cited in Samantha Power, *A Problem from Hell: America and the Age of Genocide* (London, 2003), p. 43.［前掲］

21 Ibid.［同前］

22 Martin Coward, 'Community as Heterogeneous Ensemble: Mostar and Multiculturalism', paper prepared for the ISA Annual Convention, Chicago, February 2001.

23 George Orwell, *1984* (London, 1949, repr. 1954), p. 8［ジョージ・オーウェル『一九八四年』高橋和久訳／早川書房／2009年］

Murtagh, ed., *Planning and Ethnic Space in Belfast* (Coleraine, 1993).

89 Mackell, 'The Shankhill/Falls Interface'.

90 *The Independent*, 24 August 2004. See also Neil Jarman and Chris O'Halloran, *Peacelines or Battlefields: Responding to Violence in Interface Areas* (Belfast, October 2000), www.conflictresearch.org.uk/publications/porppubs.

91 Research by Peter Shirlow, University of Ulster; cited in BBC news report, 4 January 2002.

### 第6章

1 *The Guardian*, 1 September 2004.

2 Brian Osborne, 'Landscapes, Memory, Monuments and Commemoration: Putting Identity in its Place', draft paper for the Ethno-cultural, Racial, Religious and Linguistic Diversity and Identity Seminar, Nova Scotia, November 2001.

3 Author's interview.

4 David Lowenthal, 'Fabricating Heritage', *History & Memory*, X/1 (1998), pp. 5–24.

5 Adolf Ciborowski, *Warsaw: A City Destroyed and Rebuilt* (Warsaw, 1968), p. 44.

6 Norman Davies and Roger Moorhouse, *Microcosm: Portrait of a Central European City* (London, 2002).

7 Fredric Jameson, 'History Lessons', in *Architecture and Revolution*, ed. Neil Leach (London, 1999), p. 80.

8 *Daily Telegraph*, 19 October 2004.

9 Cited in Olenka Pevny, 'Rebuilding a Monumental Past', in *East European Perspectives*, J. B. Rudnyckyi Lecture Series, University of Manitoba (Winnipeg, 2001).

10 Ibid.

11 W. G. Sebald, 'Air War and Literature' [1997], collected in his *On the Natural History of Destruction* (New York, 2003). [W・G・ゼーバルト『空襲と文学』鈴木仁子訳/白水社/ 2008年]

12 Hannah Arendt, 'The Aftermath of Nazi Rule: Report from Germany', in *Commentary* (October 1950), p. 342.

13 Gavriel Rosenfeld, *Munich and Memory: Architecture, Monuments, and the Legacy of the Third Reich* (Berkeley and Los Angeles, 2000).

14 *Münchener Katholische Kirchenzeitung* (1953), cited ibid.

15 Rosenfeld, *Munich and Memory*, p. 36.

16 Ibid., pp. 76–106.

17 *Sydney Morning Herald*, 20 November 2004, pp. 186–7.

18 Ibid.

19 Ibid.

20 Ibid.

21 Christopher Woodward, In *Ruins* (London, 2001), p. 212. [クリストファー・ウッドワード『廃墟論』森夏樹訳/青土社/ 2016年]

22 Ibid. [同前]

23 Michael Z. Wise, *Capital Dilemma: Germany's Search for a New Architecture of Democracy* (New York, 1998), p. 93.

24 Ibid., p. 113.

25 See Andreas Huyssen, 'After the War: Berlin as Palimpsest', *Harvard Design Magazine*, 10 (winter/spring 2000); and *New York Times*, 27 October 2004.

26 See Forderverein Berliner Schloss website at www.berliner-schloss.de.

27 Ibid.; see also Wise, *Capital Dilemma, and Brian Ladd, The Ghosts of Berlin: Confronting German History in the Urban Landscape* (Chicago, 1997).

28 www.berliner-schloss.de.

29 Wise, *Capital Dilemma*, p. 111.

30 Daniel Libeskind, 'Traces of the Unborn', in *Architecture and Revolution*, ed. Neil Leach (London, 1999), p. 128.

31 Toby Axelrod, *Jewish World Review*, 25 September 1998.

32 Wise, *Capital Dilemma*, p. 115.

33 Rosenfeld, *Munich and Memory*, pp. 280–305.

34 Hugo Hamilton, 'The Loneliness of Being German', *The Guardian*, 7 September 2004.

35 Cited in Rosenfeld, *Munich and Memory*, p. 2.

36 James E. Young, 'The End of the Monument in Germany', *Harvard Design Magazine*, 9 (Fall 1999).

37 Adrian Forty and Susanne Kuchler, eds, *The Art of*

to General Assembly resolution ES-10/10 (Report on Jenin), 2002.

41 Ibid.

42 Jeff Halper, 'The Message of the Bulldozers', ICAHD, 9 August 2002, www.icahd.org.

43 Ibid.

44 Robert Bevan, 'The Silent Casualty', *Independent on Sunday*, 1 December 2002, and the author's visit to Nablus, October 2002. See also ICOMOS Heritage at Risk report, April 2002, submitted by the Palestinian National Committee of ICOMOS.

45 Amnesty International, *Israel and the Occupied Territories, Shielded from Scrutiny*.

46 UNESCO World Heritage Committee, 26th Session, June 2002.

47 Author's interview, October 2002.

48 See, for instance, *The Independent*, 11 April 2001.

49 Diana Digges, 'The Politics of Preservation', *Christian Science Monitor*, 29 July 1999.

50 *Ha'aretz*, 2 December 2002.

51 *The Independent*, 12 August 2002.

52 *Sunday Telegraph*, 17 March 2002.

53 *The Guardian Weekly*, 8 April 2004, reporting the findings of the European Monitoring Centre on Racism and Xenophobia.

54 *The Guardian Weekly*, 18 September 2003.

55 See www.btselem.org for latest figures.

56 Ze'ev Jabotinsky, Writings: *On the Road To Statehood* ( Jerusalem, 1959); quoted in Avi Shlaim, *The Iron Wall* (New York, 2000), p. 13. [前掲]

57 David Ben Gurion, *Letters to Paula* (London, 1971); cited in Avi Shlaim, *The Iron Wall*, p. 21. [同前]

58 *The Australian*, 20 December 2003.

59 *Le Monde Diplomatique*, July 2003.

60 Ibid.

61 Associated Press, 17 January 2004.

62 *Sydney Morning Herald*, 12 July 2004.

63 Efrat, ed., *Borderlinedisorder*, p. 34.

64 Polly Feversham and Leo Schmidt, *The Berlin Wall Today* (Berlin, 1999), pp. 28–40.

65 Ibid.

66 Manfred Fischer, 'The History of the Chapel of Reconciliation', in *Berlin Wall: Memorial Site, Exhibition Center and the Chapel of Reconciliation on Bernauer Strasse* (Berlin, 1999), p. 34.

67 Ibid., pp. 34–5.

68 Ibid.

69 Ibid., p. 11.

70 *The Independent on Sunday*, 23 June 2002.

71 C. Nagel, 'Reconstructing Space, Recreating Memory: Sectarian Politics and Urban Development in Post-War Beirut', *Political Geography*, XXI/5 (2002), pp. 717–25.

72 Feversham and Schmidt, *The Berlin Wall Today*, p. 126.

73 Ibid., p. 122.

74 *The Times*, 27 May 1976.

75 *The Guardian*, 6 May 1976; see also Michael Jansen, 'Cyprus: The Loss of a Cultural Heritage', in *Modern Greek Studies Yearbook*, II (1986), pp. 314–23.

76 *The Times*, 19 August 1980.

77 *Frankfurter Allgemeine Magazin*, 30 March 1990.

78 *Cyprus Mail*, 19 June 2001.

79 *The Guardian Weekly*, 2 January 2003.

80 *Londra Gazete*, 2 September 2004.

81 *The Guardian Weekly*, 29 April 2004.

82 Ciaran Mackell, 'The Shankhill/Falls Interface: A Design Approach', PhD thesis, University College, Dublin, 1999 [unpublished].

83 Frederick Boal, 'Segregation and Mixing: Space and Residence in Belfast', in *Integration and Division: Geographical Perspective on the Northern Ireland Problem*, ed. F. Boal and J. Douglas (London, 1982), pp. 249–80.

84 *The Independent*, 6 April 2004.

85 David McKittrick and David McVea, *Making Sense of The Troubles* (London, 2001), p. 251; Michael Poole and Paul Doherty, Ethnic Residential Segregation in Belfast (Coleraine, 1995).

86 Ibid., p. 59.

87 *The Guardian*, 16 June 2002.

88 A. Hepburn, 'Long Division and Ethnic Conflict: The Experience of Belfast', in *Managing Divided Cities*, ed. S. Dunn (Keele, 1994); see also Brendan

110 Lucian Boia, *Romania* (London, 2001), p. 288.
111 Giurescu, *The Razing of Romania's Past*, p. 49.
112 Ibid., p. 51.
113 Petrescu, 'The People's House', p. 194.

第5章

1 Author's visit to Belfast, July 2002.
2 Cited in Scott Bollens, *'City and Soul', City: Analysis of Urban Trends, Culture, Theory, Policy, Action*, V/2 (2001), pp. 169–87.
3 *The Independent*, 16 March 2002.
4 Pankaj Mishra, 'Holy Lies', *The Guardian*, 6 April 2002.
5 Richard M. Eaton, 'Temple Desecration in Pre-Modern India', *Frontline*, XVII/25 (9 December 2000) and XVII/26 (23 December 2000). See also Kristin Romey, 'Flashpoint Ayodhya', Archaeology (July–August 2004).
6 Ibid.
7 See, for instance, *The Economist*, 27 July 2002.
8 *The Independent*, 4 April 2002.
9 Concerned Citizens Tribunal, 'An Inquiry into the Carnage in Gujarat', 2002, www.sabrang.com.
10 *The Guardian*, 2 March 2002.
11 Romey, 'Flashpoint Ayodhya', pp. 49–55.
12 *Sydney Morning Herald*, 28 June 2004.
13 Figures from Israeli Committee Against House Demolitions (ICAHD), 2004, and B'Tselem, the Israeli Information Center for Human Rights in the Occupied Territories, *Demolishing Peace: Israel's Policy of Mass Demolition of Palestinian Houses in the West Bank* (1997).
14 Amnesty International, *Under the Rubble: House Demolition and the Destruction of Land and Property*, 18 May 2004.
15 *The Guardian*, 25 August 2004, quoting calculations in the Israeli newspaper *Yedioth Ahronoth*.
16 Jeff Halper, 'The Key to Peace: Dismantling the Matrix of Control', ICAHD, 2001, www.icahd.org.
17 Reports by B'Tselem, *Demolishing Peace (1997) and LandGrab: Israel's Settlement Policy in the West Bank* (May 2002).
18 See, for instance, Zvi Efrat, ed., *Borderlinedisorder*, catalogue accompanying the Israeli Pavilion exhibition at the 8th International Architecture Biennale, Venice, 2002; and B'Tselem report, *LandGrab* (May 2002).
19 B'Tselem, *A Policy of Discrimination: Land Expropriation, Planning and Building in East Jerusalem* (May 1995).
20 Ibid.
21 Ibid.
22 See, for instance, Amnesty International, *Israel and the Occupied Territories, Shielded from Scrutiny: IDF violations in Jenin and Nablus*, 4 November 2002.
23 *The Guardian Weekly*, 24 September 2004.
24 B'Tselem, *Demolishing Peace* (1997) and *LandGrab* (May 2002).
25 Stephen Graham, 'Clean Territory: Urbicide in the West Bank', *Open Democracy* (August 2002).
26 B'Tselem, *LandGrab* (May 2002).
27 BBC report, *Israel Settlement Building Grows*, 2 March 2004.
28 *The Guardian*, 24 August 2004.
29 Ibid.
30 BBC news report, 17 March 2005.
31 *Sydney Morning Herald*, 20 July 2002.
32 Amnesty International, *Israel and the Occupied Territories, Shielded from Scrutiny*.
33 Ibid.
34 *Sydney Morning Herald*, 7 January 2003.
35 Amnesty International, statement on Rafah demolitions, 14 January 2002.
36 Amnesty International, *Under the Rubble: House Demolition and the Destruction of Land and Property*, 18 May 2004.
37 Ibid.
38 Graham, 'Clean Territory: Urbicide in the West Bank'.
39 Edward Said, *Reflections on Exile and Other Essays* (Cambridge, MA, 2000), p. 173.［エドワード・W・サイード『故国喪失についての省察 1、2』大橋洋一ほか訳／みすず書房／2006 − 2009年］
40 Report of the Secretary-General prepared pursuant

［スタンレー・カーノウ『毛沢東と中国：終りなき革命』風間龍、中原康二訳／時事通信社／ 1973 年］

75 Philip Bridgham, 'Mao's Cultural Revolution: Origin and Development', *China Quarterly*, 29 ( January–March 1967), pp. 1–35.

76 Leys, *Chinese Shadows*, pp. 57–8.［前掲］

77 Gordon Bennett and Ronal Motaperto, *Red Guard* (New York, 1971), p. 81.［ゴードン・A・ベネット、ロナルド・N・モンタペルト編『紅衛兵だった私——戴小艾（ダイ シャオアイ）の政治的伝記』山田侑平訳／日中出版／ 1978 年］

78 Wang Chao-tien, *A Red Guard Tells His Own Story* (Taipei, 1967), pp. 34–5.

79 Leys, *Chinese Shadows*.［前掲］

80 Ibid., pp. 91–103.［同前］

81 Ibid.［同前］

82 Ibid., p. 58.［同前］

83 Samantha Power, *A Problem from Hell: America and the Age of Genocide* (London, 2003), pp. 87–90.［サマンサ・パワー『集団人間破壊の時代——平和維持活動の現実と市民の役割』星野尚美訳／ミネルヴァ書房／ 2010 年］

84 Ibid.［同前］

85 Gregory Stanton, 'Blue Scarves and Yellow Stars: Classification and Symbolism in the Cambodian Genocide', paper delivered at the Montreal Institute of Genocide Studies, April 1989.

86 Ben Kiernan, ed., *How Pol Pot Came to Power: A History of Communism in Kampuchea, 1930–1975* (London, 1985).

87 Cited in David Chandler, Ben Kiernan and Chantou Boua, ed. and trans., *Pol Pot Plans the Future: Confidential Leadership Documents from Democratic Kampuchea, 1976–1977*, Yale University Southeast Asian Studies Monograph Series 33 (New Haven, CT, 1988), p. 113.

88 Stanton, 'Blue Scarves and Yellow Stars'.

89 Cited in Anthony Daniels, 'In Pol Pot Land: Ruins of Varying Types–Cambodia', *National Review*, 29 September 2003, p. 27.

90 Stanton, 'Blue Scarves and Yellow Stars'.

91 Bogdan Bogdanović, 'Murder of the City', *New York Review of Books*, XL/10 (27 May 1993).

92 Ibid.

93 'Mostar92–Urbicide', in *Space and Society*, XVI/62 (1993), pp. 8–25.

94 Ivo Andrić, *The Bridge over the Drina*, trans. Lovette F. Edwards (London, 1995).［イヴォ・アンドリッチ『ドリナの橋』松谷健二訳／恒文社／ 1966 年］

95 Martin Coward, 'Community as Heterogeneous Ensemble: Mostar and Multiculturalism', paper for the ISA Annual Convention, Chicago, February 2001.

96 *The Independent*, 1 September 2002.

97 *The Independent*, 14 November 2001 and 10 December 2001.

98 Ibid.

99 *Sydney Morning Herald*, 20 November 2004.

100 *The Times*, 24 November 2001.

101 Finbarr Barry Flood, 'Between Cult and Culture: Bamiyan, Islamic Iconoclasm, and the Museum', *Art Bulletin*, LXXXIV/4 (December 2002), pp. 641–59.

102 *Sydney Morning Herald*, 20 November 2004.

103 *The Independent*, 12 October 2001.

104 Bogdanović, 'Murder of the City'.

105 Martin Heidegger, *Discourse on Thinking* (Eng. trans., New York, 1966).［マルティン・ハイデッガー『ハイデッガー選集 15　放下』辻村公一訳／理想社／ 1963 年］

106 Le Corbusier, *Vers une architecture* [Paris, 1923]; Eng. trans. as *Towards a New Architecture* (London, 1927).［ル・コルビュジェ - ソーニエ『建築へ』樋口清訳／中央公論美術出版／ 2003 年］

107 Robert Bevan, *The Specificity of the Aesthetic: A Critique of Janet Wolf's Aesthetics and the Sociology of Art* [1983], unpublished Postgraduate Paper, Oxford Brookes University, 1990.

108 Dinu Giurescu, *The Razing of Romania's Past* (Washington, DC, 1989), pp. 2–11.

109 Doina Petrescu, 'The People's House, or the Voluptuous Violence of an Architectural Paradox', in *Architecture and Revolution*, ed. Neil Leach (London, 1999), pp. 188–95.

(Washington, DC, 1992), p. xxxiv.
30 Benvenisti, *Sacred Landscape*.
31 Ibid., p. 169.
32 Avi Shlaim, *The Iron Wall*, p. 245［前掲］; and *Ha'aretz*, 31 December 1997.
33 *The Guardian*, 3 February 2001.
34 Karen Armstrong, *Jerusalem: One City, Three Faiths* (New York, 1996).
35 See ibid., p. 168, for an alternative expression of the ten degrees of holiness in the 'Jewish map of the world'.
36 Con Coughlin, *A Golden Basin Full of Scorpions: The Quest for Modern Jerusalem* (London, 1997), p. 51.
37 Armstrong, *Jerusalem: One City, Three Faiths*, p. 352.
38 Coughlin, *A Golden Basin Full of Scorpions*, p. 135.
39 Ibid., pp. 106–8.
40 Wasserstein, *Divided Jerusalem; Armstrong, Jerusalem: One City, Three Faiths*, pp. 402–3.
41 Meron Benvenisti, *City of Stone: The Hidden History of Jerusalem* (Berkeley and Los Angeles, CA, 1996), p. 83.
42 Wasserstein, *Divided Jerusalem*, pp. 334–7; Benvenisti, *City of Stone*, p. 74.
43 Coughlin, *A Golden Basin Full of Scorpions*, p. 234.
44 *Australian Financial Review*, 26 September 2003.
45 Coughlin, *A Golden Basin Full of Scorpions*, pp. 241–2.
46 Gallup Israel poll, The Loyalists of Temple Mount, February 1996.
47 Benvenisti, *Sacred Landscape*, pp. 274–6.
48 Ibid., p. 280.
49 See, for instance, *The Art Newspaper* (October 2001).
50 *The Guardian*, 4 October 2002.
51 Reuters, 17 February 2004.
52 Coughlin, *A Golden Basin Full of Scorpions*, pp. 230–31.
53 UNESCO Report, 'Jerusalem and the Implementation of 29c/Resolution 22', 5 October 1999.
54 Ibid.
55 *A Policy of Discrimination: Land Expropriation, Planning and Building in East Jerusalem*, B'Tselem, the Israeli Information Center for Human Rights in the Occupied Territories (May 1995).
56 Wasserstein, *Divided Jerusalem*, pp. 99–100, and Armstrong, *Jerusalem: One City*, Three Faiths, pp. 347–9.
57 William Dalrymple. *From the Holy Mountain* (London, 1997), pp. 332–59.
58 Ibid.
59 Ibid., p. 333.
60 *A Policy of Discrimination*, B'Tselem.
61 Ibid.
62 Ibid.
63 Karen Armstrong, paper delivered to the Talloires Symposium on Jerusalem, May 2002, Tufts University Center, Talloires, France.
64 Leon Trotsky, 'What is Proletarian Culture and is it Possible?' [1923], in *Leon Trotsky on Literature and Art*, ed. Paul N. Siegel (New York, 1970), p. 43.
65 Ibid., p. 45.
66 See, for instance, Catherine Cook, 'Sources of a Radical Mission in the Early Soviet Profession', in *Architecture and Revolution*, ed. Neil Leach (London, 1999), pp. 13–37.
67 Natasha Chibireva, 'Airbrushed Moscow: The Cathedral of Christ the Saviour', in *The Hieroglyphics of Space*, ed. Neil Leach (London, 2002), pp. 70–79.
68 Ryszard Kapuś cinski, *Imperium* (London 1994), pp. 103–5.［リシャルド・カプシチンスキ『帝国――ロシア・辺境への旅』工藤幸雄訳／新潮社／1994年］
69 Ibid., pp. 173–4.［同前］
70 See, for instance, Alex de Jonge, *Stalin and the Shaping of the Soviet Union* (London, 1986).［アレクス・ド・ジョンジュ『スターリン』中沢孝之訳／心交社／1989年］
71 Olenka Pevny, 'Rebuilding a Monumental Past', in *East European Perspectives*, J. B. Rudnyckyi Lecture Series, University of Manitoba (Winnipeg, 2001).
72 Nicholas, *The Rape of Europa*, pp. 193–4.［前掲］
73 Simon Leys, *Chinese Shadows* (New York, 1977), pp. 54–5.［シモン・レイ『中国の影』大田千博訳／日中出版／1979年］
74 See, for instance, Stanley Karnow, *Mao and China: Inside China's Cultural Revolution* (New York, 1972).

パの略奪——ナチス・ドイツ占領下における美術品の運命』高橋早苗訳/白水社/2020年]

68 Ibid., p. 237. [同前]

69 Order number OKW/WFST/OP (H) No772989/44; cited in Larry Collins and Dominique Lapierre, *Is Paris Burning?* (London, 1965), p. 7. [ラリー・コリンズ、ドミニク・ラピエール『パリは燃えているか?』志摩隆訳/早川書房/2005年]

70 Files of the First US Army (FUSA) report 2055, 26 August 1944; 4th Div. g2 Periodic Report 2000, 26 August 1944; FUSA After Action Report, August, cited in Collins and Lapierre, *Is Paris Burning?* [同前]

71 See, for instance, Fox News report 'Iraqis, Marines, Pull Down Saddam Statue', 9 April 2003.

72 *Washington Post*, 14 April 2003, and New York Times, 16 April 2003.

73 *The Independent*, 15 April 2003.

74 Micah Garen, 'The War within the War', *Archaeology* (July/August 2004), pp. 28–31, and *The Guardian*, 2 April 2003.

75 *The Guardian*, 31 August 2004.

76 *The Guardian*, 15 January 2005.

77 *The Art Newspaper*, 6 April 2005.

78 See, for instance, *The Guardian*, 25 August 2004.

79 Kamil Mahdi, 'A Cultural Genocide', *Al Ahram Online*, 14 October 2004.

## 第4章

1 Heinrich Himmler, *Some Thoughts on the Treatment of the Alien Population in the East*, memorandum, 15 May 1940; cited in J. Noakes and G. Pridham, Nazism1919–1945, III: Foreign Policy, War and Racial Extermination: A Documentary Reader (Exeter, 1988).

2 Lynn H. Nicholas, *The Rape of Europa* (London, 1994), p. 70. [前掲]

3 Ibid., pp. 57–80 [同前]; see also Adolf Ciborowski, *Warsaw: A City Destroyed and Rebuilt* (Warsaw, 1968), pp. 44–57.

4 Noakes and Pridham, *Nazism1919–1945*, pp. 922–96.

5 Ibid., pp. 988–9.

6 Documents and Plans of Warsaw's Destruction and Restoration (Pabst's Plan, Bureau for the Restoration of the Capital Archives), 1942–50, State Archives of the City of Warsaw.

7 Noakes and Pridham, *Nazism1919–1945*.

8 Ibid., p. 996.

9 Ciborowski, *Warsaw: A City Destroyed and Rebuilt*, pp. 44–57.

10 Noakes and Pridham, *Nazism1919–1945*, p. 996.

11 See, for instance, *The Final Demolition of Lhasa*, Kyicho Kuntun pressure group (1993); Knud Larsen and Amund Sinding-Larsen, *The Lhasa Atlas: Traditional Tibetan Architecture and Townscape* (Chicago, 2001); and The Independent, 10 October 2000.

12 Reuters, 9 October 2003.

13 *The Economist*, 23 December 2000.

14 *The Final Demolition of Lhasa*.

15 Ibid.

16 *The Times*, 18 August 2001.

17 *The Final Demolition of Lhasa*, pp. 151–64.

18 Reuters, 19 August 2000.

19 Larsen and Sinding-Larsen, *The Lhasa Atlas*.

20 *Tibetan News Update*, December 2001.

21 *Tibet News*, V/2 (March–June 2001).

22 *The Economist*, 30March 2002.

23 *South China Morning Post*, 14 March 2005.

24 See, for instance, Bernard Wasserstein, *Divided Jerusalem: The Struggle for the Holy City* (London, 2001), pp. 4–5.

25 Avi Shlaim, *The Iron Wall* (New York, 2000), p. 10. [アヴィ・シュライム『鉄の壁——イスラエルとアラブ世界』神尾賢二訳/緑風出版/2013年]

26 See, for instance, Benny Morris, *The Birth of the Palestinian Refugee Problem* (Tel Aviv, 1991).

27 Erna Paris, *Long Shadows: Truth, Lies and History* (Toronto, 2000), p. 252. [アーナ・パリス『歴史の影——恥辱と贖罪の場所で』篠原ちえみ訳/社会評論社/2004年]

28 Meron Benvenisti, *Sacred Landscape* (Berkeley and Los Angeles, CA, 2000), pp. 11–54.

29 Walid Khalidi, ed., *All that Remains: The Palestinian Villages Occupied and Depopulated by Israel in 1948*

25 Robert Fisk, *Pity the Nation: Lebanon at War* (Oxford, 1990; 3rd edn, 2001), p. 186.

26 Nicola Lambourne, *War Damage in Western Europe: The Destruction of Historic Monuments during the Second World War* (Edinburgh, 2001), p. 50.

27 Max Hastings, *Bomber Command* (London, 1979). See also Robin Neillands, The Bomber War (London, 2001), p. 147.

28 Lambourne, *War Damage in Western Europe*, p. 53.

29 Niall Rothnie, *The Baedeker Blitz: Hitler's Attack on Britain's Historic Cities* (London, 1992).

30 Ibid., pp. 61 and 85.

31 Ibid., p. 69.

32 Ibid., p. 131.

33 Louis P. Lochner, trans., *The Goebbels Diaries 1942–43* (London, 1948), pp. 189–90.

34 Lambourne, *War Damage in Western Europe*, pp. 92–3.

35 Ibid., p. 98.

36 Ibid., p. 140.

37 Hastings, *Bomber Command*, p. 128.

38 Ibid.

39 Angus Calder, *The Myth of the Blitz* (London, 1991), p. 250.

40 Hastings, *Bomber Command*, p. 132.

41 Ibid., pp. 174–5.

42 Anthony Trythall, *'Boney' Fuller* (London, 1977), p. 226.

43 *Frankfurter Zeitung*, 1 July 1943.

44 Hastings, *Bomber Command*, p. 208.

45 A Review of the Work of Int 1, Bomber Command Internal Report, 1945.

46 Ibid.

47 Hastings, *Bomber Command*, pp. 341–4.

48 Frederick Taylor, *Dresden* (New York, 2004).

49 Tami Davis Biddle, 'Why Bomber Command Attacked Cities during the Second World War', online essay, BBC History Online, July 2001.

50 BBC *Timewatch*, 'Bombing Germany', broadcast 23 August 2001, and The Guardian, 23 August 2001.

51 Ibid. See also Hermann Knell, *To Destroy a City: Strategic Bombing and its Human Consequences in World War II* (Cambridge, MA, 2003).

52 Withdrawn memorandum from Churchill to Chiefs of Staff Committee and the Chief of Air Staff, 28March 1945; cited in Hastings, *Bomber Command*, pp. 343–4.

53 Hastings, *Bomber Command*, p. 344.

54 Council of Europe, *War Damage to the Cultural Heritage in Croatia and Bosnia-Herzegovina*, January 1994.

55 *Spiritual Genocide: A Survey of Destroyed, Damaged and Desecrated Churches, Monasteries and other Church Building [sic] during the War 1991–1993*, Museum of the Serbian Orthodox Church, Belgrade, 1994; cited in Council of Europe, *War Damage to the Cultural Heritage*.

56 *A Report on the Devastation of Cultural, Historical and Natural Heritage of the Republic/Federation of Bosnia and Herzegovina: from 5 April 1992 until 5 September 1995*, Institute for the Protection of the Cultural, Historical and Natural Heritage of Bosnia-Herzegovina (Sarajevo, 1995).

57 Andrew Herscher and András Riedlmayer, 'Architectural Heritage in Kosovo: A Post-War Report', *US/ICOMOS Newsletter*, 4 (July–August 2000).

58 Ibid.

59 Ibid.

60 Author's interview with Marija Koyakovitch, August 2001.

61 *Daily Telegraph*, 13 November 1991.

62 Author's interview with Marija Koyakovitch, August 2001.

63 UN Security Council, *Destruction of Cultural Property* report, UN Commission of Experts, Annex XI, 28 December 1994.

64 Miljenko Foretic, ed., *Dubrovnik in War* (Dubrovnik, 1993).

65 Ibid., pp. 19, 52 and 62.

66 Dario Gamboni, *The Destruction of Art: Iconoclasm and Vandalism since the French Revolution* (London, 1997), p. 42.

67 Lynn H. Nicholas, *The Rape of Europa* (London, 1994), pp. 229–72. ［リン・H・ニコラス『ヨーロッ

64 Testimony of Reverend Vartan Hartunian. Ellis Island Oral History Program Archive, 1986.

65 Raymond Kévorkian and Paul B. Paboudjian, *Les Armeniéns dans l'Empire Ottoman à la veille du genocide* (Paris, 1992).

66 T. A. Sinclair, *Eastern Turkey: An Architectural and Archaeological Survey* (London, 1987).

67 William Dalrymple, *From the Holy Mountain* (London, 1997).

68 Ibid., citing J. M. Thierry and Patrick Donabedian, *Les arts Arméniens* (Paris, 1988), pp. 87–8.

69 Ibid.

70 Accompanying notes for the exhibition *Armenian Churches in Eastern Turkey: A Legacy for Humanity*, Oakland, CA, March 2003.

71 *Armenian Weekly*, 15 March 2003, and Samvel Karapetian, 'The Armenian Cemetery of Jugha has been Annihilated', online report by the NGO Research on Armenian Architecture (RAA), www.raa.am/Articles/Juga.

72 Alexis Alexandas, *The Greek Minority of Istanbul and Greek–Turkish Relations 1918–1974*, Centre for Asia Minor Studies (Athens, 1992), pp. 252–89.

73 Ibid.

74 European Parliament resolution, 'On a Political Solution to the Armenian Questions', Doc. A2–33/87.

75 Dalrymple, *From the Holy Mountain*, p. 88.

第3章

1 Michael Scott Doran, 'Somebody else's Civil War', *How did this Happen? Terrorism and the New War*, ed. James F. Hoge jr and Gideon Rose (New York, 2001), pp. 31–52.

2 Broadcast 21 May 2003; reported in *Sydney Morning Herald*, 22 May 2003.

3 *Sydney Morning Herald*, 29 March 2004.

4 Quoted in Jason Burke, *Al-Qaeda: The True Story of Radical Islam* (London, 2004), p. 175–6.［ジェイソン・バーク『アルカイダ――ビンラディンと国際テロ・ネットワーク』坂井定雄、伊藤力司訳／講談社／2004年］

5 See, for instance, Karen Armstrong, *Jerusalem: One City, Three Faiths* (New York, 1997).

6 Burke, *Al-Qaeda: The True Story of Radical Islam*, p. 240.［前掲］

7 Statements to the 1998 Congressional Hearings on Intelligence and Security, Senate Judicial Committee, 24 February 1998.

8 Burke, *Al-Qaeda: The True Story of Radical Islam*.［前掲］

9 *Sunday Times*, 6 January 2002.

10 Joseph Conrad, *The Secret Agent: A Simple Tale* (London, 1907), chapter 2.［ジョセフ・コンラッド『密偵』土岐恒二訳／岩波書店／1990年］

11 H. G. Wells, *The War in the Air* (London, 1908, repr. Harmondsworth, 1941).

12 *The Independent*, 12 September 2002.

13 *Patterns of Global Terrorism*, United States Department of State, 1995.

14 Kathryn Lucchese, doctorate paper, College of Geosciences, Texas A&M University, 2001.

15 Khachig Tololyan, 'Cultural Narrative and the Motivation of the Terrorist', in *Inside Terrorist Organizations*, ed. David C. Rapoport (London, 2001), p. 220.

16 Reported in a paper by Giovanni De Gennaro, Deputy Chief of the State Police Force, at the first European meeting of 'Falcon One' on organized crime, Rome, 26–28 April 1995.

17 Patrick Cooney, 'The Raj in the Rain', *The Guardian*, 10 November 2001.

18 Mark Bence-Jones, *A Guide to Irish Country Houses* (London, revd 1988), p. xxiii.

19 Ibid., p. xxi.

20 Kevin Kearns, 'Preservation and Transformation in Georgian Dublin', *Geographical Review*, LXXII/3 (July 1982), pp. 270–90.

21 Tom Garvin, *Irish Times*, 18 May 2000.

22 See for instance, Tomas MacCurtain, *Burning of Cork City by British Forces, December 1920: A Tale of Arson, Loot and Murder* (Hereford, 1978).

23 Ibid., pp. 30–36.

24 Sven Lindqvist, *A History of Bombing* (Eng. trans., London, 2001), p. 113 [unpaginated].

pp. 13–15.

27 Ibid.; see also the testimony of András Riedlmayer in the ongoing trial of Slobodan Miloševićat the ICTY. Transcript for 8 July 2003, www.un.org/icty.

28 *Report on the Devastation of Cultural, Historical and Natural Heritage of the Republic/Federation of Bosnia and Herzegovina: from 5 April 1992 until 5 September 1995*, Institute for the Protection of the Cultural, Historical and Natural Heritage of Bosnia-Herzegovina (Sarajevo, 1995).

29 Author's interview, July 2001. See also Riedlmayer testimony, 8 July 2003.

30 Cited in report to the US Commission on Security and Cooperation in Europe, Washington DC, Hearing on Genocide in Bosnia-Herzegovina, 4 April 1995.

31 Author's interviews with Ferhad Mulabegović and Dr Sabrina Husedzinović, July 2001.

32 Ibid.

33 Ibid.

34 Ibid.

35 Ibid.

36 *Devastation of Cultural, Historical and Natural Heritage* (1995).

37 Ibid.

38 Ibid.

39 Testimony of András Riedlmayer, transcript for 8 July 2003.

40 BBC Worldwide Monitoring, BH Radio, Sarajevo, 2 September 2004.

41 Riedlmayer testimony. See also *Crimes in Stolac Municipality*, 1992–1994 (Sarajevo, c. 1996). For full text see the Community of Bosnia home page, http://www.haverford.edu/relg/sells/cobhome3.html.

42 See above. Information from author's interviews, including with Sue Ellis, return and reconstruction taskforce officer at the Office of the High Representative, Mostar, July 2001.

43 *Crimes in Stolac Municipality*, 1992–1994.

44 Figures cited by the Radical Statistics Group, including International Red Cross counts. www.radstats.org.uk.

45 Riedlmayer testimony, transcript for 8 July 2003.

46 Ibid. Map prepared by Bekir Besić, a refugee from Banja Luka.

47 *New York Times*, 21 August 1992.

48 *Los Angeles Times*, 28 March 1993; cited in A. Riedlmayer, 'From the Ashes: The Past and Future of Bosnia's Cultural Heritage', in *Islam and Bosnia: Conflict Resolution and Foreign Policy in Multi-Ethnic States*, ed. Maya Shatzmiller (Montreal, 2002).

49 David Dawidowicz, *Synagogues in Poland and their Destruction* (Jerusalem, 1960).

50 Richard Sennett, *Flesh and Stone: The Body and the City in Western Civilization* (New York, 1996), pp. 212–51.

51 Ibid., p. 216.

52 Quoted in Daniel Jonah Goldhagen, *Hitler's Willing Executioners: Ordinary Germans and the Holocaust* (New York, 1997), p. 141. [ダニエル・J・ゴールドハーゲン『普通のドイツ人とホロコースト——ヒトラーの自発的死刑執行人たち』望田幸男監訳/北村浩、土井浩、高橋博子、本田稔訳/ミネルヴァ書房/2007年]

53 Read and Fisher, *Kristallnacht*, pp. 164–5.

54 J. Noakes and G. Pridham, *Nazism 1919–1945*, III: *Foreign Policy, War and Racial Extermination: A Documentary Reader* (Exeter, 1988), p. 1053.

55 Ibid., pp. 1061–7.

56 Dawidowicz, *Synagogues in Poland and their Destruction.*

57 Ibid.

58 *Jewish Heritage Report*, II/1–2 (Spring/Summer 1998).

59 Samuel Gruber, 'Jewish Monuments of Eastern Europe', *The Legacy of the Holocaust and Preservation Today*, College Art Association Annual Meeting, Chicago, IL, 1992.

60 Warsaw District general directive, 2 October 1940; see Noakes and Pridham, *Nazism 1919–1945*, p. 1065.

61 Noakes and Pridham, *Nazism 1919–1945*, p. 1069.

62 Ibid.

63 *The Independent*, 27 November 2000.

25 Gamboni, *The Destruction of Art*, p. 33, caption 6.

26 Christopher Hibbert, *The French Revolution* (London, 1980).

27 Emmerich de Vattel, *Le droit des gens: ou Principes de la loi naturelle appliqués à la conduite et aux affaires des nations et des souverains* (Neuchâtel, 1758), III, chapter 9; quoted in Jiří Toman, *The Protection of Cultural Property in the Event of Armed Conflict* (Aldershot and Paris, 1996).

28 Jiří Toman, *The Protection of Cultural Property*.［『国際条約集 2021 年版』「武力紛争文化財保護条約」岩沢雄司、植木俊哉、中谷和弘編集代表／有斐閣／2021 年］

29 Adolf Hitler, meeting at Obersalzburg, 22 August 1939.［アドルフ・ヒトラーの言葉。1939 年 8 月 22 日、オーバーザルツベルクでの会合にて］

## 第2章

1 Chuck Sudetic, New York Times News Service, 9 November 1993.

2 Slavenka Drakulić, *The Observer*, 14November 1993.

3 A. Read and D. Fisher, *Kristallnacht: Unleashing the Holocaust* (London, 1989), pp. 73–4, 134–5.

4 発見された遺構は『British Archaeology』（1996 年 3 月／ 12 号）に報告されたが、その歴史的由来については論争がある。

5 Martin Luther, *Against the Jews and their Lies* [1543], trans. Martin H. Bertram. Available at: www.humanitas-international.org.［マルチン・ルター、I・B・プラナイティス『ユダヤ人と彼らの嘘／仮面を剝がされたタルムード』歴史修正研究所監訳／雷韻出版／2003 年］

6 Elizabeth Domansky, '"Kristallnacht", the Holocaust and German Unity', *History and Memory*, IV/1 (1992).

7 Darmstadt University of Technology, Department of CAD in Architecture, and others, eds, *Synagogues in Germany: A Virtual Reconstruction* (Basel, 2004), p. 131.

8 Read and Fisher, *Kristallnacht*, p. 65.

9 International Military Tribunal Nuremberg, Transcripts and Documents in Evidence, Trials of Major War Criminals 374–PS, 3063–PS.

10 L. Scott Lerner, 'The Narrating Architecture of Emancipation', *Jewish Social Studies*, VI/3 (spring/summer 2000), p. 1.

11 Darmstadt, *Synagogues in Germany*, pp. 24–7.

12 Read and Fisher, *Kristallnacht*, p. 75.

13 Ibid., p. 99.

14 Ibid., pp. 118–19.

15 Arthur Flehinger, *Jewish Chronicle*, 9 November 1979.

16 Alfons Heck, *The Burden of Hitler's Legacy* (Frederick, CO, 1988), p. 61.

17 Read and Fisher, *Kristallnacht*, p. 106.

18 *The Sources of the Serb Hegemonistic Aggression: Documents*, ed. Bože Ćović (Zagreb, 1991), pp. 106–24.

19 Noel Malcolm, *Bosnia: A Short History* (London, rev. 1996), p. 55.

20 L. Silber and A. Little, *The Death of Yugoslavia* (London, 1995), pp. 29–35.

21 Attributed to Vladika Nikanor, a senior figure in the Serbian Orthodox Church; quoted in Mirko Djordjevic, *War Cross of the Serbian Church: Facing Democracy*, Helsinki Committee for Human Rights in Serbia (Belgrade, 2002), p. 79.

22 M. Povrzanovi, 'Ethnography of a War: Croatia 1991–92', *Anthropology of East Europe Review*, XI/1–2 (1993), pp. 117–25.

23 Council of Europe, *War Damage to the Cultural Heritage in Croatia and Bosnia Herzegovina*, January 1994, and *Spiritual Genocide: A Survey of Destroyed, Damaged and Desecrated Churches, Monasteries and other Church Building [sic] during the War 1991–1993*, Museum of the Serbian Orthodox Church, Belgrade, 1994; cited in Council of Europe, *War Damage to the Cultural Heritage*, and UN Security Council, *Destruction of Cultural Property* report, UN Commission of Experts, Annex XI, 28 December 1994.

24 *The Independent*, 20 June 1994.

25 Ibid.

26 Kemal Bakaršić, 'The Libraries of Sarajevo and the Book that Saved our Lives', *The New Combat: A Journal of Reason and Resistance*, 3 (Autumn 1994),

註

第1章

1 George Orwell, 'Looking back at the Spanish Civil War', *New Road* (London, 1943). [ジョージ・オーウェル『オーウェル評論集1 象を撃つ』「スペイン戦争回顧」川端康雄編/井上摩耶子ほか訳/平凡社/2009年]

2 *New York Times*, 21 August 1992.

3 See, for example, M. Christine Boyer, *The City of Collective Memory: Its Historic Imagery and Architectural Entertainments* (Cambridge, MA, 1994) and Dolores Hayden, *The Power of Place: Urban Landscape as Public History* (Cambridge, MA, 1995). [ドロレス・ハイデン『場所の力——パブリック・ヒストリーとしての都市景観』後藤春彦、篠田裕見、佐藤俊郎訳/学芸出版社/2002年]

4 Eric Hobsbawm, 'The New Threat to History', *New York Times Review of Books*, 16 December 1993.

5 Eric Hobsbawm and Terence Ranger, *The Invention of Tradition* (Cambridge, 1983). [E・ホブズボウム、T・レンジャー編『創られた伝統』前川啓治ほか訳/紀伊國屋書店/1992年]

6 Hannah Arendt, *The Human Condition: A Study of the Central Dilemma Facing Modern Man* (Chicago, IL, 1958). [ハンナ・アレント『人間の条件』志水速雄訳/筑摩書房/1994年]

7 Henri Lefebvre, *La production de l'éspace* (Paris, 1974); Eng. trans. Donald Nicholson-Smith (Oxford, 1991). [アンリ・ルフェーヴル『空間の生産』斎藤日出治訳/青木書店/2000年]

8 See, for example, Monica Spiridon, *Spaces of Memory: The City-Text*, European Thematic Network, online publication, www.lingue.unibo.it (undated). See also Rudy J. Koshar, 'Building Pasts: Historic Preservation and Identity in 20th Century Germany', in *Commemorations: The Politics of National Identity*, ed. John Gillis (Princeton, NJ, 1994).

9 Alois Riegl, *Der moderne Denkmalkultus* (Vienna, 1903); part Eng. trans. as 'The Modern Cult of Monuments: Its Character and its Origin', *Oppositions*, 25 (Fall 1982), pp. 21–51. [アロイス・リーグル『現代の記念物崇拝——その特質と起源』尾関幸訳/中央公論美術出版/2007年]

10 Dario Gamboni, *The Destruction of Art: Iconoclasm and Vandalism since the French Revolution* (London, 1997).

11 Donald L. Horowitz, *The Deadly Ethnic Riot* (Berkeley, CA, 2002), p. 436.

12 Kevin Lynch, *The Image of the City* (Cambridge, MA, 1960). [ケヴィン・リンチ『都市のイメージ』丹下健三、富田玲子訳/岩波書店/2007年]

13 Adrian Forty and Susanne Kuchler, eds, *The Art of Forgetting*, Materializing Culture (Oxford, 2001).

14 Aldo Rossi, *L'architettura della città* (Padua, 1966; Eng. trans, Cambridge, MA, 1982). [アルド・ロッシ『都市の建築』大島哲蔵、福田晴虔訳/大龍堂書店/1991年]

15 Joël Candau, *Mémoire et identité* (Paris, 1998), pp. 21–5.

16 Paul Ricoeur, *Memory, History, Forgetting*, trans. Kathleen Blamey and David Pellauer (Chicago, IL, and London, 2004), pp. 96–120. [ポール・リクール『記憶・歴史・忘却』久米博訳/新曜社/2004年]

17 Maurice Halbwachs, *La mémoire collective* (Paris, 1950), chap. 1. [M・アルヴァックス『集合的記憶』小関藤一郎訳/行路社/1989年]

18 Pierre Nora, 'From Lieux de mémoire to Realms of Memory', preface to Pierre Nora and Lawrence D. Kritzman, eds, *Realms of Memory: Rethinking the French Past*, I (New York, 1996). [ピエール・ノラ編『記憶の場——フランス国民意識の文化=社会史 第1巻 対立』谷川稔監訳/岩波書店/2002年]

19 Pierre Nora, 'The Reasons for the Current Upsurge in Memory', www.eurozine. com, 19 April 2002.

20 David Lowenthal, *The Past is a Foreign Country* (Cambridge, 1985).

21 Milan Kundera, *The Book of Laughter and Forgetting* (London, 1988). [ミラン・クンデラ『笑いと忘却の書』西永良成訳/集英社/1992年]

22 Ronald Wright, *Stolen Continents: The Indian Story* (London, 1993). [ロナルド・ライト『奪われた大陸』香山千加子訳/NTT出版/1993年]

23 Ibid. [同前]

24 Georges Bataille, 'Architecture', *Le dictionnaire critique* (Paris,1992).

【や】



【ゆ】



【よ】



【ら】



【り】



【る】



【れ】



【ろ】



【わ】

救世主ハリストス大聖堂 201, 311, 312

索引

【あ】



【い】



【う】



【え】



【お】

【著者】

## ロバート・ベヴァン（Robert Bevan）

ジャーナリスト、作家、遺産主導の復元コンサルタント。イギリスの全国紙や世界各国の出版物に建築評論を寄稿している。ロンドン在住。

【翻訳】

## 駒木 令（こまき・りょう）

翻訳家。ポピュラー・サイエンスから人文科学、英米文学まで幅広い分野の翻訳に携わる。訳書に『チューリップの文化誌』『バラの文化誌』『柳の文化誌』（以上原書房）。

*The Destruction of Memory: Architecture at War*
by Robert Bevan

The Destruction of Memory: Architecture at War by Robert Bevan
was first published by Reaktion Books, London, 2005,
Second Expanded edition, 2016.

Japanese translation published by arrangement with Reaktion Books Ltd
through The English Agency (Japan)

# なぜ人類は戦争で文化破壊を繰り返すのか

2022年2月23日　第1刷

著者…………ロバート・ベヴァン

訳者…………駒木　令

装幀…………佐々木正見

発行者…………成瀬雅人
発行所…………株式会社原書房

〒160-0022 東京都新宿区新宿1-25-13
電話・代表 03（3354）0685
http://www.harashobo.co.jp
振替・00150-6-151594

印刷…………新灯印刷株式会社
製本…………東京美術紙工協業組合



ISBN978-4-562-07146-3, Printed in Japan